LE TALISMAN DE NERGAL

6. LA RÉVÉLATION DU CENTRE

Catalogage avant publication de Bibliothèque et Archives nationales du Québec et Bibliothèque et Archives Canada

Gagnon, Hervé, 1963-

Le talisman de Nergal

Sommaire : t. 6. La révélation du centre.
Pour les jeunes de 12 ans et plus.

ISBN 978-2-89647-189-8 (v. 6)

I. Titre. II. Titre : La révélation du centre.

PS8563.A327T34 2008 jC843'.6 C2007-942151-2
PS9563.A327T34 2008

Les Éditions Hurtubise bénéficient du soutien financier des institutions suivantes pour leurs activités d'édition :

- Conseil des Arts du Canada ;
- Gouvernement du Canada par l'entremise du Programme d'aide au développement de l'industrie de l'édition (PADIÉ) ;
- Société de développement des entreprises culturelles du Québec (SODEC) ;
- Gouvernement du Québec par l'entremise du programme de crédit d'impôt pour l'édition de livres.

Direction littéraire : Marie-Ève Lefebvre
Conception graphique : Kinos
Illustration de la couverture : Kinos
Mise en page : Martel en-tête

ISBN 978-2-89647-189-8

Dépôt légal : 4e trimestre 2009
Bibliothèque et Archives nationales du Québec
Bibliothèque et Archives du Canada

Diffusion-distribution au Canada :
Distribution HMH
1815, avenue De Lorimier
Montréal (Québec) H2K 3W6
Téléphone : 514-523-1523
Télécopieur : 514-523-9969
www.distributionhmh.com

Diffusion-distribution en Europe :
Librairie du Québec/DNM
30, rue Gay-Lussac
75005 Paris FRANCE
www.librairieduquebec.fr

Imprimé au Canada

www.editionshurtubise.com

HERVÉ GAGNON

LE TALISMAN DE NERGAL

6. LA RÉVÉLATION DU CENTRE

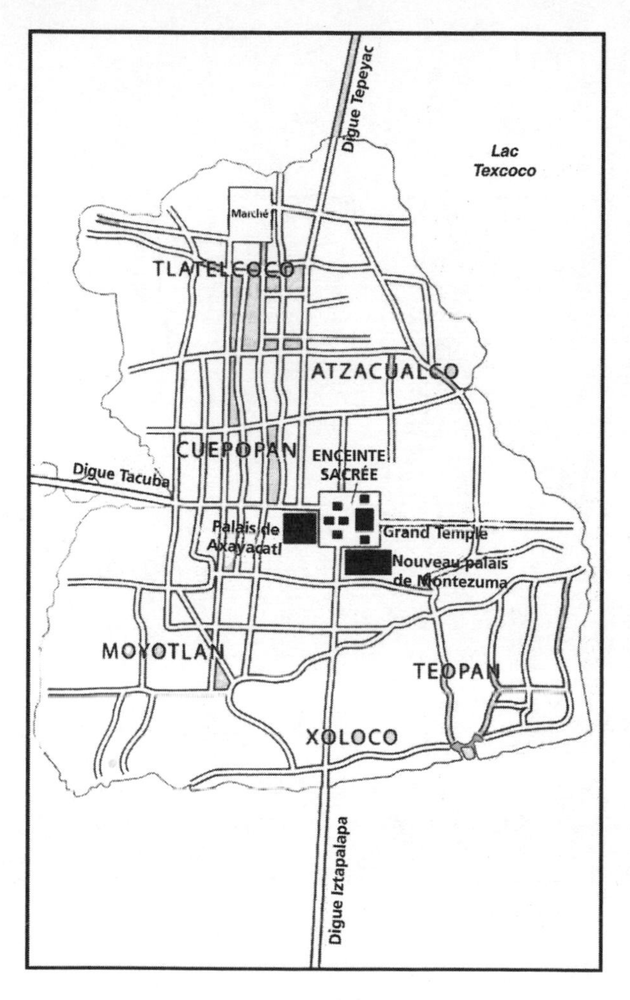

Tenochtitlán

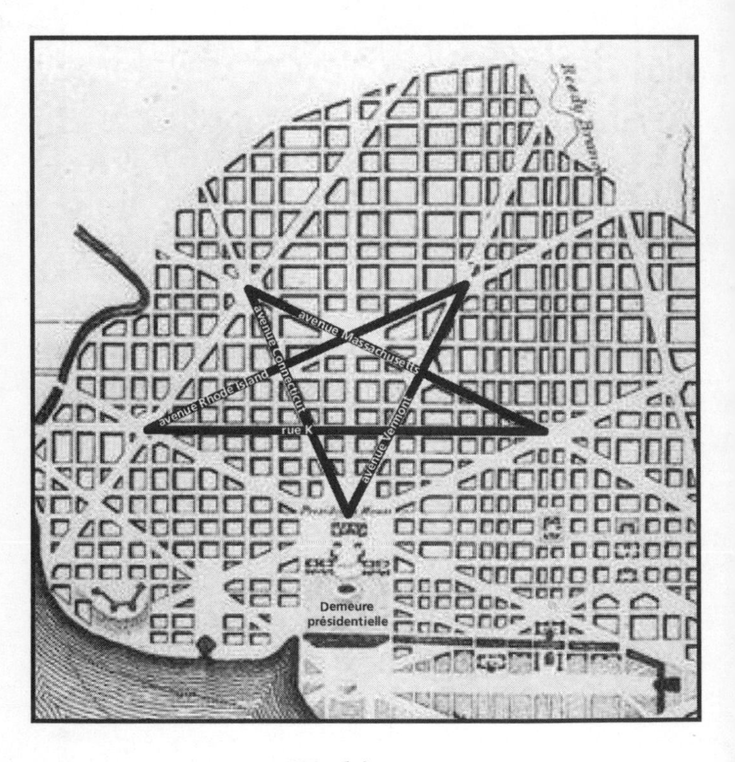
avenue Massachusetts
avenue Connecticut
avenue Rhode Island
rue K
avenue Vermont
Demeure
présidentielle

Washington

AU COMMENCEMENT

Éridou, en l'an 3612 avant notre ère

Autour de Manaïl, l'univers était immatériel. Le temps, l'espace et la matière n'étaient que des manifestations d'une même réalité originelle, permanente et absolue. Tout existait, tout était possible, rien n'était défini. Près du garçon, une autre présence, familière et précieuse, dont il sentait l'angoisse.

Le monde physique ne fut d'abord qu'une image vacillante et imprécise qu'il lui semblait voir à travers une eau trouble. Puis les choses reprirent forme autour de lui et la sensation d'un corps, froid et contraignant, lui revint. S'il maîtrisait instinctivement les Pouvoirs Interdits, il ne les comprenait pas pour autant. Il n'aurait su dire s'il s'était écoulé une seconde ou des siècles depuis qu'il avait quitté le *kan* de Montréal en entraînant Ermeline avec lui. Mais il était maintenant ailleurs.

La pensée de la gitane le ramena à la réalité. Il sentit une main crispée dans la sienne et fut rassuré. Elle était toujours là, avec lui. Elle était aussi la seule personne à laquelle il tenait et qui avait survécu à sa présence. Bientôt, elle se mettrait à grommeler comme elle seule savait le faire. *Sans elle, ton avenir n'est que ténèbres*, lui avait affirmé Ishtar. Elle aurait pu ajouter que sans elle, son cœur se flétrirait.

L'Élu d'Ishtar eut à peine le temps d'entrevoir les environs avant que l'extrême faiblesse qui suivait chaque déplacement entre les *kan* ne le saisisse et que le monde se mette à tourner. Il ouvrit les yeux, mais sa vision se rétrécit jusqu'à n'être plus qu'un étroit tunnel sombre. Ses jambes cessèrent de le porter et il s'effondra lourdement, sans forces. Face contre terre, il haletait en avalant la poussière, incapable même de tourner la tête pour mieux respirer. Le soleil ne parvenait pas à percer la pénombre qui recouvrait ses yeux. Il sentit la bave s'écouler de sa bouche et se mélanger à la terre pour former une petite flaque boueuse. Puis une violente nausée le prit et les pommes qu'il avait mangées sur les marches de la basilique Notre-Dame lui remontèrent dans la bouche et le nez. Ses lèvres s'ouvrirent, mais rien n'en sortit. Il était trop faible pour inspirer et les expulser. Il se sentait incapable de lutter pour sa vie. Un faible râle monta de sa gorge obstruée. Il ferma les yeux. Il désirait seulement dormir.

Sa conscience s'obscurcissait lorsqu'il sentit qu'on le secouait et qu'on le retournait sans ménagement sur le côté.

– Cornebouc ! maugréa Ermeline, dont la voix semblait venir de très loin. Tu ne vas pas estofer[1] maintenant comme un enfançon et m'abandonner Dieu sait où, espèce de malappris. Allez. Vide-moi ce gosier !

La gitane lui administra de grandes claques dans le dos, mais rien n'y fit. Le souffle l'éludait toujours. Autour de lui, tout était de plus en plus noir. Il avait l'impression de s'éteindre dans la plus parfaite indifférence.

Tout à coup, il sentit qu'on l'empoignait par le col de la chemise et qu'on le mettait à genoux. Un coup sec et violent dans le ventre le fit se plier en deux et quelque chose se délogea de ses voies respiratoires. Il toussa et cracha. Devant ses yeux, le monde redevint clair. Il inspira comme un noyé sortant la tête de l'eau. Ermeline était debout devant lui, les poings sur les hanches, les sourcils froncés.

– Voilà qui est mieux ! s'exclama-t-elle d'une voix où se mêlaient l'exaspération et l'angoisse. Me faire pareille frayeur... espèce d'âne ! Ingrat !

La gitane se pencha et ramassa quelque chose par terre. Elle le brandit devant les yeux du garçon.

– Un simple morceau de pomme, gronda-t-elle avec colère avant de le jeter plus loin.

1. Asphyxier.

À l'avenir, tu voudras bien me faire la grâce de mastiquer, glouton !

Pour toute réponse, Manaïl vomit de nouveau. Lorsque son estomac fut tout à fait vide, Ermeline, sa colère passée, s'assit près de lui et lui plaça la tête sur ses cuisses.

– Tu te sens mieux ? demanda-t-elle en lui caressant les cheveux avec tendresse, un peu surprise malgré les circonstances d'entendre sortir de sa bouche des mots prononcés dans une langue qu'elle n'avait jamais parlée.

– Oui…, haleta-t-il. Donne-moi… juste… un instant.

Il ferma les yeux et se concentra sur sa respiration qui peinait à reprendre un rythme régulier. Ses membres étaient lourds et il lui semblait que toute l'énergie du monde ne suffirait pas à les faire bouger. Il resta ainsi de longues minutes, la tête sur les jambes de la gitane, et sentit ses forces revenir un peu. Il se fit violence pour rompre le contact intime et s'asseoir. Il demeura ainsi assez longtemps pour s'assurer que le pire du malaise était passé. Il avait ressenti le même chaque fois qu'il était passé d'un *kan* à un autre et la sensation avait été pire lorsqu'il avait transporté d'autres personnes. Mais jamais elle n'avait été aussi éprouvante que cette fois. Pendant quelques secondes, il avait cru qu'il en mourrait.

– Tu… Tu crois que tu pourras voyager comme ça encore longtemps ? s'enquit la gitane, l'inquiétude perçant dans sa voix. Tu as l'air d'être à l'article de la mort.

Les Pouvoirs Interdits sont terriblement exigeants. Ils drainent la vie même de ceux qui les utilisent, l'avait averti la déesse après qu'il en eut abusé malgré lui. Mais comment pouvait-il faire autrement ? Le temple du Temps n'existait plus et quatre des cinq fragments du talisman de Nergal étaient en possession des Nergalii. Pour les récupérer, l'Élu ne pouvait plus compter que sur ses propres ressources.

– Transporter des bagages ne m'aide en rien..., balbutia Manaïl en forçant un sourire.

– Moi, un bagage ? s'insurgea aussitôt la gitane. Espèce de...

– Un fort joli bagage, coupa le garçon en levant la main pour protéger sa tête de la claque qui allait sans doute suivre. Mais... j'espère bien que... c'était la dernière... fois.

Ermeline soupira et ne parvint pas à empêcher un sourire d'éclairer son visage.

Manaïl songeait à ce qu'il venait de dire. Si les fragments qu'on lui avait volés se trouvaient bel et bien dans ce *kan*, peut-être n'aurait-il plus à voyager. S'il pouvait les retrouver, il arracherait l'autre fragment de sa poitrine, assemblerait le talisman et le détruirait une fois pour toutes. Il n'osait pas évoquer le fait qu'il ignorait de quelle manière y arriver et que, s'il y parvenait, il serait peut-être incapable de retourner dans son propre *kan* ou dans aucun autre. Il terminerait ses jours à Éridou, trois millénaires avant sa propre naissance. Avec Ermeline. Qui sait ? Peut-être engendrerait-il ses propres ancêtres ? Peut-être deviendrait-il le lointain aïeul de son propre père ? Il préférait placer sa confiance en Ishtar. Elle lui avait confié une tâche ingrate et lui avait été fidèle depuis le début. S'il la menait à bien, Elle ne l'abandonnerait pas, il en avait la conviction.

Avec prudence, il se remit sur pied. Ermeline lui saisit l'avant-bras pour l'assister. Il allait protester qu'il n'était ni une femmelette ni un vieillard gâteux et qu'il pouvait très bien se tenir debout tout seul lorsque la tête lui tourna un peu et que ses jambes tremblèrent. Il sentit des frissons lui parcourir le dos et de la sueur mouiller le tissu de sa chemise sous les aisselles. Seule la poigne ferme de sa compagne l'empêcha de se retrouver le nez dans le sable une autre fois. Puis le monde se stabilisa. L'image double qu'il avait devant les yeux se fusionna pour n'en former qu'une.

– Ça va aller, dit-il, essoufflé. Merci.

La gitane sourit et se contenta d'un signe gracieux de la tête.

Manaïl examina les environs. Le jour était avancé, mais un soleil de plomb éclairait encore le champ au milieu duquel ils avaient abouti. L'orge qui poussait autour d'eux était ballotté par une brise. Ailleurs, on pouvait apercevoir des champs de blé. Il reconnut des céréales mûres sur le point d'être récoltées. Au loin se dessinaient des montagnes auxquelles la distance donnait une teinte bleutée. Manaïl se sentit envahi par une émotion soudaine. Le *kan* précédait peut-être sa naissance de plusieurs milliers d'années, mais ce soleil était celui de son pays. Il en reconnaissait la lumière claire, presque aveuglante. L'air chaud et sec était celui qui lui avait caressé le visage durant toute sa jeunesse. L'odeur était celle de la terre humide et des troupeaux. D'une certaine manière, après avoir erré dans tous ces endroits étrangers, il éprouvait le curieux sentiment d'être de retour chez lui.

Le garçon pivota sur lui-même et plissa les yeux sous le soleil. Sur sa gauche, au-delà des champs, il aperçut des constructions qui s'élevaient au loin. Sans l'avoir jamais vue, il sut quelle était cette ville. Son visage se durcit et prit une expression déterminée. Un rictus méprisant se forma sur ses lèvres.

– Éridou..., murmura-t-il.

La ville paraissait beaucoup plus modeste qu'il ne l'avait imaginé. Presque décevante. À peine une dizaine d'hectares[1]. Le hameau qui se trouvait sous ses yeux n'avait rien à voir avec Babylone, Jérusalem, Paris, Londres ou Montréal. En fait, il n'était pas plus gros que Ville-Marie.

Il contint avec difficulté la colère et l'amertume qui montaient en lui. Il aurait voulu foncer dans la ville, tout ravager sur son passage, faire irruption dans le temple de Nergal, tailler

1. Un hectare vaut 0,01 km^2.

en pièces tous les Nergalii qu'il y trouverait et arracher des mains sans vie de Mathupolazzar les quatre fragments. Mais il devait garder la tête froide et ne pas être naïf. Il était seul contre des adversaires dont il ignorait le nombre et qui avait maintes fois prouvé qu'ils n'avaient aucun scrupule. Il fallait être patient, prendre le temps de réfléchir, de planifier. Pourtant, chaque instant passé sans agir tournait à l'avantage de Mathupolazzar. Le grand prêtre complotait sans doute déjà son prochain coup. Peut-être savait-il que l'Élu venait vers lui et s'était-il préparé à lui faire face ? Peut-être même s'était-il enfui ?

Et puis, Manaïl ne pouvait plus compter sur l'aide de bons Samaritains. Grâce au frère Enguerrand, qui avait laissé pour lui des traces qui s'étaient perpétuées dans les *kan* qui venaient après le sien, il avait retrouvé les trois derniers fragments du talisman à Paris, Londres et Montréal. D'outre-tombe, le commandeur l'avait guidé. Mais Éridou existait bien *avant* le templier. Si l'Élu devait triompher, ce serait avec l'aide d'Ermeline et de personne d'autre.

La gitane parut sentir son inquiétude. Elle lui posa la main sur l'épaule et se serra contre lui en suivant la direction de son regard.

– C'est… l'endroit où tu désirais aller ?

– Je crois, oui. Allons voir.

– Et une fois là-bas ?

– Je devrai trouver un moyen de réveiller les morts, répliqua Manaïl, incertain, en songeant à l'inscription découverte dans la crypte du *kan* de Montréal.

– Tu sais ce que ça signifie ?

– Peut-être...

Main dans la main, le Babylonien et la Parisienne se mirent en marche en direction de la ville. En chemin, ils croisèrent des canaux qui apportaient l'eau de très loin pour irriguer les champs. Manaïl s'accroupit et but longuement. Ermeline l'imita.

– Quelle chaleur ! s'exclama-t-elle une fois désaltérée. On se croirait en enfer. Tu viens vraiment de cet endroit ?

– Oui, répondit l'Élu. Mais pas de ce *kan*. Le mien viendra beaucoup plus tard.

Ermeline s'essuya le front avec la manche de sa chemise et ils reprirent leur route. Après avoir croisé quelques troupeaux de moutons et de chèvres laissés en pâturage et surveillés par de jeunes bergers somnolents qui ne firent aucun cas des deux étrangers, ils atteignirent la limite des champs. De là, ils voyaient bien la ville et pouvaient l'observer sans attirer l'attention.

Éridou était située dans une partie basse des terres et, sur sa circonférence, des puits creusés dans le sol recueillaient les eaux de ruissellement dont s'abreuvaient les habitants. Une muraille beige en grès, haute d'au moins douze coudées[1], l'encerclait, mais on pouvait y entrer par une des grandes portes qui perçaient chacun

1. Une coudée vaut 0,5 mètre.

des côtés de l'enceinte carrée. Par celle qui leur faisait face, l'Élu et la gitane pouvaient apercevoir des habitants à l'intérieur qui vaquaient à leurs occupations. Les hommes portaient des pagnes qui leur couvraient les cuisses jusqu'aux genoux et des sandales de cuir. Les femmes, elles, étaient pareillement chaussées et vêtues d'une tunique du même tissu pâle drapée sur une ou deux épaules. Au centre, un temple imposant, à la façade ornée de colonnes, dominait la ville.

Manaïl n'arrivait pas à arracher son regard de la petite bourgade qui s'élevait devant lui. C'était dans cet endroit en apparence inoffensif que son destin s'était écrit, des milliers d'années avant sa naissance. C'était là que le Mal avait repris forme lorsque les Nergalii avaient exhumé le talisman des Mages Noirs, sur lequel les Anciens avaient jeté l'interdit avant la destruction de leur civilisation. Les quatre fragments qu'il avait perdus dans le *kan* de Londres se trouvaient ici, sans doute dans le temple de Nergal. Il avait vu le réceptacle aménagé dans l'autel. Il avait empêché qu'on y dépose le fragment qu'il avait retrouvé dans le *kan* de Jérusalem et qu'Arianath lui avait volé. Il avait lutté contre le pouvoir étrange qui attirait le petit triangle de métal. Mais rien n'était certain. Peut-être Mathupolazzar disposait-il d'un réceptacle semblable dans un autre *kan* ? Peut-être l'Élu ne trouverait-il qu'un temple abandonné ? Et alors, que ferait-il ? Il n'en avait aucune idée. Il ferma les yeux et adressa une prière à Ishtar. Pour réussir, il aurait besoin, plus que jamais, qu'Elle l'inspire.

Il secoua la tête. Rien ne servait de broyer du noir. Le temps était compté et n'était pas aux rêveries mais à l'action. La première chose à accomplir était de trouver le temple de Nergal. De loin, il pouvait apercevoir quelques pyramides à degrés en gros blocs de pierre dans lesquelles il reconnut des temples. Il hocha la tête. Dans ce *kan* comme dans les autres, le culte de Nergal était une abomination. Il n'existait que dans l'ombre, loin des regards. Le temple n'était sans doute pas un de ces édifices, mais plutôt un endroit clandestin dont personne ne soupçonnait le véritable rôle. Il se trouvait fatalement dans une des nombreuses demeures qu'il avait sous les yeux.

Manaïl déglutit. Il n'avait que quelques pas à franchir pour entrer dans ce qu'il espérait être l'ultime étape de sa quête. À Éridou, il triompherait ou mourrait en essayant. *L'Élu se lèvera, rassemblera le talisman et le détruira. Fils d'Uanna, il sera mi-homme, mi-poisson. Fils d'Ishtar, il reniera sa mère. Fils d'un homme, d'une femme et d'un Mage, il sera sans parents. Fils de la Lumière, il portera la marque des Ténèbres. Fils du Bien, il combattra le Mal par le Mal*, disait la prophétie des Anciens. Voilà. La boucle serait bouclée.

Il jeta un regard inquiet à Ermeline, qui admirait la ville et qui ne s'en aperçut pas. Elle était si courageuse et loyale. Si belle, aussi. Un baume sur les plaies que la vie lui infligeait. Si la gitane de Paris était la seule récompense qu'il tirait de sa maudite quête, elle valait amplement les trahisons, les mauvais traitements, la peur et le danger. S'il échouait, elle n'existerait jamais. Son *kan* ne serait pas. De toute façon, s'il ne parvenait pas à récupérer les fragments et à détruire le talisman, lui non plus n'aurait pas vécu. Tous les *kan* recommenceraient à partir de celui-ci. Il ne jouait pas seulement sa vie ou celle d'Ermeline. C'était tout ce qui s'était déroulé depuis *maintenant* qui ne se produirait jamais.

Évidemment, il pouvait toujours décider d'abandonner et de s'enfuir dans un *kan* avec Ermeline et le fragment qui lui restait. Les Nergalii le poursuivraient assurément mais, maintenant qu'il savait comment se déplacer, il pourrait leur fausser compagnie. Pour un certain temps, en tout cas. Il lui suffirait de ne jamais rester trop longtemps dans le même *kan*. S'il parvenait à leur échapper, le talisman de Nergal ne serait pas assemblé de son vivant et l'existence qu'ils mèneraient, la gitane et lui, serait presque normale. Mais cela ne ferait que repousser l'inévitable. Dans le meilleur des cas, tôt ou tard, il mourrait de vieillesse et le fragment serait de nouveau à la portée de ses adversaires. Ici, dans ce *kan*, il ne se serait encore écoulé que quelques semaines depuis le départ des Mages d'Ishtar. Ou quelques mois. Ou même quelques années. Pour eux, cela n'avait aucune importance. Il leur suffirait d'être patients et ils finiraient par mettre la main sur le fragment laissé sans protection.

Non. La tentation était grande, mais fuir serait égoïste et ne représentait pas une réelle solution. Qu'il le veuille ou non, l'Élu d'Ishtar était condamné à combattre, à mort s'il le devait. Le choix n'existait pas.

Le garçon inspira profondément et observa le ciel. Le soleil amorçait sa descente vers l'ouest. Dans quelques heures, il serait couché. Il valait mieux entrer dans la ville avant la nuit. Ainsi, Ermeline et lui pourraient trouver quelque chose à se mettre sous la dent et planifier la suite tout en observant les alentours.

– Bon… Allons-y, soupira-t-il, résigné.

D'un geste décidé, il empoigna la main d'Ermeline et la tira vers l'arrière, puis la força à s'accroupir dans le blé haut. Lui même s'assit et retira ses chausses puis sa chemise, dont il arracha les manches d'un geste sec avant de la déchirer en une longue bande. Puis il tourna le dos à sa compagne, défit sa ceinture et se mit à enlever la culotte qu'il avait ramenée de Montréal.

– Mais… Mais que fais-tu là ? bredouilla la gitane, indignée. Tu vas me remettre ça à l'instant, vilain paillard ! Si je souhaite admirer ta croupe[1], j'en ferai la requête, rustre ! Vicieux !

Sans accorder d'attention à ces remontrances, Manaïl enroula ce qu'il restait de sa

1. Le derrière.

chemise autour de ses hanches, ramena le reste par-dessus son épaule pour masquer la vilaine cicatrice qui ornait sa poitrine, et rentra l'extrémité sous le tissu dans le creux de son dos. Il se releva, l'air ravi, et écarta les bras.

– J'ai grandi ainsi vêtu, dit-il. Si Ishtar m'aime un tout petit peu, elle ne m'imposera plus jamais ces maudites culottes trop chaudes et ces chausses qui m'enserrent les pieds.

Il ramassa sa ceinture et la passa autour de sa taille. La boucle de fer attirerait peut-être l'attention dans une ville qui ne connaissait encore que le bronze, mais il en avait besoin. Puis il retourna sa culotte et déchira la poche dans laquelle il avait fourré les doigts de Mathupolazzar avant de quitter le *kan* de Montréal. Il fit un petit paquet avec le tissu et en noua les deux coins autour de sa ceinture.

– Quel bagage dégoûtant, dit la gitane en plissant le nez.

Pour toute réponse, il fit un signe de tête.

– À ton tour.

Instinctivement, Ermeline se couvrit la poitrine de ses bras dans un geste pudique.

– Mon tour ? Mais... Mon tour de quoi ?

– Tu ne t'imagines tout de même pas que ta jupe et ta chemise vont passer inaperçues ? rétorqua-t-il, amusé. Allez, arrange-toi pour être habillée comme tout le monde.

La gitane se leva d'un trait, posa les mains sur ses hanches et inclina la tête de cette manière un peu menaçante qu'elle avait toujours lorsque la moutarde lui montait au nez. Son visage s'empourpra, ne laissant planer aucun doute sur les sentiments qu'elle éprouvait.

– Déjà que tu veux me vêtir en donzelle[1], tu t'imagines peut-être que je vais me dérober devant toi et t'exhiber mon féminage en prime ? Allez ! Retourne-toi, turlupin !

Manaïl obtempéra. Derrière lui, les grommellements mécontents d'Ermeline se mêlèrent au bruit du tissu qu'elle déchirait. Il allait perdre patience et lui ordonner de faire un peu plus vite lorsqu'elle le précéda.

– Voilà, geignit-elle.

Elle s'examina un instant, dépitée.

– Cornebouc... J'ai l'air d'une puterelle entre deux clients.

Manaïl ne put s'empêcher de sourire en admirant la façon dont sa compagne avait habilement réussi à fabriquer une approximation fort satisfaisante des tuniques qu'ils avaient aperçues. Elle avait drapé le tissu de toile grossière sur son épaule droite, laissant la gauche dénudée, et avait utilisé une des manches qu'elle avait arrachées comme ceinture, serrant à la taille un vêtement qui autrement aurait été ample et qui lui allait maintenant à mi-cuisse. Ses cheveux noirs, en tous points identiques à ceux des femmes d'Éridou, trahissaient les origines de l'arrière-petite-fille d'Abidda, qui était partie de ce *kan* pour celui de Paris.

1. Fille de mauvaise vie.

Le médaillon qui pendait à son cou, formé d'une pièce de monnaie percée et passée dans un lacet de cuir, était le seul objet qui la reliait encore à son *kan*. À ses pieds traînait sa jupe abandonnée.

Malgré lui, Manaïl se surprit à admirer les formes félines de la gitane, moulées par la tunique de fortune, et sentit monter en lui un émoi qu'il ne connaissait pas. Elle avait beaucoup changé. Elle était devenue une femme. Et lui un homme. Son cœur se serra et sa gorge devint sèche. Une chaleur étrange monta dans son ventre et les battements de son cœur s'accélérèrent. Il avala avec peine, les yeux écarquillés.

– Pas du tout, répliqua-t-il en la toisant de haut en bas, puis de bas en haut. Tu es très... Tu... Tu as l'air d'une vraie Babylonienne. Et... tu as de fort jolies jambes.

Le visage d'Ermeline devint cramoisi. En deux grands pas déterminés, elle franchit la distance qui les séparait et appliqua une retentissante gifle qui fit tourner la tête de Manaïl.

– Aïe ! s'écria celui-ci en frottant sa joue endolorie. Qu'est-ce qui te prend ?

– Cochon ! Si j'ai besoin d'entendre tes commentaires impudiques et tes minauderies, je te les demanderai, cornebouc ! Mes jambes sont ce qu'elles sont et je te prie de bien vouloir poser tes regards concupiscents ailleurs !

– Mais...

– Tais-toi, bonimenteur !

Elle se dirigea vers la ville en écartant les épis de blé avec ses bras. Après quelques pas rageurs, elle se retourna vers Manaïl.

– Tu viens, oui ? Allons retrouver tes fichus fragments ! Il me tarde de retourner chez moi, là où les dames ne sont pas vêtues comme des godinettes[1].

– Mais puisque je te dis que…

– Suffit !

Un sourire fugitif traversa les lèvres d'Ermeline.

– Et… merci du compliment, dit-elle avant de tourner les talons, non sans une certaine coquetterie.

Stupéfait, la joue en feu, Manaïl lui emboîta le pas en se demandant ce qu'il avait bien pu faire pour s'attirer en même temps une gifle, une tempête d'invectives et des remerciements de jouvencelle timide.

Ils entrèrent dans Éridou. L'Élu d'Ishtar avait des morts à réveiller.

1. Femmes dépravées.

LE DÉPART

Mathupolazzar était assis seul dans la pièce interdite attenante au temple. L'endroit, éclairé par la flamme d'une mèche flottant dans un récipient rempli d'huile, était sinistre, mais le grand prêtre du culte de Nergal semblait insensible à cette ambiance. Toute son attention était concentrée sur l'oracle, posé sur la table basse devant lui.

Après un long moment, il arracha avec difficulté ses mains de l'objet mystérieux conçu dans des temps immémoriaux par les Mages Noirs. Il ouvrit brusquement les yeux et l'univers qui avait pris forme sous ses paupières closes, peuplé d'une infinité de filaments multicolores, s'effaça. Il lui fallut quelque temps pour reprendre contact avec la réalité. Il lutta un moment contre une vague de nausées et la tête se mit à lui tourner. Puis tout redevint normal.

Comme chaque fois qu'il utilisait l'oracle, Mathupolazzar avait l'impression de laisser une partie de son énergie vitale dans l'univers flou et informe où se concentraient tous les *kan*. Les Pouvoirs Interdits étaient exigeants et n'épargnaient pas le grand prêtre de Nergal. Il n'était plus jeune depuis longtemps déjà et les complications causées par l'Élu d'Ishtar l'avaient beaucoup usé. Il sentait que la ponction qu'ils faisaient dans ses forces augmentait. Heureusement, contrairement à son adversaire, il en connaissait les effets néfastes et savait atteindre ses limites sans les dépasser.

Mathupolazzar examina ce qu'il restait de sa main droite, amputée de quatre doigts et enroulée dans un bandage propre. La blessure subie lorsqu'un loup l'avait attaqué dans la forêt du *kan* de Ville-Marie était encore douloureuse, mais l'onguent concocté par une vieille d'Éridou rendait le tout supportable tout en prévenant l'infection. Déjà, la guérison allait bon train. Son infirmité compliquait la manipulation de l'oracle, mais il arrivait à s'adapter. Si quelques doigts étaient le tribut à payer pour assurer l'avènement du Nouvel Ordre et y régner aux côtés de Nergal, il le versait sans hésitation.

Il se releva avec quelque peine. Il se remettait difficilement de son affrontement avec l'Élu, qui avait coûté la vie à tant de ses fidèles. La fatigue accumulée par ses nombreux déplacements entre les *kan* pesait sur ses épaules comme un chape de plomb. Il sortit de la pièce interdite et regagna le temple, où tous les Nergalii encore vivants étaient présents. Quatre des fragments du talisman de Nergal étaient en sa possession et il était désormais certain que l'autre viendrait bientôt à lui. Il n'y avait aucune raison de laisser ses fidèles vieillir, inutiles, dans d'autres *kan*. Aussi les avait-il tous rappelés à Éridou. La chasse était terminée. Naska-ât et ses Mages lui avaient compliqué la tâche, soit, mais ils avaient échoué. Sous peu, le talisman de Nergal serait assemblé.

Vêtus de leur longue robe à capuchon, la vingtaine de Nergalii étaient en prière, agenouillés sur le sol en direction de la statue de leur dieu. Le grand prêtre soupira, déplorant intérieurement qu'en quelques semaines à peine, leurs rangs aient été considérablement réduits. Arianath, Pylus, Noroboam, Jubelo, Balaamech, Shamaël, Zirthu, Marga-rit, Han-ora et tous les autres qui avaient perdu la vie dans les *kan* de Londres, de Ville-Marie et de Montréal... Ce terrible gaspillage était la faute du maudit Élu d'Ishtar et il finirait par payer pour ses crimes.

Le temple n'avait pas été nettoyé après la plus récente frasque de l'Élu. Les quatre cadavres qu'il y avait envoyés avec tant d'arrogance gisaient toujours devant l'autel, leurs membres pêle-mêle. Les trois hommes étaient défigurés et méconnaissables. Quant à la femme, son corps se trouvait parmi les autres, mais sa tête était au fond de la pièce, contre le mur, là où Mathupolazzar l'avait envoyée choir d'un coup de pied rageur. Sur son front se trouvait un pentagramme bénéfique sanglant, tailladé par l'Élu, qui avait eu la perversité de le menacer par la bouche de la Nergali décapitée. Plusieurs heures après l'événement, l'avertissement résonnait encore dans la tête du grand prêtre. *Ton règne achève, Mathupolazzar. Bientôt, je détruirai le talisman devant ta tête piquée sur un pieu !*

Le grand prêtre en eut un frisson d'appréhension qu'il chassa aussitôt. Au bout du compte, ce garçon était capable d'une cruauté insoupçonnée. *Fils du Bien, il combattra le Mal par le Mal*, avaient prophétisé les Anciens. Ils n'avaient pas cru si bien dire. Il fallait l'admettre : l'Élu aurait fait un superbe Nergali. Pour la millième fois, il se promit de se venger. Lorsque arriverait l'ultime moment, on verrait bien qui serait sacrifié sur cet autel.

Mathupolazzar allait enjamber les cadavres, qui commençaient à dégager une odeur putride, lorsqu'il vacilla. Cette sensation n'était à nulle autre pareille et il la reconnut sans hésiter. Pendant un infinitésimal moment, le temps avait fluctué. Le visage du grand prêtre se fendit en un sourire carnassier. L'Élu venait d'arriver. Grand bien lui fasse. Cette fois, il échouerait.

Il se rendit à l'autel, appuya en séquence sur les joyaux qui y étaient incrustés et attendit que le réceptacle émerge de la table. De sa main valide, il en retira un à un trois des quatre fragments et les glissa précautionneusement dans une petite bourse en cuir dont il passa le cordon autour de son cou. Il laissa le quatrième en place puis appuya sur les joyaux dans une séquence différente de la précédente. Avec un déclic, le réceptacle redescendit dans son socle et se referma sur son précieux contenu.

Mathupolazzar se retourna en direction de deux jeunes hommes à l'air déterminé.

– Vous êtes prêts ?

– Oui, maître, répondit l'un d'eux.

– Alors partons.

Le temps était venu pour les adorateurs de Nergal de quitter Éridou. Mais, espérait Mathupolazzar, l'exil serait de courte durée et en vaudrait la peine. Lorsqu'ils reviendraient, ce serait pour bâtir un monde nouveau. Un monde dominé par Nergal et ses fidèles.

Ensemble, hommes et femmes se disposèrent en cercle autour de leur maître et étendirent les bras. L'air vibra et sembla osciller, comme chauffé par le soleil brûlant du désert. Puis les Nergalii disparurent.

Dans le temple silencieux, les deux disciples qui restaient se dirigèrent vers la sortie.

MESSAGE À UN FRÈRE

Washington, États-Unis d'Amérique,
en l'an de Dieu 1792

Las, George Washington s'assit à son bureau et se frotta le visage avec ses mains. Les dernières années avaient été un tourbillon incessant et il avait l'impression d'avoir vécu dix vies. Général des troupes coloniales, il les avait menées à la victoire sur l'Empire britannique et avait contribué à créer un pays: les États-Unis d'Amérique. Puis il en était devenu le premier président et la tâche lui avait semblé énorme. Et voilà qu'on venait de lui confier un second mandat – le dernier, heureusement. En 1797, il retournerait pour de bon dans ses terres de Mount Vernon, en Virginie. Il y serait enfin tranquille.

Pourtant, ses lourdes responsabilités lui paraissaient bien banales en comparaison de celle que lui avait déléguée un curieux vieillard l'année précédente. Vêtu comme un mendiant, maigre et visiblement malade, l'étranger s'était présenté à lui et avait démontré une impressionnante dignité qui faisait oublier son état et son apparence. Jamais il n'avait révélé son identité, mais, à la grande surprise du président, il lui avait donné la poignée de main et le mot de passe des Francs-Maçons, qui étaient anciens comme le monde. Lui-même vénérable maître de la loge maçonnique Alexandrie et Grand Maître des loges de Pennsylvanie, Washington avait reconnu le tout pour véritable.

Puis le vieil homme lui avait asséné un terrible choc : perdu depuis presque deux millénaires, le secret maçonnique avait été retrouvé et devait être préservé pour celui qui saurait l'utiliser à bon escient. Il avait demandé à Washington son aide dans l'accomplissement d'une tâche d'une extrême importance. Lorsqu'elle fut complétée, l'étranger disparut, laissant le président à sa perplexité et à sa nouvelle responsabilité.

Celui-ci soupira et trempa sa plume dans l'encrier. Il rédigea sans en changer une lettre le message que le vieillard lui avait dicté à l'intention de celui qui se présenterait peut-être un jour. Lorsqu'il eut terminé, il sortit son code maçonnique et le transcrivit sur une feuille vierge dans un langage que seuls les Francs-Maçons connaissaient.

Bien-aimé Frère

Suis la lumière du maître maçon
George Washington, MM
13 octobre 1792

Puis il brûla l'original ainsi que le code, dont il n'aurait plus besoin. Il répandit ensuite un peu de sable sur la page pour absorber l'excédent d'encre, souffla sur la feuille et la plia en trois. Il la déposa dans une enveloppe ornée d'un symbole maçonnique, qu'il cacheta et regarda longuement, songeur. Puis il griffonna des instructions à son successeur, l'avisant que ce message devait être transmis de président en président.

Finalement, il se leva et plaça l'enveloppe dans le coffre-fort dont seuls les présidents posséderaient la combinaison. Aussi longtemps qu'il le faudrait, le dirigeant des États-Unis aurait une responsabilité plus grave et plus lourde que toutes cellcs que lui imposait le pouvoir. Et il la porterait seul.

✦

Washington, district de Columbia,
États-Unis d'Amérique, en l'an 1859
de notre ère

Allongé dans l'improbable tombeau de pierre où il s'était emmuré vivant dans le secret le plus absolu, le vieil homme sentait la mort qui l'enveloppait enfin de son froid linceul. Il l'accueillait avec soulagement. Sa vie avait été longue et exempte de plaisir. C'était ici, à Washington, qu'elle se terminerait. Le fardeau dont il avait hérité lui avait souvent paru trop lourd pour ses frêles épaules. Mais il avait fini par s'acquitter de ses obligations de son mieux. Comme les autres, il avait consacré sa vie à l'enfant dont le destin était mille fois plus cruel que le sien. Ce garçon était le dernier de la lignée. Celui par qui tout serait ou ne serait pas. Lui seul importait.

Puisant au fond de ses ressources, le vieil homme avait repoussé la mort jusqu'au dernier moment. Même rongé par la maladie qui lui grugeait les entrailles et faisait trembler ses membres, il avait dû beaucoup voyager. Exilé à jamais, loin de sa terre natale, il avait vu des choses plus extraordinaires que tout ce qu'il aurait pu imaginer. Il s'était émerveillé devant une cité héritée des Anciens – un lieu saint perdu dans une contrée oubliée, qui avait survécu au cataclysme déclenché par les Mages Noirs. Là, le vieillard avait déposé le seul objet qui le liait encore aux Anciens et qui guiderait celui qui viendrait vers l'ultime secret. Agonisant, il avait ensuite fait appel à ses ultimes forces et, utilisant les signes que les bâtisseurs échangeaient depuis toujours pour se reconnaître, il était parvenu à influencer les plans d'une autre cité, construite pour symboliser les valeurs d'une nation neuve, qui devrait un jour accueillir celui qui viendrait y accomplir sa destinée. S'il parvenait jusque-là, évidemment. S'il survivait...

Maintenant, le vieillard pouvait enfin se reposer. Sa tâche était accomplie et l'éternité l'attendait. Déjà, il n'arrivait plus à garder les yeux ouverts. Sa respiration était imperceptible. Il était allongé sur la pierre dure et humide, sans autre artifice que la robe de cérémonie qu'il avait emportée avec lui. Même dans l'agonie, on lui refusait le confort et il l'acceptait. Tel était son destin. Pour l'éternité, s'il le fallait, ses doigts desséchés resteraient crispés sur le sort du monde.

Un ultime râle s'échappa de sa poitrine.

– *Silim-Ma Inanna*, murmura-t-il.

Sa dernière pensée fut pour le garçon qu'il n'avait jamais connu, mais qui avait été l'unique raison de son existence.

LA CITÉ DE RÊVE

Tenochtitlán, Mexique,
en l'an 1519 de notre ère

Jamais de toute sa vie Hernán Cortés ne s'était senti aussi fatigué. Bien en selle sur sa monture, il avait l'impression de flotter dans le plastron qui constituait la seule pièce d'armure qu'il portait encore et qu'une musculature jadis saillante avait remplie si avantageusement. Ses vêtements déchirés étaient souillés de sang, de sueur et de crasse. Sa barbe et ses cheveux, qui n'avaient pas été taillés ni peignés depuis des lunes, n'étaient plus que des nids à poux. Il puait comme un porc et son corps n'était qu'un tissu de morsures et de piqûres. Mais il avait réussi.

Au cours des derniers mois, il avait fait traverser l'enfer à ses cinq cents soldats. Ensemble, ils avaient affronté des hordes de sauvages, traversé des montagnes si hautes que l'air leur avait manqué, contourné des volcans qui crachaient le feu et la cendre, conquis des cités immenses qu'on aurait dit bâties par des géants tant les blocs de pierre dont étaient formés leurs temples étaient gros et lourds. Ensemble, ils avaient surmonté la faim, la chaleur et la maladie. Sur leur chemin, grâce à leurs épées en acier de Tolède, à leurs canons et à leurs arbalètes, ils avaient massacré des dizaines de milliers d'indigènes. Le courage des soldats n'avait d'égal que leur fidélité à leur capitaine et, pour les récompenser, Cortés leur avait promis leur juste part des somptueuses richesses qu'il espérait bientôt trouver.

L'Espagnol était si convaincu de son succès qu'il avait quitté Cuba, huit mois plus tôt, contre la volonté des autorités – acte qui en faisait un hors-la-loi –, et qu'il avait volontairement sabordé ses navires pour éliminer la tentation de repartir. Et maintenant, enfin, il était devant une merveille plus grande que tout ce qu'il avait imaginé dans ses fantasmes les plus fous. Il dut cligner des yeux pour se convaincre qu'il n'était pas en proie à une hallucination. Il se tenait en conquérant, en vainqueur, devant Tenochtitlán, la capitale de l'empire aztèque, où résidait l'empereur Montezuma. La cité où l'or et les pierres précieuses abondaient.

Secouant lentement la tête, le conquistador avait peine à en croire ses yeux. La ville était immense. Plus grande que Paris et Rome, lui avaient affirmé ceux de ses soldats qui les avaient vues. Construite sur une île, elle semblait flotter au milieu d'un immense lac. Elle était reliée à la berge par trois grandes digues sur lesquelles on avait aménagé de larges chemins en pierre et qui constituaient ses seuls accès à la terre ferme. En militaire expérimenté, Cortés nota que chaque digue était dotée de nombreux ponts-levis qui pouvaient être relevés à volonté pour fermer la ville et tenir tout agresseur à l'extérieur. Le système était beaucoup plus efficace qu'une muraille, remarqua-t-il avec admiration. Il n'avait pas affaire à des sauvages, mais bien à une grande civilisation. Même à cette distance, on pouvait apercevoir les six grands canaux et les centaines de plus petits qui sillonnaient la cité dans tous les sens. Sur chacun d'eux circulaient des milliers d'embarcations chargées de passagers et de marchandises. Toute la surface de la ville était parsemée de larges boulevards dallés, entrecroisés par d'innombrables rues bordées de petites maisons basses, en pierre et dénuées de fenêtres.

Mais tout cela n'était rien en comparaison des constructions titanesques qui se concentraient au centre de Tenochtitlán. Cortés pouvait y voir des palais et des édifices publics entourés de murailles. Le tout était dominé par une immense pyramide à étages que l'on pouvait gravir par un grand escalier de plus de cent marches. Au sommet se trouvaient deux sanctuaires, sans doute des temples consacrés à une de ces divinités abjectes et assoiffées de sang auxquelles les indigènes croyaient avec tant de ferveur. Bientôt, si tout se déroulait comme il l'espérait, Cortés briserait toutes les idoles impies, les jetterait au bas de leurs maudits temples et les remplacerait pas des images du Christ et de la Vierge. Sa conquête se ferait au nom du seul vrai Dieu.

Il secoua la tête pour mettre fin à ses rêveries. Au loin, une litière portée par plusieurs hommes avançait sur la digue. Lorsqu'elle fut assez près, il s'aperçut avec étonnement qu'elle était sertie d'or et de pierres précieuses qui étincelaient au soleil. Le légendaire empereur Montezuma, dont il avait tant entendu vanter les mérites et la puissance, venait enfin à sa rencontre.

Hernán Cortés tira son épée et ordonna à ses hommes d'avancer. D'ici peu, par la diplomatie ou la guerre, Tenochtitlán et ses richesses lui appartiendraient.

LA VOLEUSE

Éridou, en l'an 3612 avant notre ère

Même si le soleil allait se coucher sous peu, Éridou bourdonnait encore d'activité. Ermeline et Manaïl marchèrent au hasard des rues tortueuses bordées de modestes maisons rondes en brique de terre cuite et recouvertes d'une toiture de chaume. Des hommes transportaient des ballots de laine sur leur dos, des femmes tissaient çà et là alors que d'autres pilonnaient des céréales dans de gros mortiers de pierre pour en faire de la farine ou cuisaient des galettes sur un feu. De temps en temps, des hommes passaient en tirant une chèvre ou un bœuf. Un peu partout, on discutait, on marchandait, on s'engueulait ou on riait. Au passage d'un prêtre à la tête rasée et à la longue robe pourpre, on s'interrompait pour s'incliner pieusement avant de reprendre aussitôt son chemin. De rue en rue, Manaïl se laissait imprégner comme d'une douce musique par le sumérien qui avait été la langue sacrée dans son *kan*, mais qui était en usage dans celui-ci.

Ils déambulaient au hasard en longeant les murs, évitant les regards des habitants, gardant la tête baissée pour ne pas attirer l'attention, et débouchèrent sur une place centrale où des marchands tentaient de profiter des dernières heures d'ensoleillement pour écouler quelques marchandises de plus. Le garçon eut un pincement au cœur. Accroupi par terre non loin de lui, un vieil homme aux cheveux blancs exposait des poteries à la vue des passants. Il pensa à Ashurat qui, quelques mois plus tôt, alors qu'il était encore jeune, avait quitté cet endroit pour faire les mêmes gestes dans le *kan* de Babylone.

Ermeline, pour sa part, avait les yeux écarquillés et, éberluée par un lieu si étrange, essayait de tout détailler à la fois. Avec sa lumière, sa chaleur, son sable doré, ses maisons de brique cuite, ses gens bizarrement vêtus, la modeste cité qui s'offrait à sa vue, bien petite en comparaison de Paris, ressemblait à celle qu'elle avait vue en imagination lorsqu'elle avait tenté de lire dans les lignes de la main de Manaïl. Elle avait l'impression d'avoir vécu plusieurs vies depuis…

– Les femmes me rappellent ma mère, remarqua Ermeline, un fond de tristesse dans la voix, en regardant les gens autour d'elle.

En effet, tous les habitants d'Éridou avaient les cheveux et les yeux noirs comme l'ébène, le teint foncé et un corps de félin. Manaïl vit les larmes que son amie arrivait tout juste à contenir et, sachant qu'elle n'aimait pas paraître faible, fit semblant de rien.

– C'est normal. Abidda venait d'ici et tu descends d'elle en droite ligne. Du point de vue des habitants de ce *kan*, elle est partie voilà quelques semaines, ou quelques mois tout au plus. Je suis sûr que certains te diraient qu'ils la connaissent.

– Et toi, tu ressembles aux hommes, ajouta la gitane en forçant un sourire.

– Barbe en moins, dit l'Élu, mal à l'aise, en frottant son menton où s'annonçait l'ombre foncée de l'âge adulte. Mais les gens de ce *kan* n'ont guère changé par rapport à ceux du mien.

Ils circulèrent ainsi au hasard sans que personne ne les remarque, à la recherche d'un endroit où se terrer pour la nuit.

– Comment comptes-tu retrouver le temple de Nergal ? demanda la gitane.

– Je n'en suis pas sûr. Mais il n'apparaîtra sans doute pas au grand jour. Les Nergalii n'aiment guère la lumière. Ils auront préféré rester discrets.

– Je croyais que tu y étais déjà entré, après ton passage à Jérusalem. C'est ce que tu m'as raconté lorsque nous étions cachés dans le cimetière des Innocents.

– C'est vrai, acquiesça le garçon. Mais je suis passé par le temple du Temps. Je n'en ai jamais vu l'extérieur.

– Alors il pourrait s'agir de n'importe laquelle de ces maisons…

– J'en ai bien peur.

Ermeline avisa une vieille femme qui tentait de vendre ses dernières galettes de pain sans levain. Son visage s'illumina.

– Cornebouc, ce que j'ai faim ! gronda-t-elle en se tenant le ventre à deux mains.

Manaïl leva les yeux au ciel, exaspéré.

– Tu as toujours faim…

– Attends-moi. Je reviens.

La gitane se dirigea lentement vers elle en faisant semblant d'examiner les marchandises offertes par les autres artisans. L'un d'eux, un homme au nez long et à l'air jovial, lui proposa avec insistance un joli tissu vert en lui déclarant qu'il mettrait en valeur ses yeux si particuliers, mais elle refusa poliment. Lorsqu'elle fut arrivée à la hauteur de la vieille, elle s'arrêta et lui offrit son plus beau sourire.

– Ton pain sent très bon, déclara-t-elle.

La vieille, qui s'était approchée pour mieux l'entendre, lui rendit un sourire édenté, ses joues remontant joyeusement pour accentuer d'innombrables rides au coin de ses yeux.

– Il n'est plus très chaud, mais il est encore frais, répondit-elle d'une voix rendue grinçante par l'âge. Si tu veux, je te le laisse pour pas cher.

La gitane se pencha pour mieux sentir et son médaillon se mit à pendre dans le vide, à la hauteur des yeux de la marchande.

– Regarde le joli médaillon… Il est beau, n'est-ce pas ? demanda-t-elle en utilisant le ton que sa mère lui avait enseigné.

– Oui…, fit la vieille, incapable de s'en détacher. Il est beau…

– Il brille… Il se balance…

– Il se balance…

– Tu veux me donner deux morceaux de pain ? suggéra la gitane. Ça te ferait plaisir ?

– Oh oui… Tiens. Prends.

La vieille mit deux galettes tièdes dans les mains d'Ermeline.

– Lorsque je claquerai des doigts, tu auras oublié que tu m'as vue.

– Tout oublié…

La gitane recula de quelques pas en faisant semblant d'admirer les marchandises et, sans se retourner, claqua discrètement des doigts. Devant elle, la vieille sursauta, regarda un instant autour d'elle, l'air désorienté, sourit à Ermeline comme si elle l'apercevait pour la première fois, puis se remit à attendre les clients comme si de rien n'était.

Au lieu de retourner vers Manaïl avec son butin, Ermeline s'arrêta devant l'étal d'un marchand de sandales qui achevait de ramasser ses produits. Elle examina ce qui restait, arrêta son choix sur deux paires et fit encore balancer son médaillon. Lorsqu'elle revint vers Manaïl, le marchand derrière elle bâillait et s'étirait langoureusement. Près de lui, son voisin l'observait attentivement, jetant de temps à autre un coup d'œil méfiant à la gitane.

– Je crois que cet homme t'a vue faire le coup du médaillon, l'avertit le garçon en désignant discrètement le marchand de la tête. Ne restons pas ici.

Il l'entraîna par le bras et ils s'éloignèrent du marché. Lorsqu'ils furent assez loin, ils se chaussèrent puis mangèrent avec appétit en regardant le temple.

– Alors? Que faisons-nous maintenant? s'enquit-elle.

– Nous allons attendre au matin, répondit-il. Je me sens encore faible. J'y verrai plus clair demain.

Ils s'assirent et s'adossèrent à la muraille, assez loin de la place centrale pour ne pas attirer l'attention, mais suffisamment près pour ne rien manquer de ce qui s'y passait. Pendant qu'ils mangeaient, les dernières lueurs du jour s'épuisèrent.

Soudain, une voix autoritaire perça la pénombre et les fit sursauter.

– Toi! fit un homme de haute taille et aux larges épaules dont la silhouette se détachait dans le soir naissant.

Il s'adressait à Ermeline. Il était accompagné de deux autres hommes armés de longues lances. De toute évidence, il s'agissait d'un détachement de soldats.

– Tu as volé ces sandales! poursuivit l'homme. On t'a vue.

Malgré lui, Manaïl ferma les yeux. Le marchand les avait dénoncés.

– Mais... mais..., balbutia la gitane. Je...

L'officier se retourna vers un des gardes.

– Emmenez-la, ordonna-t-il.

– M'emmener ? Mais où ça ?

Subtilement, Ermeline avait remonté la main vers son médaillon. Elle allait l'empoigner lorsqu'un des gardes abattit sèchement le manche de sa lance sur sa main.

– Ouille ! s'écria la gitane en secouant ses doigts endoloris. Sale piétaille[1] ! Malappris ! Rustre !

– On nous a avertis de ce que tu savais faire avec ce pendentif, magicienne, lança l'officier, nullement affecté par les insultes, en tendant la main pour le lui arracher d'un coup sec.

Pour la première fois, Manaïl intervint.

– Nous pourrions rembourser les sandales en travaillant pour le marchand, proposa-t-il.

L'homme secoua sombrement la tête.

– La loi doit être appliquée, *šul*[2], répliqua-t-il. La peine est la même pour tous les voleurs : cette enchanteresse aura la main coupée.

Ermeline échappa un petit cri de terreur et, sans s'en rendre compte, serra sa main droite contre son cœur et la couvrit de la gauche comme pour la protéger. Même dans la pénombre, l'Élu pouvait aisément deviner qu'elle était

1. Soldat à pied membre de l'infanterie.
2. En sumérien : jeune garçon.

blanche de peur. Les deux gardes se penchèrent, la saisirent chacun par un bras et la firent se relever. Elle tenta de se débattre, mais fut vite maîtrisée.

– Non ! Cornebouc ! Laissez-moi ! rugit-elle en grouillant comme un poisson qu'on sort de l'eau. Barbares ! On ne coupe pas une main pour une paire de sandales !

Instinctivement, Manaïl bondit sur ses pieds et enfonça l'épaule dans le ventre d'un des gardes, qui alla choir sur le sol, le souffle coupé. Il pivota sur lui-même et saisit à deux mains le manche de la lance que l'autre garde allait abattre sur sa tête. D'un geste brusque, il la lui arracha et lui en remonta l'extrémité au visage. Sous le choc, le nez du soldat se brisa en émettant un craquement sec. Il fut suivi d'un cri de douleur.

Un coup violent secoua la nuque de l'Élu. Il échappa la lance et s'écroula à genoux, sonné. Il tenta bien de se remettre debout, mais un pied s'appuya entre ses omoplates et il atterrit le nez dans le sable.

– Cette affaire ne te concerne pas, étranger ! Ne me force pas à t'emmener aussi, le prévint l'officier.

Avec peine, Manaïl s'assit. Un peu plus loin, les deux gardes s'étaient déjà remis sur pied. L'un d'eux se tenait le nez, d'où coulait un flot de sang, tandis que l'autre avait fermement tordu le bras d'Ermeline derrière son dos. Pantois, l'Élu ne savait que faire. Sans armes, il était impuissant. Il adressa une supplique silencieuse à Ishtar. Il aurait voulu prétendre que c'était lui le coupable et ainsi prendre la place d'Ermeline, mais la quête le lui interdisait. Même s'il survivait au supplice, avec une main en moins, que pourrait-il contre les Nergalii ? Il refusait cependant d'accepter que le prix à payer pour réussir une mission qu'il n'avait jamais demandée soit de perdre la gitane.

Le trio et sa prisonnière allaient s'éloigner lorsqu'une musique qui semblait venir tout droit du royaume des dieux leur parvint. Intrigués, tous s'immobilisèrent.

LE MUSICIEN

Un homme émergea lentement de la pénombre et s'engagea d'un pas mesuré dans la rue. Il portait une longue et luxueuse robe pourpre et avait le crâne, les sourcils et le visage rasés. Il tenait dans ses mains une petite harpe en bois dont il jouait avec dextérité tout en chantant. Arrivé à la hauteur des soldats, il cessa sa musique et inclina la tête avec respect. Il avait peut-être trente ans. Grand et élancé, il possédait une grâce féline et dégageait une profonde sérénité. Le regard perçant mais calme, il arborait à chaque oreille une boucle d'or en forme de larme.

– Qu'a donc fait cette jeune femme ? s'enquit-il d'une voix qui semblait descendre tout droit des cieux.

– Elle… Elle a volé deux paires de sandales au marché, expliqua l'officier, soudain un peu sur la défensive. Nous l'emmenons pour qu'elle soit jugée et châtiée, comme il se doit.

Dubitatif, le nouveau venu leva les sourcils.

– Son crime est-il si grave qu'il faille le punir par la violence ? demanda-t-il. Le marchand lésé ne serait-il pas mieux servi en obtenant un juste paiement pour sa marchandise ?

– Tu connais la loi aussi bien que moi, prêtre, grommela l'officier.

– Je connais la loi de la cité, en effet, acquiesça le musicien. Je connais aussi celle d'Inanna, qui dit que le châtiment est humain mais le pardon, divin.

Manaïl sentit l'espoir renaître en lui. Cet étranger était sorti de nulle part et avait mentionné la déesse Inanna. Le garçon se souvenait des leçons reçues de la bouche de maître Ashurat, le soir, près du feu. Souvent, en racontant les légendes des dieux anciens, il avait parlé de cette incarnation d'Ishtar connue à l'époque d'Éridou. La déesse lui avait-elle envoyé l'aide implorée en la personne d'un de ses prêtres ?

– J'ai une proposition à te faire, avança le musicien.

Il détacha une petite bourse de cuir suspendue à sa ceinture et l'ouvrit. Il y plongea les doigts pour en sortir une pierre d'un bleu presque indigo qui semblait scintiller dans la pénombre. Il la fit tourner un moment entre ses doigts et l'admira brièvement. Elle était presque aussi grosse qu'un œuf. Il sourit et la tendit à l'officier.

– Donne ceci au marchand en guise de compensation pour sa perte, dit-il. C'est un lapis-lazuli qui vient des montagnes lointaines de l'Orient. Elle vaut plusieurs fois les sandales volées. Il en sera satisfait.

L'officier prit la pierre et parut incapable d'en détacher les yeux. Même dans l'ombre, la cupidité était visible sur son visage. Jamais, de toute évidence, il n'avait tenu dans ses mains un tel joyau.

– Tu... tu te rends compte que cette pierre vaut une fortune ? s'enquit-il, suspicieux. Mille fois plus que deux paires de sandales. Et tu t'en départirais juste pour épargner une petite voleuse que tu ne connais même pas ? Quel gaspillage...

– Je pratique la charité, comme tous les prêtres d'Inanna. Les richesses de ce monde n'ont aucune importance.

Le musicien fit un sourire entendu.

– Évidemment, poursuivit-il, libre à toi d'oublier que tu as vu ces jeunes gens et de passer ton chemin sans autre formalité. Personne ici ne se souviendra de toi, je te l'assure. Ni moi ni eux. Tu pourras dépenser cette richesse comme tu l'entends. Une demeure luxueuse, de beaux vêtements, de bons vins, des femmes... ou des garçons ? Tu dois bien avoir quelque désir inassouvi ?

À l'évocation des plaisirs qu'on lui faisait miroiter, une lueur d'envie traversa le regard du militaire, qui hésita puis sembla prendre une décision. Il releva la tête, plissa les lèvres, glissa la pierre précieuse sous son épaisse ceinture et se retourna vers les deux soldats.

– Libérez-la, ordonna-t-il.

Ermeline fut aussitôt relâchée. L'officier lança le pendentif dans sa direction et elle l'attrapa au vol.

– Que je n'aie plus affaire à toi! lança-t-il, menaçant. La prochaine fois, je ne serai pas aussi... compréhensif.

Il tourna les talons sans rien ajouter. Les soldats s'éloignèrent dans la nuit.

Le musicien adressa un sourire chaleureux à la gitane.

– Te voilà libre, étrangère, dit-il.

– Merci, rétorqua Ermeline en frottant son bras endolori. Je ne sais que dire... Tu ne me connais même pas et tu lui as donné un véritable trésor...

Son bienfaiteur haussa les épaules avec désinvolture.

– Ce n'était qu'une pierre que j'ai ramenée d'un voyage, ricana-t-il. Je n'ai pas besoin de richesse. Inanna me donne tout ce qu'il me faut.

Il tendit la main à Manaïl qui l'accepta.

– Je m'appelle Tandurah. Je suis musicien sacré au temple d'Inanna.

Comme pour appuyer ses dires, il extirpa de sa robe un médaillon doré qu'il portait au cou. Sur le bijou était gravé un pentagramme bénéfique.

– Je suis Mana-îl, répondit le garçon. Et voici Erem-El-In, ajouta-t-il en désignant la gitane.

La gitane, encore ébranlée, grimaça en entendant la sonorité de son nom en sumérien. Tandurah les dévisagea à tour de rôle et s'assit. D'un geste, il les invita à l'imiter, puis saisit sa harpe et se mit à jouer. Il sembla aussitôt transporté par les sons qu'il tirait de son instrument et l'expression sur son visage frisa l'extase.

– *Silim-Ma Inanna*, psalmodia-t-il d'une voix douce et à peine audible tout en jouant. *A-Tuku Du Inanna*[1].

Il s'exécuta ainsi pendant un long moment, remplissant la nuit d'Éridou de sonorités célestes. Lorsqu'il eut terminé, il laissa les vibrations mourir sur les cordes, puis posa doucement l'instrument sur ses cuisses.

– C'était... divin, murmura la gitane.

– Oui. Vraiment très beau, ajouta le garçon.

– Je suis content de l'entendre, répondit le musicien, visiblement flatté. Je joue et je chante avec mon cœur, tout simplement. Chaque note est une prière qui monte vers la déesse de l'Amour, de la Fertilité et de la Guerre.

Il tourna la tête vers Manaïl et désigna sa main gauche du menton.

– Dommage pour toi, dit-il, un air compatissant sur le visage. Avec cette main, tu ne connaîtras jamais le plaisir de jouer. Tu ne pourrais pas écarter suffisamment les doigts.

---

1. En sumérien : Gloire à Inanna, puissante et douce Inanna.

À la mention de son infirmité, le garçon sentit remonter en lui la honte qu'il avait si souvent éprouvée lorsqu'il n'était encore qu'un orphelin errant dans les rues de Babylone. Pendant un instant, il rougit et redevint « le poisson ». Le musicien sembla sentir son malaise.

– Ne rougis pas, Mana-îl. Cela ne t'empêche pas d'apprécier la musique. Le dieu Uanna lui-même était mi-homme, mi-poisson. Les légendes racontent qu'un jour, son fils reviendra parmi nous. Il existe même une chanson à ce sujet.

Sans y être invité, le musicien entonna l'air. Lorsqu'il eut terminé, il porta son attention sur Ermeline.

– Vous avez vraiment un don..., laissa-t-elle échapper. On dirait le chant d'un ange.

– Tu as un drôle d'accent. Dis-moi, d'où venez-vous, ton ami et toi ?

Elle hésita et ce fut Manaïl qui répondit.

– D'Uruk, mentit-il en se rappelant une des villes qui figuraient dans les légendes qui racontaient ce *kan*.

– Ah, Uruk ! C'est une fort belle cité, remplie de temples magnifiques. J'y suis allé une fois et je ne l'oublierai jamais. Surtout qu'Inanna en est la déesse protectrice. Mais quel bon vent vous amène à Éridou ?

– Nous... Nous sommes venus vendre des... des épices.

Le musicien hocha la tête et se releva.

– Il faut que je retourne au temple, déclara-t-il en ramassant son instrument. Les offrandes du soir vont bientôt débuter et je dois accompagner les chants. Je vous souhaite un agréable séjour à Éridou, étrangers.

– Merci encore, dit Ermeline avec reconnaissance.

Il lissa sa robe, inclina de nouveau la tête et s'éloigna du même pas mesuré en chantant. Bientôt, il s'évanouit dans la nuit, les notes de son instrument traînant derrière lui.

Manaïl regarda sa compagne et constata qu'elle tripotait son oreille gauche.

– Qu'est-ce que tu fais ? s'enquit-il.

Elle fit un large sourire, écarta ses cheveux d'un geste mi-gamin, mi-séducteur et dévoila une boucle d'oreille en forme de larme qu'elle venait d'accrocher.

– Tu n'as quand même pas détroussé un prêtre d'Ishtar ? s'insurgea le garçon. Cet homme t'a sauvé la vie à prix d'or !

– Mais non ! Je l'ai trouvée sur le sol. Elle a dû tomber lorsqu'il s'est levé, se justifia la gitane. Si nous le revoyons, je la lui rendrai. Mais en attendant, elle me sied bien, tu ne trouves pas ?

À contrecœur, Manaïl dut admettre qu'Ermeline était encore plus jolie parée d'or et grogna en guise d'assentiment.

– Tu aurais pu l'avertir avant qu'il ne s'éloigne, insista-t-il.

– Je sais... Mais elle est si belle...

– Ermeline… Tu la lui rendras. Tu me le promets ?

– Oui, oui… Promis.

Le visage de la jeune fille s'éclaira d'un sourire coquin.

– J'ai aussi trouvé ça, par hasard, dans la ceinture d'un des soldats qui me retenait. J'ai pensé que ça pourrait t'être de quelque utilité…

Elle lui tendit une petite dague en bronze dont la lame, fichée dans un manche de bois poli, était à peine plus longue que les doigts de la main. Il secoua la tête, mi-figue, mi-raisin, la prit et la passa dans sa propre ceinture.

– Tu es incorrigible, dit-il en riant, vaincu. Mais parfois, une gitane un peu voleuse peut être utile…

✦

Les premières heures de la nuit se passèrent dans le silence. Assis côte à côte, Ermeline et Manaïl n'échangèrent que quelques mots avant que la gitane finisse par poser la tête sur son épaule et s'endormir.

Manaïl se sentait encore fatigué. Il aurait voulu dormir, mais, dans sa tête, le tourbillon refusait de s'arrêter. Il se sentait un peu rassuré. Tandurah était apparu pour les sortir du pétrin, Ermeline et lui. Puis, lorsqu'il avait remarqué la main palmée du garçon, le musicien avait mentionné le dieu Uanna – un des sept Anciens, mi-homme, mi-poisson, qui était sorti des eaux du Levant après le grand cataclysme pour réapprendre aux hommes les arts, les sciences, l'écriture et la civilisation. Les habitants d'Éridou se rappelaient sans doute mieux de ce dieu que les Babyloniens qui avaient eu trois mille ans pour l'oublier. *Fils d'Uanna, il sera mi-homme, mi-poisson*, disait la prophétie des Anciens. Tout cela était de bon augure, mais il n'en ignorait pas moins comment trouver le temple de Nergal et chaque seconde perdue à le chercher jouait en faveur des Nergalii. Les adorateurs de Nergal savaient-ils déjà que l'Élu était présent, près d'eux ? Ils avaicnt certainement senti son entrée dans ce *kan*. Se préparaient-ils à l'accueillir ? Ils désiraient mettre la main sur le fragment qu'il détenait encore autant que lui voulait récupérer les quatre qu'ils lui avaient pris. Ils n'allaient certainement pas s'enfuir. Non. Ils tenteraient de le piéger.

Il finit par s'endormir sans savoir ce qu'il ferait une fois le jour levé, mais convaincu qu'un affrontement était inéluctable.

✦

Il pleuvait des cordes à Éridou. Manaïl était trempé jusqu'aux os. Il se trouvait devant une des petites maisons de brique de la cité. Il n'y était jamais entré auparavant et pourtant, il avait le sentiment de la connaître depuis toujours. Il avança vers la porte et la franchit sans hésitation.

À l'intérieur, six personnes étaient assises en cercle sur le sol, une lampe brûlant au milieu d'eux. Elles portaient toutes des robes noires. Leur capuchon rabattu sur leur tête penchée vers l'avant cachait leur visage. Il s'arrêta net. Des Nergalii! Instinctivement, il porta la main à sa ceinture, mais n'y trouva rien. Il était sans armes.

En l'entendant entrer, les six étrangers relevèrent la tête. Ceux qui lui faisaient dos se retournèrent. Celui qui se trouvait au fond de la pièce se leva lentement, s'approcha de lui et rabattit son capuchon. Manaïl se crispa et ferma les poings, prêt à se défendre de son mieux. Puis il se calma.

Il n'avait jamais vu le vieillard qui lui faisait face, mais il savait qui il était. Son visage ridé était buriné et ses yeux, voilés par la fatigue des ans. Son dos voûté et sa maigreur laissaient déjà deviner la maladie qui l'emporterait dans quelques années, après qu'il eut accompli la tâche qui lui échoyait. Ses longs cheveux blancs étaient attachés en queue de cheval sur sa nuque, mettant en évidence un front partiellement dégarni. Son menton arborait une longue barbe de patriarche. Naska-ât…

Le vieil homme sourit et écarta les bras dans un geste accueillant et rempli d'affection.

– Te voilà enfin revenu, Élu, déclara-t-il.

– Revenu? Mais je ne suis jamais venu ici auparavant, protesta le garçon, confus. Ce kan *n'est pas le mien.*

– Et pourtant, il l'est, car c'est ici que ta quête est née et c'est ici qu'elle doit se terminer. Éridou est le champ sur lequel sera livrée la bataille finale entre le Bien et le Mal. Il t'appartiendra de la remporter.

Une à une, les cinq autres personnes se levèrent, rabattirent à leur tour leur capuchon puis restèrent là, les mains dans les manches de leur robe, dans la pénombre de la lampe. Dehors, un coup de tonnerre retentit et un éclair déchira la nuit. La lumière éclaira le visage des étrangers et Manaïl resta figé sur place, stupéfait. Devant lui se trouvaient la femme et les quatre hommes qui avaient joué un rôle si important dans sa vie. Ils étaient tous là, bien vivants.

Grande et altière, l'air fier, les cheveux longs et noirs comme l'ébène, une lueur rebelle dans les yeux, belle comme son arrière-petite-fille, qui lui ressemblait à s'y méprendre à l'exception de ses yeux vairons, Abidda n'avait pas encore rencontré le frère Enguerrand de Montségur dans le kan *de Paris.*

Les cheveux longs et bouclés, la barbe touffue, l'air féroce, la carrure d'un combattant, une épée suspendue à la ceinture, un poignard au mollet, d'épais bracelets d'or sertis de pierres précieuses ornant ses poignets, Nosh-kem, le guerrier d'Éridou, n'avait encore perdu ni l'esprit ni le fragment sur lequel il veillait dans le kan *de Londres.*

Le regard clair et brillant d'orgueil, la tête haute, le menton projeté vers l'avant, la chevelure épaisse et luxuriante, Hiram se tenait là, lui qui l'attendrait un jour, emmuré à jamais sous les fondations du temple de Salomon, protégeant son fragment de ses restes desséchés.

Petit et trapu, les mains jointes dans une attitude modeste et pieuse, Mour-ît, que Manaïl n'avait jamais connu, le détailla sereinement et inclina la tête. Il n'avait pas encore confié son fragment à la succession de ses apprentis, dont le dernier l'enfouirait dans Temple Church, dans le kan *de Londres.*

Le dernier, à peine plus vieux que Manaïl, observa celui qui deviendrait plus tard son apprenti et son fils spirituel avec deux yeux parfaitement sains qui se remplirent de larmes de joie. Ses cheveux étaient encore noirs comme la nuit et ses joues, à peine foncées par une barbe naissante. Il souriait à pleines dents. Il s'approcha et le saisit par les épaules.

– Mon fils, dit Ashurat d'une voix tremblante d'émotion et d'admiration, laisse-moi te regarder. Tu es devenu un homme...

Le jour était encore loin où les Mages d'Ishtar quitteraient leur kan *pour s'exiler dans un autre.*

– Maître Naska-ât a un message pour toi, Élu, ajouta-t-il. Entends-le bien. Le succès de ta quête en dépendra.

Le visage bienfaisant du vieillard se crispa dans une expression sévère. Il tendit l'index devant la figure du garçon et l'agita.

– Tu es aveugle et suffisant, Élu d'Ishtar, dit-il en secouant la tête. Tu cherches sans comprendre. Tu crois tout savoir, mais le cœur de ta quête, tu ne le vois pas. Ce que tu trouveras ne te servira à rien si tu n'ouvres pas les yeux. À cause de toi, les Mages auront été sacrifiés pour rien. Que diras-tu à Ishtar le jour où tu te présenteras devant Elle et que tu auras failli ?

Ébranlé, Manaïl regarda Naska-ât, puis maître Ashurat. Il ne s'attendait pas à de telles remontrances. Bien sûr, sa quête n'avait pas été sans obstacles. Il avait subi des échecs et des écueils, mais il avait aussi le sentiment d'avoir fait des progrès. Malgré les apparences, rien n'était encore perdu. Bien au contraire. Il était à Éridou pour récupérer les fragments qu'on lui avait volés. S'il y arrivait, il serait plus près que jamais auparavant de la destruction du talisman de Nergal. Et voilà qu'on lui reprochait d'être orgueilleux et aveugle ? Presque irresponsable ?

Ashurat sembla lire dans ses pensées.

– Ne sois pas triste, petit. Tu as bien fait jusqu'à présent, dit-il avec compassion. Mais même si tu arrives à t'emparer des cinq fragments, tu n'auras pas touché le cœur de ta quête.

– Mais que dois-je voir que je ne vois pas ? s'enquit l'Élu, angoissé. Qu'est-ce qui m'échappe encore ?

Les cinq Mages s'approchèrent lentement et formèrent un cercle autour de lui.

– Retourne aux sources de ta quête et ouvre les yeux. Tu comprendras, dit Naska-ât.

– Suis la voie tracée par le serpent, ajoutèrent-ils à l'unisson. Elle te mènera vers le centre.

– Que voulez-vous dire ? Par Ishtar, soyez clairs ! s'impatienta le garçon. Comment puis-je comprendre ce charabia ?

– C'est ta quête, Élu, riposta Naska-ât. Pas la nôtre.

Au même moment, un long serpent brun lui passa entre les jambes en sifflant et ondula vers la porte. En une seconde, le reptile était disparu dans la cité.

– Élu ? fit Abidda.

Manaïl porta son regard sur elle.

– Dis à Ermeline qu'elle ne possède pas plus grande richesse que sa propre personne. Le moment venu, elle comprendra.

Puis la scène s'évanouit. Autour de Manaïl, la demeure était vide. Seule restait la lampe, qui brûlait au centre de la pièce.

L'HÉRITAGE DU MAGE

Les chauds rayons du soleil et l'activité naissante sur la place du marché, non loin de là, tirèrent Manaïl d'un sommeil agité. Les premières images qui lui revinrent en tête furent celles de son rêve, si troublant que chaque scène, chaque parole et chaque odeur étaient encore vives dans sa mémoire. Puis émergea le souvenir des événements de la veille, de l'arrestation d'Ermeline à l'intervention providentielle de Tandurah, le prêtre musicien du temple d'Inanna.

Allongée sur le dos à côté du garçon, les mains croisées sur l'abdomen comme une reine, la gitane continua à dormir comme un loir pendant de longues minutes encore en ronflant légèrement, la bouche entrouverte. Manaïl sourit en songeant que cette fille ronronnait comme un chat. Soudain, elle ouvrit enfin les yeux, sourit et s'étira.

– J'ai une faim de loup, lança-t-elle.

– Sans blague, lui reprocha-t-il d'un ton amusé. Tu manges comme un bœuf.

– Un peu plus et tu me dirais que je suis grosse ! ricana-t-elle.

– Et en plus, tu ronfles.

– Moi ? Jamais ! Je suis une dame, tu sauras !

– Une dame qui ronfle, oui...

– Tu n'es qu'un mufle. Et j'ai quand même faim.

Ermeline se leva d'un bond, s'étira à nouveau, lissa ses cheveux de jais avec ses doigts et s'éloigna d'un pas énergique vers la place du marché. Alarmé, Manaïl s'élança à sa poursuite. Lorsqu'il la rejoignit, elle se dirigeait vers l'étal de la vieille marchande de pain de la veille, qui peinait et soufflait comme une bête de somme en essayant de décharger deux gros paniers tressés, portés par un âne attaché à l'écart. Comprenant ce que la gitane entendait faire, il l'empoigna par le bras et l'arrêta dans son élan.

– Tu n'as pas eu ta leçon ? cracha-t-il, en colère. Nous sommes ici pour récupérer les fragments, pas pour nous faire arrêter comme des voyous !

– Mais il faut bien manger ! protesta Ermeline, son médaillon entre les doigts. Tu ne feras pas long feu face au Nergalii si tu es en train de mourir d'inanition !

– Soit. Mais pas de cette façon, répliqua le garçon d'un ton ferme. C'est trop risqué. Et puis, cette vieille ne mérite pas qu'on la vole.

Regarde-la, la pauvre. Elle est tout juste capable de transporter ce qu'elle doit vendre pour survivre jusqu'au lendemain.

Il désigna la marchande du menton.

– N'oublie pas que, pour les gens de ce *kan*, ton arrière-grand-mère est partie d'ici voilà quelques semaines à peine, lui rappela-t-il. Elle a sans doute connu cette marchande et lui a peut-être acheté son pain tous les matins. Qui sait si elles n'étaient pas parentes ? Pour autant que tu le saches, cette pauvre grand-mère pourrait être ton aïeule ou ta tante. Tu as pensé à cela ?

Ermeline se renfrogna, résignée.

– J'admire ta grandeur d'âme, mais comment proposes-tu que nous mangions, alors ? finit-elle par grommeler en tapant du pied, les bras croisés sur la poitrine.

– En travaillant, tout simplement.

Ermeline fit une grimace de dégoût en se rappelant les journées passées à brasser du noir à chaussures dans une manufacture de Londres.

– Tu n'y songes pas vraiment ?

Sans répondre, Manaïl se rendit auprès de la marchande essoufflée qui le regarda venir avec un espoir évident.

– Tes paniers ont l'air bien lourd, *um-ma*[1]. Je te les transporterai pour deux morceaux de pain, lui proposa-t-il.

1. En sumérien : vieille femme.

– *Àra Inanna!* s'exclama la vieille d'une voix stridente qui trahissait sa grande surdité. C'est la déesse qui t'envoie!

« Tu ne crois pas si bien dire », songea Manaïl. Il se dirigea vers l'âne, détacha le premier panier, le transporta sans effort et le posa aux pieds de la dame. Puis il repartit et revint avec le deuxième. L'ironie de la situation ne lui échappait pas : lui, « le poisson » de Babylone pour qui voler n'avait jamais engendré le moindre scrupule, avait appris à mériter ce qu'il possédait.

Un sourire édenté plissa le visage buriné par le soleil de la vieille.

– Qu'Enki te couvre de sa faveur, *lu-kur-ra*[1], cria-t-elle.

Elle ouvrit un des paniers, fouilla à l'intérieur et en ressortit quatre galettes de pain sans levain encore chaudes qu'elle enveloppa dans une grande feuille de palmier.

– Voilà, dit-elle en les lui tendant de ses mains à la peau fripée. Deux pour tout de suite et deux autres pour plus tard.

– Qu'Enki t'accorde encore longue vie et qu'Inanna te comble de descendants, dit Manaïl en s'inclinant avec respect devant l'aînée.

– Bah! J'ai déjà vécu assez longtemps, ricana la vieille, son visage plissé de mille rides. Mon époux m'attend depuis longtemps dans le Royaume d'En-Bas et il est plus que temps que

1. En sumérien : étranger.

je le rejoigne ! Mais je te remercie de tes bons vœux, *Du-Sa*[1].

Satisfait de lui-même, le garçon revint vers Ermeline, qui était restée à l'écart, observant la scène d'un air boudeur.

– Voilà, dit-il. Un repas frais et honnêtement gagné.

Il lui tendit un des pains qu'elle accepta en ronchonnant.

– Peuh ! cracha-t-elle. Tu aurais fait un bien mauvais gitan !

Puis elle mordit et mastiqua la galette avec enthousiasme.

– Viens, dit Manaïl lorsqu'ils eurent le ventre bien rempli. Il faut trouver le temple de Nergal.

Ils marchèrent au hasard, scrutant furtivement les alentours à la recherche d'un indice. Leurs pérégrinations les menèrent devant le grand temple qu'ils avaient aperçu de l'extérieur. Le bâtiment était situé près d'un marais. Pas aussi grand que la ziggourat de Babylone, il était néanmoins impressionnant. La base de brique, haute comme une dizaine d'hommes et dénuée d'ouvertures, était surmontée d'un étage cerclé de colonnes massives, au centre duquel se trouvaient trois grandes portes. Au sommet de tout cela était perché le temple du dieu Enki, auquel les prêtres accédaient de l'intérieur pour y offrir de la nourriture et des prières en échange de bonnes récoltes.

---

1. En sumérien : ami.

Ermeline examinait la structure en relevant la tête, l'air critique.

– Ça ne vaut pas une bonne vieille cathédrale, dit-elle en faisant une moue hautaine.

Elle avisa non loin de là un autre temple beaucoup plus modeste et le montra du doigt.

– Et celui-là ?

– Le temple d'Inanna, je suppose.

– Il est bien petit...

– Dans ce *kan*, Ishtar n'est pas encore très importante.

Songeur, Manaïl regardait l'édifice.

– Lorsque j'étais petit, mon père me racontait souvent la légende d'Éridou, se remémora-t-il, un peu mélancolique.

– Que disait-elle ?

– Qu'après que les dieux eurent presque détruit l'humanité dans un déluge, voilà très longtemps, Enki, le plus puissant d'entre eux, érigea cette ville de ses propres mains et que c'est ici qu'il rendit la civilisation aux hommes. Depuis, c'est lui qui remplit les rivières de poissons, règle le mouvement des mers et des vents, donne la sagesse et l'intelligence aux rois, et aide les hommes à améliorer leurs techniques.

Le garçon laissa échapper un petit rire sardonique.

– Jamais je ne me serais douté que la légende disait vrai, dit-il en secouant la tête. Lorsque les Mages Noirs ont ouvert le portail de Nergal à l'aide du talisman, ils ont provoqué une terrible catastrophe qui a tout saccagé. Enki était sans doute un des Anciens qui ont survécu et qui ont instruit les hommes qui restaient. La légende était beaucoup plus véridique qu'on ne le croyait…

Un frisson parcourut les bras d'Ermeline.

– Les Anciens…, s'enquit-elle en songeant aux cadavres aux mains palmées qui avaient attendu Manaïl pendant une éternité dans la crypte enfouie sous les rues de Montréal. Ces gens n'étaient pas vraiment… humains, n'est-ce pas ?

Manaïl considéra avec perplexité les membranes de peau qui liaient les phalanges de sa main gauche.

– Pas tout à fait, sans doute, répondit-il en se demandant par quel étrange caprice du destin il avait hérité d'eux cette curieuse anomalie. Ou peut-être l'étaient-ils davantage que nous…

✦

Ils parcouraient les rues d'Éridou depuis plusieurs heures, attentifs aux moindres détails. Les artères les plus larges, au centre de la ville, étaient derrière eux depuis longtemps et ils en étaient arrivés à arpenter méthodiquement les petites rues éloignées de la périphérie. Il était passé midi lorsqu'ils s'arrêtèrent enfin. Le soleil mésopotamien leur cuisait la peau. En nage, Ermeline se laissa choir lourdement à l'ombre d'un palmier-dattier auquel elle s'adossa en s'essuyant le front du revers de la main.

– Je suis certaine que l'enfer est plus frais, soupira-t-elle, contrariée.

Manaïl fit un sourire espiègle à sa compagne et se mit à escalader avec aisance le tronc, comme il l'avait fait si souvent, jadis, à Babylone. Parvenu en haut, il secoua quelques branches et en fit tomber des dattes.

– Aïe ! s'écria la gitane plus bas.

Le garçon redescendit et retrouva Ermeline qui se frottait la tête.

– En voilà des manières ! s'insurgea-t-elle.

– J'ai pensé que quelques dattes agrémenteraient bien le pain de ce matin, dit-il en lui tendant une des deux galettes qui lui restait.

Pendant qu'ils mangeaient, Manaïl se garda de partager avec elle les inquiétudes qui l'assaillaient. Dès son arrivée dans ce *kan*, il s'était fié en grande partie à la présence du fragment dans sa poitrine pour retrouver les autres. Depuis le début de sa quête, chaque fois qu'il s'était trouvé à proximité d'un de ces objets maudits, celui qu'il portait en lui avait violemment réagi, lui causant une douleur atroce. Mais cette fois-ci, rien ne s'était encore produit. Il avait été prêt à poser la marque de YHWH sur sa poitrine au moindre pincement pour prévenir le pire, mais il n'en avait pas eu besoin. Était-ce parce qu'aucun fragment ne se trouvait à Éridou ? Mathupolazzar n'était-il jamais revenu dans ce *kan* ? L'avait-il fui en emportant les fragments ? Si c'était le cas, Manaïl serait tout à fait désemparé.

Une fois rassasiés et rafraîchis, ils reprirent leur exploration. La rue dans laquelle ils se trouvaient longeait la muraille indiquant la limite de la ville et n'abritait que des masures délabrées, sans doute habitées par des gens sans métiers précis qui louaient leurs services lorsqu'ils en avaient la chance. Des individus étaient assis devant les cabanes, l'air las et désœuvré. Le mortier qui liait les briques des maisons s'effritait et les toitures de chaume étaient parsemées de trous. L'atmosphère glauque rendit un peu d'espoir à l'Élu. L'odeur de désespoir qui l'enveloppait était à l'image des Nergalii.

Ils poursuivirent leur chemin au hasard et parvinrent devant une maison en meilleur état que les autres. Manaïl s'immobilisa, le cœur serré. Devant, le potier qu'il avait vu la veille, sur la place du marché, s'activait devant un tour qu'il faisait se mouvoir avec ses pieds et fabriquait un petit bol en glaise. Le garçon songea à maître Ashurat, qu'il avait vu en rêve la nuit précédente, accompagné des autres Mages d'Ishtar. *Retourne aux sources de ta quête et ouvre les yeux*, lui avait enjoint maître Naska-ât après l'avoir couvert de reproches. L'expérience lui avait appris à ne pas négliger ces songes qui lui venaient. Mais comment interpréter celui-ci ? Il se trouvait déjà dans le *kan* d'Éridou, où le talisman était réapparu après avoir presque détruit le monde des Anciens, comme le lui avait jadis raconté Ashurat. N'était-ce pas la source de sa quête? Que pouvait-il faire d'autre?

Le potier laissa le tour s'arrêter, décolla le bol et l'examina d'un air critique. Satisfait, il le posa par terre, saisit un nouvel amas de glaise et commença à tourner une nouvelle pièce. Et si Naska-ât avait été plus précis que Manaïl le supposait? Si la source à laquelle il faisait référence était un endroit dans Éridou? Mais lequel? Le temple de Nergal? Il était introuvable. Sinon, quel autre endroit pouvait bien avoir une importance pour sa quête? Où donc avait-elle débuté?

L'Élu écarquilla les yeux. Un homme en particulier avait organisé la lutte contre les Nergalii. Il avait brisé le talisman et en avait distribué les fragments à ses disciples pour qu'ils les perdent dans les *kan*. Un homme, un seul, avait donné l'impulsion première à la quête. La source... Se pouvait-il que ce soit aussi simple?

– Qu'est-ce qui se passe? s'enquit Ermeline en remarquant son air ahuri.

– Ce potier me donne une idée, répondit-il. Nous sommes entrés dans ce *kan* après le départ des Mages puisque je les ai presque tous croisés dans d'autres *kan*. Mais peut-être que maître Naska-ât, lui, est encore en vie et qu'il est toujours ici. Il en saurait beaucoup plus que les Mages, j'en suis sûr. Il pourrait m'éclairer, m'indiquer l'emplacement du temple de Nergal...

Il se remit en marche, la gitane sur les talons, et s'approcha du potier.

– Pardonne-moi, dit-il.

L'homme releva la tête, suspicieux.

– Qui es-tu ?

– Un étranger de passage. Je cherche Naskaât, prêtre d'Inanna, dit-il en s'assurant d'utiliser l'ancien nom d'Ishtar. Tu le connais ?

Le potier hocha la tête.

– Oui. Et si tu le trouves, rappelle-lui que je garde depuis trois mois les cruches qu'il m'avait commandées et que je désire être payé pour mon travail.

– Il a disparu ?

– En même temps que les cinq jeunes qui le suivaient pas à pas. Personne ne sait où ils sont tous passés.

L'Élu sentit ses espoirs fondre. Il était arrivé trop tard.

– Sa maison existe-t-elle toujours ? demanda-t-il, un peu dépité.

– Il n'habitait pas très loin d'ici, juste au bout de la rue, dit l'artisan en désignant la direction de la tête. Tu ne peux pas te tromper. Sa maison est restée vide. Personne ne veut l'habiter.

– Pourquoi ? s'enquit Ermeline.

Le potier fit la moue et reprit son travail.

– Les gens ont peur de ceux qui trempent dans des choses louches…

– Merci, conclut Manaïl.

Ils laissèrent l'artisan à sa tâche. En une minute, ils se retrouvèrent devant une maison semblable à toutes les autres, sauf que la porte était entrouverte et battait dans la brise chaude. *Retourne aux sources de ta quête et ouvre les yeux...*

Manaïl se dirigea vers le petit bâtiment bas, mais Ermeline le saisit par le bras.

– Qu'est-ce que tu espères trouver là-dedans ? demanda-t-elle. Ne devrions-nous pas plutôt chercher les fragments ?

– C'est ce que je fais. C'est Naska-ât qui a démonté le talisman et qui a instruit les Mages de leur tâche. Il connaissait les Nergalii mieux que personne. Peut-être que nous y trouverons un indice...

Il franchit la porte d'un pas décidé et avança jusqu'au centre de l'unique pièce à l'allure dépouillée. Le soleil pénétrait par les deux modestes ouvertures qui tenaient lieu de fenêtres dans le mur de brique. Sur le sol traînait une vieille natte qui avait sans doute servi de couche au vieux maître. Un peu plus loin, deux tabourets poussiéreux entouraient une table sur laquelle se trouvait une lampe en poterie. L'huile y était figée tant il y avait longtemps qu'elle n'avait pas été allumée. Dans un coin, quelques cruches de poterie étaient négligemment appuyées les unes contre les autres.

– Le potier avait raison, remarqua la gitane en plissant les lèvres. Personne n'a habité ici depuis un moment. Pourquoi crois-tu que Naska-ât ait disparu sans laisser de trace ?

Manaïl s'accroupit près des cruches, brisa un à un les bouchons de cire qui les scellaient et en inspecta le contenu. Elles contenaient du vin, du miel et de la farine. Rien de significatif. Frustré, il les abandonna.

– J'ai toujours considéré qu'il était mort à Éridou après le départ des Mages. Mais les Nergalii n'ignorent pas que c'est Naska-ât qui est à l'origine de la perte de leur talisman. Mathupolazzar n'est pas du genre à ne pas se venger...

– Tu crois que Naska-ât a été assassiné ?

– J'espère que non, dit sombrement l'Élu, car sa mort n'aura rien eu d'agréable. Peut-être s'est-il enfui... Dans un cas comme dans l'autre, je ne crois pas qu'il reparaîtra.

Ermeline errait au hasard lorsqu'elle sursauta.

– Qu'y a-t-il ? demanda Manaïl en se précipitant vers elle.

– Cornebouc ! Je jurerais que la bague de ma mère s'est illuminée, dit-elle, ébahie.

Tous les sens de Manaïl furent aussitôt en alerte.

– Où étais-tu exactement ?

– Juste là, dit-elle en désignant le mur derrière elle.

Le garçon s'approcha, tendit la main droite, au majeur serti de la bague de maître Ashurat, et la fit longer les briques du mur. Sur la pierre noire s'illumina soudain la forme humaine orangée, bras et jambes tendus, au centre d'un pentagramme d'un bleu glacial.

– Tu vois ! s'exclama la gitane. Je n'avais pas la berlue !

Il poursuivit son mouvement vers la droite et l'image disparut. Puis il revint dans l'autre sens. De nouveau, le symbole scintilla brièvement avant de s'évanouir.

– Le symbole des Mages apparaît précisément lorsque la bague passe devant cette brique, remarqua Ermeline. Tu crois qu'il s'agit d'un passage vers un autre *kan* ?

– J'en doute, répondit le garçon. Naska-ât était un Mage d'Ishtar, pas un Ancien. Il connaissait le temple du Temps et ses portails, mais il n'aurait pas pu en fabriquer un lui-même.

Il s'accroupit et passa la main sur le mur, là où la bague avait réagi.

– Ces briques sont brûlantes…

Il tira de sa ceinture la dague qu'Ermeline avait chapardé au garde, en appuya la pointe sur le mortier qui unissait deux briques et se mit à gratter. Bientôt, il dégagea le contour de la brique. Il inséra la lame de la dague dessous et, peu à peu, parvint à l'extraire du mur. Sans hésiter, il plongea la main droite dans l'ouverture et la retira aussitôt.

– Aïe ! se plaignit-il en secouant les doigts.

– Qu'est-ce qu'il y a ? demanda Ermeline, anxieuse.

– C'est chaud comme une forge là-dedans.

Il mit la main gauche dans le mur et tâtonna à l'aveuglette, protégé par la marque de YHWH.

– Il y a quelque chose ? s'enquit Ermeline.

– Oui... Attends... J'y arrive. Voilà !

Triomphant, Manaïl sortit la main et l'ouvrit. Elle était rougie mais intacte. Dans sa paume, au milieu du symbole tracé par Hanokh, gisait un petit paquet de toile de lin. Il le posa sur le sol et l'ouvrit pour révéler une bague identique à la sienne et un bracelet en bronze.

– Une bague de Mage..., dit-il, médusé. Sans doute celle de Naska-ât. On ne le dirait pas, mais le mur de la maison est double. La chaleur qui s'accumule entre les briques fait sans doute briller la bague depuis le moment où il l'a mise là et elle a fait réagir les nôtres. Un peu comme le feraient des flammes. L'effet a été le même sur les nôtres.

– Ingénieux mécanisme... On dirait qu'il espérait que tu viennes ici.

– Ou alors il *savait* que je viendrais...

– Et le bracelet ?

Intrigué, Manaïl souffla dessus pour en chasser la poussière. Il observa l'objet en le retournant dans sa main. Il s'agissait d'un anneau de bronze aplati au marteau et verdi par le temps.

Il en examina la surface interne et fronça les sourcils.

– Qu'est-ce qu'il y a ? insista la gitane.

– Regarde toi-même, dit le garçon, abasourdi, en lui tendant le bracelet.

– Il y a des symboles gravés à l'intérieur... Trois symboles.

Elle releva subitement la tête, stupéfaite.

– Cornebouc... C'est... On dirait...

– La croix templière, compléta Manaïl. Ou, en tout cas, quelque chose qui lui ressemble. Près de cinq mille ans avant que l'ordre des Templiers en fassent leur emblème... Et elle porte même l'écriture de ton *kan*.

Il laissa sa compagne étudier l'objet quelques instants de plus.

– Qu'est-ce qu'elles disent ? finit-il par demander.

– Elles n'ont aucun sens, dit-elle. Ce n'est que du charabia.

Elle continua à examiner le bijou un moment, l'inclina pour essayer d'y voir plus clair puis le lui rendit.

– Et les deux autres figures ? Tu les comprends ?

Manaïl reprit le bracelet et le scruta. Dans un pentagone était gravé un réseau de cercles, de rectangles, de triangles et de lignes droites qui semblait dépourvu de cohérence. On aurait dit qu'un enfant l'avait égratigné au hasard. Le tout n'était qu'un fouillis.

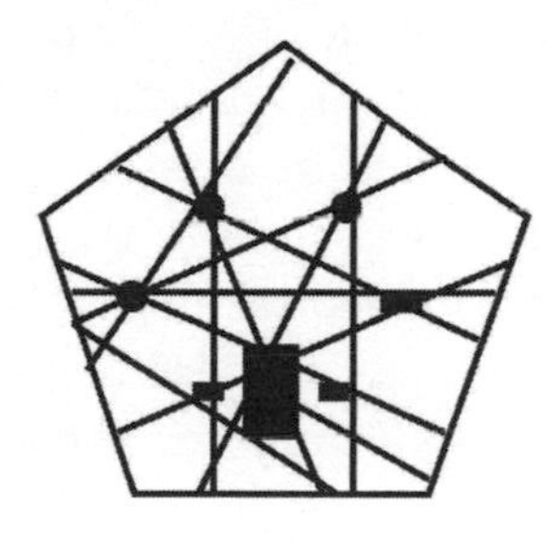

Son attention était rivée sur le troisième symbole, qui représentait un serpent merveilleusement ciselé dans le métal et dont le style, sans être identique, lui rappelait l'art de sa Babylone natale. Le reptile formait un cercle en saisissant sa propre queue dans sa gueule.

Suis la voie tracée par le serpent, avaient dit les Mages à l'unisson. *Elle te mènera vers le centre.* Était-ce de ce serpent qu'ils parlaient ? Mais quelle voie indiquait-il ? Pourquoi Naska-ât l'avait-il gravé là, sur un bracelet de bronze, avec deux autres symboles tout à fait incompréhensibles ?

– Non. Je n'y comprends rien du tout, fit l'Élu, dépité, en secouant la tête.

Retourne aux sources de ta quête et ouvre les yeux, avait dit Naska-ât. Voilà. Il l'avait fait. Il était venu dans la demeure du prêtre d'Ishtar et y avait découvert un bracelet portant ce qui semblait être son ultime message. Mais il était bien en peine d'en saisir le sens.

– Peut-être que le bracelet t'indique le *kan* où tu dois te rendre ? suggéra la gitane comme si elle lisait dans ses sombres pensées.

– Suis la voie tracée par le serpent..., murmura Manaïl.

– Quoi ?

– Cette nuit, Naska-ât m'est apparu en rêve et m'a houspillé. Puis, avec les cinq Mages, il m'a dit de suivre la voie tracée par le serpent... Et maintenant, sur le bracelet qu'il m'a laissé, je trouve un serpent.

– C'est une piste alors !

– Sans doute... Mais vers où ? Je n'aperçois ni serpent ni voie tracée par lui...

– Ne désespère pas, l'encouragea Ermeline en forçant un sourire. Les voies d'Ishtar sont parfois obscures, tu le sais aussi bien que moi.

Mais Elle ne t'a encore jamais abandonné. Ses Mages non plus.

– Tu as sans doute raison…

L'Élu soupira de lassitude. Il passa le bracelet à son poignet droit puis remit la bague dans la cachc où il l'avait trouvée et ramassa la brique.

– Que fais-tu là ? demanda Ermeline. Pourquoi ne la conserves-tu pas ?

Manaïl haussa les épaules.

– Pour quoi faire ? Elle a joué le dernier rôle que Naska-ât lui destinait. Il l'avait laissée là en espérant que, si je venais un jour, elle m'indiquerait l'emplacement de ce bracelet. Maintenant, je la remets à sa place.

Il glissa la brique dans le mur, ramassa la dague et se releva.

– Viens, dit-il en entraînant la gitane par l'épaule. Nous avons un temple à trouver et des fragments à récupérer. Peut-être qu'ensuite, les symboles du bracelet finiront par avoir un sens.

Il saisit la lampe sur la table et, ensemble, ils quittèrent la demeure abandonnée de maître Naska-ât.

LA PISTE

À l'extérieur, le soleil achevait son voyage quotidien vers l'ouest. Dans quelques heures, il ferait nuit. Aux côtés du garçon, la gitane était préoccupée.

– Dans ton rêve, finit-elle par lâcher, tu as dit que les cinq Mages étaient là. Est-ce que…

– Ton arrière-grand-mère aussi, oui, compléta Manaïl. Elle m'a laissé un message pour toi : *tu ne possèdes pas plus grande richesse que ta propre personne.*

Ermeline le dévisagea, perplexe.

– C'est tout ?

– Elle a dit que, le moment venu, tu comprendrais.

– Cornebouc… Tout cela n'est guère utile. Peut-être as-tu simplement fait un cauchemar ?

– Crois-moi, depuis que je me suis retrouvé fourré dans cette quête, mes rêves ont rarement été sans importance. Tiens, on me conseille de suivre la voie du serpent et, quelques heures plus tard, je porte un bracelet sur lequel est gravé un serpent. Ce n'est pas un hasard.

– Vrai. Alors le moment venu, je suppose que je comprendrai…

– On verra bien.

Ils remontèrent lentement la rue bordée de pauvres taudis aux briques craquelées et aux toits percés. Devant l'un d'eux, une jeune femme entourée de plusieurs enfants s'affairait à cuire quelques pains pour sa famille. Manaïl s'arrêta devant elle et lui présenta la lampe de Naska-ât.

– Deux galettes contre cette lampe, proposa-t-il en lui tendant l'objet.

La femme lui adressa un regard suspicieux qui masquait mal l'envie avec laquelle elle considérait la lampe.

– Tu l'as volée ?

– Non. Un ami me l'a donnée, expliqua le garçon.

– Bon…, maugréa la femme avec méfiance.

Elle la saisit comme un enfant affamé s'empare d'une friandise qu'on lui tend avant qu'elle ne disparaisse et l'examina pour s'assurer qu'elle n'était pas fendue. Satisfaite, elle la posa par terre, prit deux pains et les remit à Manaïl.

– Merci, dit ce dernier en en tendant un à Ermeline.

Ils reprirent leur chemin en mangeant.

– Qu'est-ce qu'on fait maintenant ? La nuit approche.

– Cherchons encore un peu. Si nous n'avons pas trouvé le temple de Nergal d'ici demain, nous aviserons.

– Il est forcément quelque part, grommela la gitane. À moins que tu ne te sois trompé de *kan*.

– Impossible, dit-il en tapotant le macabre paquet accroché à sa ceinture. Les doigts de Mathupolazzar m'ont servi d'ancrage. C'est bien ici qu'il est revenu après avoir fui le *kan* de Ville-Marie.

Ils arpentèrent ce qu'il restait de rues, s'éloignant toujours plus loin en périphérie d'Éridou. De temps à autre, Manaïl examinait le bracelet, l'air contrarié.

– Une bague et maintenant un bracelet..., ronchonna-t-il. Bientôt, je vais être aussi décoré qu'un temple par jour de fête.

La lumière commençait à baisser lorsque, tout à coup, devant une masure particulièrement délabrée, la douleur tant espérée frappa Manaïl de plein fouet et le fit vaciller sur ses jambes.

– Aghhhhh..., grogna-t-il en posant sa main gauche sur sa poitrine.

Aussitôt, il sentit le pouvoir de YHWH, conféré jadis par Hanokh, se diffuser en lui et maîtriser le Mal qui s'y agitait.

– Tu es pâle comme un macchabée refroidi, constata Ermeline. Cornebouc ! Voilà une bonne nouvelle !

– Si on veut, répondit-il, les dents serrées. Ne nous arrêtons pas. On ne doit pas nous remarquer.

La gitane passa son bras autour de la taille de son compagnon et l'aida à avancer. L'un contre l'autre, tels des amoureux, ils suivirent la muraille et s'arrêtèrent derrière un tas de ruines. Si l'on se fiait aux briques craquelées, aux murs effondrés et à la structure du toit au bois noirci et dénuée de chaume, les quelques maisons adossées à la muraille avaient récemment été détruites par un incendie.

L'Élu se laissa choir sur le sol, à l'abri derrière un amas de briques. Il ferma les yeux, haletant, la main gauche à plat sur sa poitrine. Le long de ses tempes coulaient de minces filets de sueur et le teint de son visage était cireux.

– Ça va aller ? s'enquit la gitane, inquiète, en posant sa main par-dessus la sienne, comme pour joindre sa force vitale au pouvoir de YHWH.

– Oui, rétorqua le garçon en forçant un sourire. C'est toujours la même chose. Je commence à m'y faire.

Ermeline étira le cou en direction de la masure devant laquelle la douleur s'était manifestée.

– Le temple de tes Nergalii a bien piètre allure, remarqua-t-elle sans la quitter des yeux. Il semble abandonné. On y va ?

– Attendons la nuit, suggéra l'Élu. Ce sera plus sûr.

Pendant les quelques heures qu'il fallut pour que le soleil se couche et que la pénombre envahisse les rues, ils guettèrent la maison sans voir qui que ce soit y entrer ou en sortir. Le garçon en profita pour récupérer. Lorsque la nuit fut enfin tombée et que les habitants d'Éridou dormaient à poings fermés, il se mit brusquement debout.

– Allons-y, dit-il d'un ton déterminé.

Il resta planté un moment sur place, les yeux rivés sur la maison dont la silhouette se dessinait dans la lumière de la lune. Circonspect, il posa la marque de YHWH sur sa poitrine et inspira nerveusement, puis prit la main de la gitane. Ensemble, ils franchirent la distance qui séparait leur cachette de la maison, longeant la muraille pour rester dans la pénombre.

Une fois à proximité, ils s'arrêtèrent et attendirent. Toujours aucun mouvement. Tout était tranquille. Mais la douleur était présente, à peine perceptible sous la marque de YHWH. Manaïl tira de sa ceinture la dague de bronze, fit un signe de tête à Ermeline, puis poussa la porte de bois. Ils entrèrent. Aussitôt, une pulsation puissante et aiguë frappa l'Élu en pleine poitrine.

À l'intérieur, les rayons de la lune, qui pénétraient par deux petites ouvertures dans les murs et par la toiture délabrée, permettaient de voir assez clair pour s'y retrouver. Tout comme la masure de Naska-ât, celle-ci était abandonnée depuis longtemps. Une petite table basse, seul meuble de l'unique pièce, était recouverte d'une épaisse couche de poussière et le sol de terre battue ne portait aucune empreinte de pied fraîche. Personne n'était venu ici depuis des semaines.

– Ce n'est qu'une maison, constata Ermeline, dépitée.

✦

Blottis dans l'ombre contre le mur d'une maison avoisinante, Tandurah et son compagnon observaient la scène. Le musicien hocha la tête, approbateur. L'Élu avait découvert le temple de Nergal comme lui seul en avait le pouvoir, hormis les Nergalii. Bientôt, il utiliserait la clé qu'il lui avait laissée et entrerait, tel qu'il le devait.

Tandurah ne put réprimer un sourire de satisfaction. Son devoir était presque accompli. L'ultime portion de la destinée de l'Élu s'enclenchait. Sous peu, sa quête serait consommée. Avec un peu de chance, le triomphe serait total.

L'ANTRE DE NERGAL

Des yeux, la main gauche toujours sur sa poitrine, Manaïl évalua la maison déserte. Un autre élancement le fit grimacer, mais il n'y fit pas attention.

– Peut-être que ceci n'est pas le temple et que les Nergalii ont déplacé les fragments ici, dit-il. Ils sont quelque part, tout près, j'en suis certain. La douleur ne m'a encore jamais trompé.

– Alors cherchons-les, déclara Ermeline avec plus d'enthousiasme qu'elle n'en éprouvait réellement. Nous avons toute la nuit.

Manaïl rangea son arme et, ensemble, ils inspectèrent les moindres recoins de la demeure, laissant leurs mains glisser sur les briques, espérant en trouver une qui masquerait une cache. Le garçon retourna la table sur le sol et l'examina. Elle était parfaitement solide. Abattu, il s'assit lourdement sur la terre nue.

– Il n'y a rien, soupira-t-il, incrédule. Et pourtant, j'ai mal.

Ermeline releva un sourcil.

– Attends. Peut-être que...

Elle prit son médaillon et le passa par-dessus sa tête. Puis elle saisit le cordon entre son pouce et son index et se mit à marcher lentement de long en large, quadrillant le sol en laissant la pièce de monnaie percée pendre au bout de son bras tendu. Le pendentif, devenu pendule, oscillait lentement de gauche à droite.

– Que fais-tu ? s'enquit l'Élu.

– Chut !

L'étrange manège dura quelques minutes. Le visage de la gitane était crispé par la concentration et ses yeux ne quittaient jamais le pendentif. Tout à coup, le balancement du médaillon s'interrompit et se transforma en mouvement circulaire. Ermeline s'immobilisa et considéra le phénomène.

– Ha ! s'exclama-t-elle après un moment, triomphante. Il y a quelque chose là-dessous. Juste ici.

Un coup de talon sur le sol confirma ses dires. En comparaison du reste du sol, ce point rendait un son creux. Voyant l'expression hébétée de Manaïl, elle sourit en désignant son médaillon du menton.

– C'est un autre truc de gitane, ricana-t-elle. On dit que les pendules permettent de trouver des sources d'eau et des trésors. Comme tous les gitans sont pauvres, je n'y ai jamais beaucoup cru, mais cette fois, on dirait bien que ça fonctionne.

Manaïl ne comprenait pas ce qui aurait pu motiver les Nergalii à enfouir les fragments dans le sol d'une maison abandonnée d'Éridou alors qu'ils pouvaient les conserver, en toute sécurité, dans leur temple, sous bonne garde. Quelque chose clochait.

Il rejoignit la gitane et se mit à creuser le sol avec ses doigts. Il ne lui fallut qu'un moment pour qu'apparaisse le coin d'une dalle de pierre, cachée sous un doigt de terre. Ermeline replaça son médaillon autour de son cou et l'aida.

– Il me semble que depuis que je te connais, je creuse plus souvent qu'à mon tour, grommela-t-elle. Si j'avais voulu être fossoyeur, c'est ce que j'aurais fait !

Ils eurent bientôt dégagé la dalle. Sombre et grossière, elle était carrée. Sidéré, Manaïl constata qu'il ne s'agissait pas d'une cache.

– C'est une ouverture...

– Vers quoi ?

L'Élu osait à peine formuler l'idée qui prenait forme dans sa tête. Il balaya les restes de sable qui restaient à la surface et examina attentivement la dalle. Au milieu se trouvait une petite larme gravée. Manaïl se figea, frappé par la coïncidence. Il se retourna vers Ermeline et tendit la main dans sa direction.

– Donne-moi ta boucle d'oreille.

La gitane décrocha le bijou de son oreille et le lui tendit. L'Élu le saisit, l'examina et l'enfonça dans le motif gravé, où il s'encastra parfaitement. Puis il attendit, anxieux. Rien.

Il tenta de la faire pivoter sur elle-même, sans succès. En désespoir de cause, il posa le pouce au centre et appuya. La pierre s'enfonça imperceptiblement et un déclic retentit. Libérée de ses gonds, la dalle se détacha du sol et un de ses côtés se releva d'un doigt.

Ainsi, c'était par cette porte secrète que les Nergalii pénétraient dans leur temple. Ceux qui vivaient dans le *kan* d'Éridou devaient tous porter à l'oreille la clé qui y donnait accès. Une clé comme celle qu'avait perdue le musicien…

Une inquiétude serra le cœur de Manaïl. Et s'il s'apprêtait à tomber dans un piège ? Il avait présumé que Tandurah avait croisé son chemin par la volonté de la déesse, mais il portait ces boucles d'oreilles. Cela faisait-il de lui un Nergali ? Lui avait-il sciemment laissé la clé du temple ? Si oui, pourquoi aurait-il voulu confier à l'Élu la clé du repaire des siens ? Pour l'aider ou pour lui nuire ?

Le garçon hésita. Les fragments étaient tout proches. La douleur qui lui enserrait la poitrine en faisait foi. Même s'il se précipitait dans la gueule du loup, il avait la responsabilité de descendre à leur recherche. L'avertissement dédaigneux que Naska-ât avait formulé dans son rêve de la nuit précédente tourbillonnait dans sa tête, solennel et sombre : *Que diras-tu à Ishtar, le jour où tu te présenteras devant Elle et que tu auras failli ?*

La quête était sans pitié. Jamais il ne récupérerait les quatre fragments qu'on lui avait volés sans courir de risques. Il se raidit et pesta de frustration. Toutes ces questions étaient vaines. Il avait retrouvé le temple de Nergal et les fragments. Il était trop tard pour reculer. Il devait faire confiance à Ishtar.

Manaïl retira la boucle d'oreille de la marque et la remit à Ermeline qui, ne sachant que faire d'autre, haussa les épaules et la replaça sur son oreille. Puis il glissa ses doigts dans l'ouverture et tâta. La dalle de pierre était plus mince qu'il l'avait cru. Il se sentait amplement capable de la décoincer. Il banda ses muscles et tira. Lorsque la porte fut à moitié soulevée, Ermeline se joignit à lui. À eux deux, ils eurent tôt fait de l'ouvrir complètement.

Sous leurs yeux, un escalier de pierre abrupt s'enfonçait dans une ouverture étroite. Quelques marches sous le niveau du sol, une large vasque de bronze était posée dans une niche aménagée dans le mur. Une mèche enflammée traînait dans l'huile qui la remplissait encore à moitié. Tout près, des torches neuves étaient adossées au mur.

– Tu préfères attendre ici ? demanda-t-il.

Vexée, la gitane s'empourpra aussitôt en touchant inconsciemment la bague des Mages, héritée de sa mère, qu'elle portait au majeur de sa main droite.

– Un de ces maniaques a tué ma mère, rétorqua-t-elle d'un ton belliqueux. Cornebouc ! Qu'Ishtar me fasse le plaisir d'en placer quelques-uns sur mon chemin. Je leur arracherai les génitoires[1] à mains nues et je les forcerai à être présents pendant que j'en nourrirai les cochons !

Manaïl laissa traîner sur la gitane un regard admiratif.

– Bon. Prépare ton médaillon, suggéra-t-il. On ne sait jamais.

Lorsque Ermeline eut son pendentif bien en main, le garçon empoigna sa dague et descendit quelques marches. Il saisit une des torches au passage, l'alluma dans la flamme de la vasque et la passa à Ermeline.

– Éclaire-moi.

Il examina la dalle qu'ils avaient franchie et constata qu'elle était munie d'un mécanisme d'ouverture identique de l'autre côté. Les muscles tremblant sous l'effort, il la referma derrière eux.

– Comme ça, nous risquons moins de nous faire surprendre, expliqua-t-il.

– Bougre de diable, nous voilà presque déjà au tombeau, ronchonna Ermeline, visiblement contrariée, avec une grimace.

Manaïl reprit la torche et, ensemble, ils s'enfoncèrent sous terre. Au pied des marches, ils se retrouvèrent dans une antichambre au bout de laquelle se dessinait une porte de bois renforcée par des bandes de métal martelé. Aussitôt, la gitane plaqua une main sur son nez.

---

1. Testicules.

– Fi ! Tu sens cette odeur ? Ça empeste la charogne.

– Oui…, répondit le garçon en plissant le nez.

Tout à coup, il serra les dents et fit un effort pour ne pas plier en deux, mais ne put retenir un gémissement.

– La douleur augmente ? s'inquiéta Ermeline.

– Ça ira, grogna Manaïl en passant la marque de YHWH sous sa tunique pour l'appuyer directement sur sa peau.

L'Élu attendit une bonne minute avant que les élancements ne redeviennent supportables. Il inspira à quelques reprises pour reprendre son souffle puis, avec prudence, la torche vers l'avant, il franchit la distance qui le séparait de la porte.

Un petit cri d'horreur mal contenu s'échappa de la gorge de la gitane et le fit sursauter. Il suivit le regard de sa compagne.

À droite de la porte, dans une niche creusée à même le roc, un cadavre était suspendu par les poignets avec des chaînes. Donnant l'impression de trembloter dans la lumière dansante des flammes, l'homme n'était pas de ce *kan*. Il portait un pardessus gris qui lui descendait aux genoux, un pantalon noir étroit et une chemise ornée d'une cravate noire, tous encore en bon état. Les vêtements étaient maculés du sang séché qui s'était écoulé de la gorge tranchée d'une oreille à l'autre. Sur le visage en décomposition était figée une éternelle expression de terreur. Un asticot bien gras émergea de la bouche ouverte et se balada lentement sur les dents puis sur la langue brunie avant de choir sur l'épaule, de poursuivre son chemin et de disparaître. Ermeline frissonna de dégoût.

– Cornebouc ! s'exclama-t-elle avec répugnance. Tes Nergalii sont des gens tout à fait délicieux...

Elle s'approcha et examina le corps. Ses yeux s'écarquillèrent.

– Tu... Tu le reconnais ? bredouilla-t-elle. C'est... C'est...

Manaïl porta involontairement la main à sa poitrine, d'où cet individu avait extrait les quatre fragments qu'il avait tant peiné à retrouver, le laissant pour mort dans le *kan* de Londres.

– Milton-Reese..., compléta-t-il d'une voix éteinte. On dirait que Mathupolazzar n'a pas apprécié que sir Harold ramène un étranger avec lui...

– Grand bien lui fasse. Qu'il batte sa coulpe[1] en enfer, ce malandrin[2] ! ragea la gitane. Mais grand Dieu, ce qu'il pue !

Délaissant le mort, ils reportèrent leur attention sur la porte. Elle était ornée du même motif en forme de larme. Voyant cela, sans attendre, Ermeline enleva le bijou de son oreille et le tendit à son compagnon. Manaïl l'inséra dans le mécanisme.

1. Qu'il se repente.
2. Brigand, voleur.

– Tiens-toi prête. On ne sait jamais.

Ermeline acquiesça de la tête et brandit son médaillon. Le garçon fit pivoter le mécanisme et le même déclic se produisit. Il rendit le bijou à la gitane, tendit sa dague devant lui et poussa la porte avec son pied.

De l'autre côté, tout était noir. Une puanteur dix fois pire les assaillit. Ermeline ravala un haut-le-cœur. Manaïl, lui, se contenta de respirer par la bouche pour minimiser l'odeur.

– Cornebouc ! Quelle pestilence ! s'exclama la gitane. C'est pire que les charniers de Paris durant les chaleurs de l'été !

Familiers avec l'odeur de la mort et anticipant tous deux ce qu'ils trouveraient en franchissant le seuil, ils entrèrent, l'Élu en premier, la gitane sur ses pas.

✦

Un genou au sol, Tandurah examinait la dalle de pierre fraîchement dégagée. Il sourit, admiratif. Comme il s'y attendait, l'Élu d'Ishtar avait découvert l'entrée du temple de Nergal et y était entré. Bientôt, il trouverait ce qu'il cherchait. Ensuite, seulement, Tandurah interviendrait.

Le musicien jeta un regard nostalgique à la harpe qu'il avait posée par terre. Il adorait cet instrument. En jouer lui procurait une sérénité sans pareille. Hélas, sa mission exigeait des sacrifices et il devait l'abandonner. Il détacha la boucle d'oreille qui lui restait, l'inséra dans la petite cavité en forme de larme et appuya au centre du bijou. Lorsque la dalle fut ouverte, il fit signe à celui qui l'accompagnait de le suivre.

Quelques instants plus tard, il s'enfonçait sous la terre, sur les traces de l'Élu et vers sa propre destinée.

✦

Même dans la lumière dansante de la torche, Manaïl reconnut immédiatement l'endroit où il avait surgi voilà peu de temps, l'épée templière à la main et la rage au cœur. C'était ici qu'il avait exercé sans remords sa vengeance sur Arianath, maudite entre tous, et qu'il avait arraché aux Nergalii les deux premiers fragments qu'il avait retrouvés. Les adorateurs de Nergal s'étaient amplement repris depuis, songea-t-il avec amertume.

Le plancher de la pièce rectangulaire était recouvert de dalles de pierre. Sur les murs de marbre, il entrevit des supports dans lesquels étaient fichées des torches éteintes.

– Attends là, dit-il à la gitane.

Il longea les parois et alluma tour à tour les torches. Baigné de lumière, le temple de Nergal révéla une scène que l'Élu avait lui-même créée dans un accès de rage. À l'une des extrémités de la pièce se trouvait la statue de Nergal, toujours vêtu d'une longue robe, les cheveux lissés vers l'arrière, les mains devant la poitrine et les doigts en pyramide. Sur le visage de pierre, les pupilles minces et verticales paraissaient fixées sur les intrus qu'ils étaient, les suivant comme un fauve traque sa proie. Un vague sourire entendu retroussait les lèvres et laissait paraître deux canines pointues, comme si le dieu maudit savourait déjà une victoire que lui seul savait certaine.

À l'autre extrémité du temple, le grand cercle de pierre saillait toujours du mur et surplombait l'autel orné de joyaux et couvert d'or. De chaque côté, posés sur le sol, les deux braseros étaient éteints.

Devant l'autel gisaient les cadavres que Manaïl avait renvoyés à Mathupolazzar depuis la crypte des Anciens, enfouie entre hier et demain dans le *kan* de Montréal. Dans un coin, il repéra la tête de la Nergali qu'il avait éprouvé un plaisir si sauvage à retourner à son adversaire. Malgré l'odeur repoussante, il sentit un sourire de satisfaction se dessiner sur ses lèvres pendant qu'il imaginait l'expression du grand prêtre de Nergal lorsque cette femme lui avait livré le message dont il l'avait chargée.

– Mes compliments, dit Ermeline avec une moue admirative en reconnaissant les corps. Quel dégât ! Tu as bien réussi ton coup, espèce de diablotin. Tu crois que c'est ce qui les a fait décamper ?

Le garçon haussa les épaules, indécis.

– Pourquoi les Nergalii s'enfuiraient-ils en abandonnant les fragments dans leur temple ? Cela n'a aucun sens. Non… Quelque chose les a forcés à partir précipitamment. Je me demande bien quoi…

– Tu sais où ils conservent les fragments ?

– Dans l'autel.

Pendant que la gitane repassait son pendentif à son cou, il se dirigea dans cette direction et allait enjamber un des cadavres en décomposition lorsque quelque chose, sur le sol, attira son attention. Il s'arrêta et s'accroupit. Avec un mélange de nostalgie et d'écœurement, ses doigts effleurèrent les caractères cunéiformes qu'on y avait gravés. Arianath… C'était donc dans le temple de son dieu que ses frères et sœurs l'avaient enterrée. Rempli de chairs pourries et empestant la mort, l'endroit lui semblait particulièrement approprié pour celle qui l'avait trahi sans scrupule puis avait pris plaisir à le torturer. Rien qu'en touchant la sépulture, il se sentait souillé.

– Qui était-ce ? demanda Ermeline, incapable de déchiffrer l'écriture dans la pierre.

– Une Nergali…, répondit vaguement l'Élu.

– C'est toi qui l'as tuée ?

– Oui. Et je regrette de n'avoir pu le faire qu'une seule fois. Elle aurait mérité mille morts toutes plus atroces que celle qu'elle a connue.

Suspicieuse, Ermeline le toisait, faisant nerveusement tourner sa bague des Mages autour de son majeur. Elle sentait poindre en elle la jalousie.

– Tu l'aimais, n'est-ce pas ? demanda-t-elle avant de pouvoir s'arrêter.

– J'ai été assez naïf pour le croire..., rétorqua l'Élu, le regard sombre.

Il se remit debout, se racla la gorge et cracha une glaire épaisse qui barbouilla la dalle gravée. Que ce soit dans l'enfer des Babyloniens ou dans celui des chrétiens, il espérait qu'Arianath brûlait pour l'éternité.

Il poursuivit son chemin d'un pas décidé et franchit les cadavres. Une fois devant l'autel, il s'arrêta, indécis. La seule fois où il avait pénétré dans le temple de Nergal, le réceptacle du talisman était ouvert et Arianath était en train d'y déposer un fragment. Il avait même dû forcer le mécanisme à se rétracter en utilisant le pouvoir mystérieux de la bague des Mages. Mais cette fois, le réceptacle était fermé, probablement enfoui dans la table de l'autel. Seul un pentagramme inversé, finement ciselé dans le revêtement d'or de la surface, indiquait l'emplacement de la plate-forme de pierre cachée à l'intérieur. Au bout de chacune des cinq pointes, un rubis triangulaire d'un rouge presque sanglant scintillait dans la lumière des torches.

Manaïl sentit l'excitation s'emparer de lui. Les quatre fragments étaient à portée de main. Sous peu, le talisman serait complet.

Il approcha les doigts du symbole et une douleur fulgurante le frappa aussitôt en pleine poitrine. Ses genoux plièrent sous lui et il dut s'appuyer sur le rebord de l'autel pour ne pas tomber. Une fois de plus, la marque de YHWH le soulagea, mais des élancements sourds le traversaient au rythme des battements de son cœur. Sous sa main, il sentait le fragment enfoui dans sa chair qui tressaillait pour s'assembler aux autres. Il accueillit la souffrance avec un bonheur pervers. Elle signifiait la fin de ses misères.

Il examina l'autel avec attention, mais n'y trouva pas la moindre trace de mécanisme d'ouverture. Il tenta d'insérer la lame de sa dague sous le pentagramme pour le forcer, mais n'aboutit à rien. Enragé, il allait planter son arme au milieu du symbole maléfique lorsqu'il se figea sur place. Il portait le même symbole sur la poitrine, tracé là par Noroboam l'Araméen alors qu'il n'était encore que « le poisson » de Babylone. Il revit la scène, se remémora la douleur, la terreur et l'impuissance qu'il avait ressenties lorsque le Nergali lépreux avait taillé sa chair.

Manaïl se redressa soudain, alerte. Noroboam avait-il dessiné la marque des Ténèbres au hasard ou l'avait-il fait dans un ordre précis ? Il ferma les yeux et se concentra, tentant désespérément de se souvenir. Il visualisa le lépreux au-dessus de lui. Il avait enfoncé la lame près de son sein droit, il en était certain. Puis il avait taillé en ligne droite jusqu'en bas avant de remonter vers le sein gauche. Il avait ensuite coupé vers la droite sur son abdomen, puis avait taillé en travers pour rejoindre la première pointe, en haut.

Incertain, le garçon appuya sur les joyaux du pentagramme de l'autel selon cette même séquence. Pendant une seconde, il ne se produisit rien et l'Élu sentit son cœur lui tomber au fond de l'estomac. Puis un grondement sourd monta de l'autel. Le pentagramme inversé s'enfonça lentement dans la table puis disparut sur le côté, révélant une ouverture d'où remonta une petite plate-forme ronde en pierre qui se stabilisa.

Une douleur semblable à un coup de masse frappa le garçon, qui parvint à l'endiguer avec la magie de Hanokh.

L'Élu reconnut aussitôt le mécanisme. En son centre était sculpté un autre pentagramme inversé, concave celui-là. Une de ses pointes contenait un fragment. Une seule. Les autres étaient vides.

– Il devrait y en avoir quatre..., dit-il, stupéfait.

Au même moment, le crissement de sandales sur le plancher de pierre perça le silence du temple souterrain. Cherchant à savoir pourquoi Ermeline se promenait ainsi, Manaïl tourna partiellement la tête et, du coin de l'œil, il aperçut Tandurah. Il souriait. Puis il sentit un mouvement derrière lui.

Avant qu'il puisse réagir, un choc terrible s'abattit sur sa nuque et il s'affala vers l'avant. Son front frappa durement le côté de l'autel et il se retrouva étendu sur le sol, la nuit envahissant son champ de vision. Le dernier son qu'il entendit fut le cri perçant de la gitane.

DÉSINCARNATION

Lorsque Manaïl reprit conscience, il n'éprouvait aucune angoisse et l'urgence qui l'habitait depuis le commencement de sa quête s'était évaporée. Il ne ressentait ni douleur ni fatigue. Jamais de toute sa vie il ne s'était senti aussi serein. Il avait l'impression de baigner dans la paix et la plus parfaite harmonie. Il sourit en savourant ce sentiment qu'il n'avait pas éprouvé depuis les beaux jours où il vivait tranquille avec ses parents et sa sœur. Les jours d'innocence, avant qu'il ne devienne « le poisson ».

Il était debout dans le coin du temple de Nergal, du côté opposé à la porte par où il était entré avec Ermeline. Il savait qu'il ne devait pas rester là, à observer passivement, mais il ne ressentait aucun besoin d'agir. La scène qui se déployait sous ses yeux était lointaine et ne provoquait en lui qu'une calme indifférence.

Devant l'autel de Nergal, un jeune homme gisait par terre. Il paraissait assez grand et solide. Ses cheveux noirs comme le plumage d'un corbeau lui touchaient presque les épaules. Il était étendu sur le dos, immobile. Il portait un bracelet en bronze au poignet droit. Sous lui, une flaque de sang souillait les dalles et mouillait la tunique improvisée dont il était vêtu. En observant plus attentivement, Manaïl remarqua la plaie béante et sombre qui traversait sa gorge d'une oreille à l'autre. La vie s'en était écoulé jusqu'à ce que le cœur cesse de battre et que le flot se tarisse. Le garçon était mort. L'Élu sentait confusément qu'il aurait dû s'en émouvoir mais il se satisfaisait d'observer la scène avec détachement.

Par terre, près de l'autel, gisait Ermeline. Manaïl se sentit rempli d'amour à la vue de sa chère gitane. Elle était inconsciente, mais elle respirait.

Tandurah, le prêtre musicien qui avait acheté leur liberté était accroupi près du cadavre du jeune homme dont il avait ouvert la gorge. Il tenait dans sa main la longue dague en bronze, luisante de sang, avec laquelle il avait accompli son sinistre ouvrage. Derrière lui se tenait le chef des gardes. Les mains sur les hanches, les pieds écartés, une épée courte à la ceinture, il avait un air à la fois victorieux et impatient. Ses longs cheveux foncés étaient attachés sur sa nuque et des boucles en forme de larme pendaient à ses oreilles. Des boucles comme celles de Tandurah.

Le prêtre d'Inanna regarda l'arme dans sa main en souriant. Puis il arracha de son cou le médaillon à pentagramme et le lança avec dégoût sur le sol. Il arborait un air exalté. Il se mit à ricaner.

Sur un ton brusque, le garde lui dit quelque chose qui sembla le tirer de sa rêverie. Tandurah pivota sur ses genoux, tendit à deux mains la dague sanguinolente vers la statue de Nergal et inclina la tête. Il semblait faire une offrande.

✦

La première chose qu'Ermeline ressentit lorsqu'elle reprit ses sens fut un atroce mal de tête. L'esprit confus, elle tenta d'ouvrir les yeux, mais un cruel élancement lui traversa le crâne. L'éclair qui explosa dans sa tête l'aveugla et la fit grimacer. Sous elle, le plancher semblait tanguer. Une nausée lui crispa le ventre et elle dut se faire violence pour ne pas vomir.

Résolue à ne pas sombrer encore dans l'inconscience, elle prit quelques grandes inspirations et attendit que le malaise se calme un peu tout en tendant l'oreille, aux aguets. Des images se bousculaient dans son esprit. Les rues d'Éridou. Le temple de Nergal. Le cadavre de Milton-Reese à l'entrée. Le fragment dans l'autel. Manaïl… On l'avait assommé, juste avant qu'elle-même ne perde connaissance. Elle revoyait clairement la scène. Il avait plié les genoux et était tombé comme un ballot de tissu. Puis elle ne se souvenait de rien. Mais ils étaient en danger.

Au même moment, une voix monta non loin d'elle, implorante et exaltée. Le plus discrètement du monde, elle essaya à nouveau d'ouvrir les yeux et, cette fois, elle y parvint. Ce qu'elle vit lui glaça le sang dans les veines.

✦

Tandurah se retourna vers le corps de l'Élu d'Ishtar. Pylus, Arianath, Jubelo, Balaamech, Shamaël, Zirthu et les autres... Ils avaient tous échoué. Le maître lui-même était revenu mutilé de son affrontement avec lui. Il se sentait rempli d'une infinie fierté à l'idée qu'il était celui, de tous les Nergalii, à être enfin venu à bout de l'ennemi. Nergal lui en serait à jamais reconnaissant.

En laissant volontairement un fragment dans le temple pour attirer l'Élu, Mathupolazzar avait pris un énorme risque. Mais le piège préparé avec tant de soin avait fonctionné. Tandurah allait maintenant extirper le dernier fragment de la poitrine maudite. Cette fois, c'était vrai : l'avènement du Nouvel Ordre était imminent.

Il fit pivoter la lame vers le bas et l'appuya sur la poitrine inerte, au haut de la cicatrice qui s'y trouvait. Il ouvrit la chair et les lèvres de la coupure s'écartèrent. Un sourire transfiguré éclaira son visage. Baignant dans le sang encore chaud, le petit triangle de métal noir semblait absorber la clarté.

✦

Par ses paupières entrouvertes, Ermeline aperçut avec horreur Manaïl qui gisait dans une mare de sang. Accroupi près de lui, Tandurah venait de plonger la dague dans sa poitrine. Il allait mourir. Elle devait le sauver.

Craignant à chaque instant que ses mouvements attirent l'attention de l'autre Nergali dont elle percevait la présence près d'elle, la gitane tâtonna à la recherche d'une arme quelconque. Désespérée, elle adressa une fervente supplique à Ishtar. « Déesse, ma vie pour la sienne. » Au même instant, ses doigts se refermèrent sur un objet de métal et elle eut la conviction que sa prière était exaucée. Au toucher, elle reconnut un des braseros posés au pied de l'autel. Elle l'empoigna puis s'élança en acceptant que les gestes qu'elle feraient seraient les derniers de son existence.

✦

Manaïl observa Ermeline qui saisit le brasero et se leva d'un bond, telle une panthère en chasse. Aussitôt sur pied, elle lança le lourd objet qui traversa l'espace en tournoyant et frappa Tandurah en pleine figure. Sans éprouver la moindre émotion, l'Élu entendit le craquement lugubre des os sous le choc. Le musicien vacilla un moment, hébété. Le côté gauche de son visage était distinctement enfoncé et son œil était en bouillie. Du sang commençait déjà à suinter de multiples coupures. La dague chut sur le sol puis il s'effondra.

Derrière lui, l'officier sembla figé sur place. Son regard incrédule passa de Tandurah à Ermeline. Vive comme un chat, la gitane s'élança vers la dague, la saisit au passage et roula sur elle-même. Le Nergali secoua sa torpeur, tira son épée de son fourreau et l'abattit, mais trop tard. La lame frappa les dalles à l'endroit précis où la gitane s'était trouvée une fraction de seconde auparavant.

D'un geste fluide, Ermeline continua sa roulade, trancha l'arrière de la cheville de l'individu et s'immobilisa à quatre pattes. Ses tendons sectionnés ne le portant plus, l'officier tomba à genoux. Son hurlement de douleur fut interrompu par la dague qui s'enfonça dans sa nuque jusqu'à la garde et dont la lame émergeait de sa bouche ouverte. Il était mort avant que son visage ne frappe le sol.

✦

Manaïl observait la scène sans broncher. Il admirait le courage aveugle d'Ermeline. Sa loyauté et son dévouement, aussi. Depuis qu'il la connaissait, rien ne lui avait jamais fait peur. Mais tout cela était si futile maintenant.

Un air féroce sur son visage voilé par sa chevelure, une grimace découvrant ses dents, la gitane enjamba celui qu'elle venait d'occire et n'accorda aucune attention à Tandurah, qui gémissait sur le sol, les mains recouvrant son visage ensanglanté. Elle s'accroupit auprès du jeune mort, lui saisit la nuque et lui releva la tête.

Soudain, pour l'Élu d'Ishtar, tout devint clair. Une fois de plus, on s'était joué de lui. Et avec quelle décourageante facilité ! Les Nergalii avaient *souhaité* qu'il retrouve leur temple et, subtilement, ils lui avaient facilité la tâche. L'apparition soudaine des gardes et l'arrestation d'Ermeline ; l'intervention providentielle de Tandurah, serviteur d'Inanna, qui les avait sortis du pétrin ; la boucle d'oreille oubliée... Tout cela n'avait été qu'une mise en scène élaborée à son intention. Mathupolazzar était simplement parti attendre dans un autre *kan*, en toute sécurité. Il avait emporté seulement trois fragments du talisman et avait laissé l'autre derrière lui comme appât. Il avait chargé deux Nergalii de l'attendre et de le tuer lorsqu'il se présenterait dans le temple. Une fois terminée leur sale besogne, ils devaient sans doute rejoindre leur maître avec les deux derniers fragments. Le talisman serait alors entier.

Le plan de Mathupolazzar avait réussi. Il était bêtement tombé dans le piège, sans réfléchir. Par sa propre crédulité, il avait fait échouer sa quête.

Car le visage sans vie qu'il venait de voir était le sien.

LE PACTE D'ERMELINE

Désemparée, Ermeline ne s'autorisa pas à pleurer. Manaïl n'était plus, mais, pour lui, la mort pouvait n'être que transitoire. C'était de la simple gitane de Paris que dépendait sa survie. Elle fit la seule chose à laquelle elle pouvait penser: elle saisit la main gauche de l'Élu et appliqua la paume sur la plaie béante de sa gorge. Elle connaissait l'ampleur du pouvoir de la marque de YHWH. Elle en avait elle-même bénéficié dans la caverne de La Centaine, alors que les Nergalii l'avaient laissée à un cheveu de la mort. Elle était aussi parvenue à sauver la vie de son compagnon par ce stratagème, lorsque Milton-Reese l'avait abattu d'une balle en pleine poitrine. L'Élu lui-même lui avait raconté qu'il avait ramené à la vie une pestiférée et ses enfants dans le *kan* de Paris.

La gitane s'accrochait désespérément à l'espoir que la mystérieuse puissance qui se manifestait par l'étoile de David puisse encore venir en aide à Manaïl. Sa quête n'était pas terminée.

Il ne devait pas mourir. Il n'en avait pas le droit. Fermant les yeux, elle attendit, implorante, mais rien ne se produisit. Dans le temple ignoble, parmi les cadavres, les seuls bruits qui résonnaient étaient ceux de sa propre respiration, rendue saccadée par l'angoisse. La poitrine de l'Élu restait immobile.

Après de longues minutes, Ermeline dut admettre, à contrecœur, que la marque de YHWH n'avait aucun effet. L'Élu était bel et bien mort. Il gisait, la tête sur sa cuisse, le visage exsangue et les lèvres entrouvertes et presque blanches. Ses yeux fixes étaient rivés sur elle, comme dans un ultime adieu. Et tout ce sang… Il y en avait partout. Son corps semblait s'être vidé jusqu'à la dernière goutte.

Avec une tendresse infinie, Ermeline caressa les cheveux de celui qu'elle avait appris à aimer. Elle se sentait vide. Vaincue. Ses épaules s'affaissèrent pitoyablement, son dos se voûta et des larmes gonflèrent ses yeux et mouillèrent ses joues. Puis de violents sanglots, qui paraissaient remonter de ses entrailles, secouèrent son corps.

Elle blottit la tête du mort contre sa poitrine, y appuya la joue, et le berça comme un enfant, envahie par le désespoir. Puis la colère monta en elle, noire, profonde, terrible, et lui serra le cœur comme une main glaciale. Elle hurla comme une bête furieuse et blessée, vidant ses poumons de l'air qu'ils contenaient.

Les Nergalii avaient ouvert la gorge de Manaïl comme un animal à l'abattoir. Et qu'avait fait Ishtar pour protéger celui auquel Elle avait confié sa mission sacrée ? Rien. Comment avait-Elle pu ne pas intervenir pour sauver de la mort son propre Élu, celui qu'Elle chérissait entre tous ? Était-ce là toute l'importance qu'avait pour Elle cette maudite quête ? Ou alors, la grande déesse était-Elle en réalité si faible qu'Elle ne pouvait prévenir qu'un mortel quitte le monde des vivants ? Quelle sorte de divinité était Ishtar si Elle était incapable de contrecarrer les plans des hommes ? Ou pire encore, s'en fichait-Elle, tout simplement ? Avait-Elle mieux à faire, où qu'Elle existât, que d'assurer la protection de celui qui avait tant subi pour sa gloire sans jamais rien demander en retour ? Si Ishtar était impuissante, pourquoi donc Manaïl avait-il enduré tant de malheurs et de misères ? À quoi bon combattre en son nom ? Pourquoi la servir ?

Pourtant, la gitane avait souvent eu l'occasion de mesurer l'importance de la quête. En elle-même, elle justifiait amplement que l'on poursuive la lutte. La prophétie des Anciens, que ses aïeules s'étaient transmises de mère en fille, lui revint en tête. *L'Élu se lèvera, rassemblera le talisman et le détruira. Fils d'Uanna, il sera mi-homme, mi-poisson. Fils d'Ishtar, il reniera sa mère. Fils d'un homme, d'une femme et d'un Mage, il sera sans parents. Fils de la Lumière, il portera la marque des Ténèbres. Fils du Bien, il combattra le Mal par le Mal.*

Il combattra le Mal par le Mal... La gitane avait toujours tenu pour acquis qu'il s'agissait là d'une simple affirmation reçue des Anciens à travers les âges. Que l'Élu devrait un jour avoir recours au Mal pour faire triompher le Bien. Mais, pour sauver la vie d'Ermeline, Manaïl, dans la caverne de La Centaine, avait renoncé au pouvoir que lui conférait le Mal.

Et s'il s'agissait plutôt d'une prescription, d'une directive ? Abidda, son arrière-grand-mère, ne lui avait-elle pas dit, en songe, qu'Ishtar lui réservait à elle, la simple gitane, un rôle important dans la quête de l'Élu ? *Tu devras l'accompagner vers son destin*, lui avait-elle affirmé, une nuit, dans les ruines calcinées d'une maison où elle vivait avec sa mère. *À ses côtés, tu verras des choses merveilleuses et tu affronteras de grands périls. Sois prête à lui venir en aide dès aujourd'hui et ne le quitte plus. Aide-le à apprivoiser le Mal qu'il porte en lui et à maîtriser ses pouvoirs.* Voilà quelques heures à peine, elle avait chargé l'Élu de lui dire que sa personne était sa plus grande richesse. Qu'avait-elle voulu dire ?

Les pensées d'Ermeline s'entrechoquaient à une vitesse folle. Dans le temple des Anciens, sur la colonne de pierre noire qui avait émergé du sol, Manaïl et elle avaient trouvé un message. En présence des cinq sinistres et froides momies qui avaient attendu depuis l'aube du temps, ils l'avaient déchiffré.

SURGE, QUI DORMIS, ET EXSURGE A MORTUIS, disait celui-ci, encadrant l'étrange symbole composé de pentagrammes dans un cercle. *Réveille-toi, toi qui dors, relève-toi d'entre les morts...*

Avec assurance, Manaïl avait décrété qu'il s'agissait du moyen de détruire le talisman de Nergal. Une directive obscure laissée par les Anciens à l'intention de celui qui, seul, pourrait en percer le sens. Il avait présumé qu'elle lui était adressée et que sa signification réelle lui serait révélée en temps et lieu.

Et si le message n'avait jamais été laissé à l'intention de l'Élu ? Si les Anciens, pour qui les *kan* n'avaient aucun secret, avaient toujours su que quelqu'un d'autre devrait un jour en percer le sens ?

La gitane releva la tête. Sans s'en rendre compte, elle avait cessé de pleurer. Ses yeux humides prirent une expression médusée. Était-ce à elle, Ermeline, que les Anciens l'avaient adressé ? Et si c'était *elle* qui devait réveiller les morts ? *Un* mort en particulier ? Si c'était Manaïl qui devait être ramené du royaume des morts ?

Après tout, le message disait *toi qui dors*, et non pas *vous qui dormez*... Revenait-il à la gitane de décider si la quête se poursuivrait ou prendrait fin ? Du fond des âges, les Anciens avaient laissé un message *en latin*, une langue qui n'existait certainement pas encore dans leur *kan*, mais qui était en usage dans celui d'Ermeline et qu'elle savait lire. Une langue que Manaïl *ne savait pas* déchiffrer.

La respiration de la gitane s'accéléra à mesure qu'elle prenait conscience de la gravité de ce qu'elle envisageait et la peur l'empoigna. Quelles étaient les possibilités qui s'offraient à elle ? Rester prisonnière de ce *kan* inconnu, en étrangère seule et égarée, et attendre que les Nergalii instaurent le Nouvel Ordre. Puis n'avoir jamais été. Le choix, en définitive, n'en était pas un. Peut-être était-ce même sa destinée ? Peut-être n'avait-elle été placée sur le chemin de Manaïl que pour ce moment précis où elle devrait empêcher l'échec de la quête ?

Ermeline prit une décision. Si sa personne était sa plus grande richesse, comme le lui avait communiqué son aïeule du royaume des morts, alors elle marchanderait ce qu'elle avait de plus précieux contre la vie de celui qui devait vivre.

Le visage durci par une détermination nouvelle, elle posa délicatement la tête de Manaïl sur le sol, caressa son visage du revers de la main et se releva. Elle se rendit à l'autel en enjambant les cadavres des Nergalii, retira le fragment du réceptacle laissé ouvert et revint aussi vite que possible vers le corps de l'Élu. Elle n'avait fait que quelques pas que, déjà, elle sentait l'effet de l'étrange triangle métallique qui semblait aspirer la vie à travers sa peau. Elle s'accroupit et le déposa dans la plaie béante sur la poitrine de Manaïl, près de celui qui s'y trouvait déjà.

Puis, lentement, comme une condamnée se retournant vers son bourreau, elle fit demi-tour, arracha la dague de la nuque de l'officier, dévisagea la statue de Nergal et, de ses deux mains, éleva l'arme ensanglantée au-dessus de sa tête telle une offrande. Son visage prit une expression de profond dégoût mêlée d'une résolution sans faille et elle fit un effort pour ravaler ses larmes. Elle inspira profondément pour chasser les tremblements de sa voix et se raidit.

– Nergal, dieu des Enfers, de la Destruction, de la Maladie et de la Guerre, si tu existes, entends ma supplique ! invoqua-t-elle avec force, sa voix se répercutant de manière lugubre dans le temple. L'Élu est mort ! Tu as réussi là où Ishtar a échoué ! Tu es donc plus puissant qu'Elle !

La gitane ferma les yeux et inspira de nouveau en espérant de toute son âme que Nergal soit aussi orgueilleux qu'elle le croyait. Puis elle poursuivit.

– Je te propose un pacte : mon âme contre la vie de l'Élu ! Montre ta toute-puissance et arrache-le à la mort. Au terme de sa quête, qu'il réussisse ou qu'il échoue, je serai à toi.

Tu pourras faire de moi ce que tu veux. Je t'appartiendrai tout entière, corps et âme, et je te servirai selon tes moindres désirs pour l'éternité. Je serai ta prêtresse, ta femme, ton esclave ou les trois à la fois. Si tu es si grand qu'on le dit, tu vaincras de toute façon. Si tu perds, tu en retireras tout de même quelque chose.

Ermeline saisit Tandurah et le tira vers elle. Elle lui empoigna les cheveux, les tira violemment vers l'arrière et plaça sa dague sur la peau tendue de la gorge. Le musicien à demi conscient gémit et ses paupières frémirent.

– Accepte ce sacrifice, Nergal, pour sceller notre pacte ! cria-t-elle, la voix sombre. Par le sang de ton serviteur, j'achète la vie de ton ennemi ! Que le Mal redonne vie à l'Élu abandonné par Ishtar ! Si tu as le moindre courage, Nergal, accomplis ta part de la prophétie des Anciens ! Mais sache que, jusqu'à la conclusion de la quête, je te combattrai de toutes mes forces !

Au dernier moment, elle hésita. Ce geste allait sceller son sort à jamais. Sa vie ne lui appartiendrait plus. Tout à coup, les promesses de repos éternel des prêtres de son *kan*, qu'elle avait toujours rejetées avec mépris, lui parurent remplies d'espoir. Mais le sacrifice en valait la peine. Une vie, une seule, en échange de tous les *kan* qui viendraient. Le prix payé était dérisoire.

Tandurah entrouvrit les yeux et comprit ce que la gitane s'apprêtait à faire. Il posa sur

Ermeline un regard affolé sans avoir la force de se débattre. D'un coup sec, elle lui trancha la gorge en essayant de ne pas entendre le son écœurant que fit la trachée en s'ouvrant.

✦

Manaïl comprit soudain ce que la gitane entendait faire. Elle s'offrait à Nergal pour le sauver. Pour la première fois depuis qu'il avait repris conscience, il ressentit une émotion, encore lointaine : l'horreur.

– Non ! hurla-t-il. Ne fais pas ça ! Ermeline ! Non !

La gitane ne l'entendait pas. La lame pénétra dans la gorge de Tandurah et l'ouvrit d'une oreille à l'autre.

✦

Laissant tomber l'arme, Ermeline tint la tête du musicien agonisant au-dessus de la gorge ouverte de Manaïl de manière à ce que le sang frais et chaud, source de vie, l'inonde. Elle répéta la procédure pour la marque des Ténèbres.

Lorsque l'Élu fut baigné du sang du Nergali, elle poussa le cadavre de Tandurah à l'écart, empoigna la main gauche du garçon et remit la marque de YHWH sur sa gorge. Puis elle baissa la tête et attendit, le souffle court et le cœur battant. Elle aurait voulu prier Ishtar, mais n'en avait plus le droit. Elle avait renié la déesse de ses ancêtres.

La gitane se sentit profondément seule. Rien n'assurait que Nergal avait daigné accepter le pacte qu'elle lui avait proposé. Peut-être était-elle bien présomptueuse de croire que sa vie avait une valeur suffisante pour servir de monnaie d'échange.

✦

– Laisse, mon enfant, dit une voix près de Manaïl. Elle est la descendante d'Abidda. Elle doit accomplir sa destinée, tout comme toi.

Stupéfait, le garçon tourna la tête. Près de lui se tenaient Ishtar et Ashurat. Son maître était tel qu'il l'avait connu dans sa ville natale. Le visage ridé et grave, un œil remplacé par une bille de bois, il le regardait avec tendresse, l'ombre d'un sourire sur les lèvres.

– Je sais que cela semble difficile à imaginer, mais je crois que la prophétie des Anciens s'accomplit comme elle se doit, renchérit Ishtar. Depuis la nuit des temps, ils ont sans doute voulu que les choses se déroulent ainsi.

– Mais Ermeline..., protesta le garçon, au bord des larmes. Elle... Elle risque d'appartenir à Nergal pour l'éternité; de... de perdre son âme pour... pour...

– Pour « le poisson » de Babylone? compléta Ashurat avec perspicacité. Pour quelqu'un qui n'en vaut pas la peine?

Manaïl baissa les yeux.

– Oui…

– Tu es l'Élu d'Ishtar, mon garçon, le semonça son maître. Le descendant des Anciens et le seul qui puisse mener la quête à bien. Ne l'oublie pas. Ta vie prime sur toutes les autres. Même celles qui t'apparaissent les plus précieuses.

Le jeune homme trouva la force de relever la tête vers Ashurat.

– Ce qu'Ermeline a fait, elle l'a fait pour toi autant que pour ta quête, mon fils, poursuivit le vieux potier en posant sur lui un regard compatissant.

Ne sachant que dire, Manaïl resta coi.

– Maintenant, tu dois décider si tu retournes auprès d'elle.

– Je… Je ne sais pas si…, bredouilla-t-il. Je me sens si… bien ici.

Ishtar lui mit une main sur l'épaule.

– Le choix t'appartient, Élu. Tu as déjà beaucoup souffert pour moi. Tes parents et ta sœur t'attendent non loin d'ici, si tu décides d'aller les rejoindre. Mais tu peux aussi retourner et poursuivre le combat. Car tout n'est pas perdu.

L'Élu laissa son regard traîner sur la gitane, prostrée auprès du cadavre de celui qu'il avait été, le visage enfoui dans les mains, le corps secoué par des sanglots, incapable de trouver refuge dans la prière. Seule… Il en ressentit une profonde tristesse.

– Si je n'y retournais pas, qu'adviendrait-il d'Ermeline ? s'enquit-il.

La déesse fit une moue contrite et haussa les épaules. Elle jaugea la jeune fille, songeuse.

– Rien. La descendante d'Abidda a fait une offre courageuse et honorable, mais elle n'est pas encore acceptée. Nergal ne peut rien si tu refuses de vivre. Par contre, si tu acceptes, c'est par son pouvoir que tu revivras et non par le mien. Je risque de ne plus être en mesure de te venir en aide.

– Je devrai la vie au Mal...

La déesse hocha la tête.

– *Il combattra le Mal par le Mal*, récita-t-elle avec résignation.

– Si je choisis la quête, Ermeline sera assurément perdue, dit le garçon, des trémolos dans la voix. Mais si je la sauve en restant ici, la quête échouera...

Déchiré, il se tourna vers Ishtar.

– Les Anciens... Ils avaient prévu tout cela ? interrogea-t-il.

– Ils avaient percé le mystère du temps. Peut-être savaient-ils à l'avance comment la quête se déroulerait ? Ou peut-être ont-ils simplement fait de leur mieux pour influencer les événements en laissant pour toi des messages et des enseignements ? Je ne sais pas... Même les Anciens ne pouvaient pas connaître tous les choix que tu ferais dans des *kan* auxquels tu n'appartiens pas. Au mieux, ils les ont pressentis. J'imagine que, dans une certaine mesure, tu es libre.

– Alors je suis libre… et seul, cracha Manaïl, amer.

– Je t'ai guidé de mon mieux, Ashurat et les Mages aussi. Mais oui, au bout du compte, tu es seul…

Le garçon fixa une autre fois la gitane en pleurs.

– Il y a peut-être une troisième voie, déclara t-il soudain.

La déesse sourit tristement.

– Oui, en effet. Mais c'est la plus risquée. J'ai peur que tu sois trop ambitieux, mon fils.

Manaïl se raidit, déterminé, et vrilla son regard dans celui d'Ishtar.

– Tant pis. S'il y a la moindre chance, c'est celle que je prendrai. Je désire retourner auprès d'elle.

À ses côtés, Ashurat sourit et son œil valide se remplit de fierté.

✦

Ermeline n'aurait pu dire depuis combien de temps elle était prostrée, le cadavre de Manaïl dans les bras. Quelques minutes ? Des heures ? Depuis le sacrifice par lequel elle s'était avilie, rien n'avait changé. Les blessures de Manaïl étaient les mêmes. Le corps avait perdu toute couleur et était devenu tiède, presque froid. L'Élu d'Ishtar n'était plus qu'une triste statue de cire.

– Que se passe-t-il, Nergal ? éclata-t-elle, le visage mouillé de larmes. As-tu peur d'accepter mon offre ? Crains-tu donc l'Élu plus que tu ne veux le laisser croire ? Ha ! Le dieu de la Guerre n'est qu'un minable chapon[1] ! Un moins que rien ! Un petit couard qui préfère se cacher en tremblotant derrière ceux qui font sa sale besogne ! Sois damné, cornebouc !

Elle se tut, essoufflée et remplie d'une colère sans exutoire. À bout de forces, elle ferma les yeux. Une petite brise agita ses cheveux et caressa son visage. Au départ, elle ne fit aucun cas du phénomène, mais la brise qui se transforma en vent lui fit ouvrir les yeux. Autour du corps de l'Élu, allongé sur le sol de pierre, l'air tourbillonnait. Peu à peu, le mouvement s'accéléra et les flammes des torches vacillèrent. Une chaleur intense monta et, dans le temple de Nergal, tout ne fut bientôt qu'un aveuglant typhon de sable et de poussière qui la força à refermer les yeux.

Puis tout cessa brusquement, comme si quelqu'un avait arrêté un mécanisme. La poussière retomba. Avec prudence, Ermeline rouvrit les yeux. Un grésillement attira son attention sur la main gauche de Manaïl, toujours posée sur sa gorge ouverte. Entre les doigts inertes montaient de légères volutes d'une fumée sombre à l'odeur âcre de chair brûlée. Sur sa poitrine, l'entaille s'était refermée sur les deux fragments.

1. Coq châtré.

Avec la cicatrice grossière et violacée qui le traversait au milieu, le pentagramme inversé avait un aspect encore plus maléfique.

Ne sachant si elle devait être soulagée de voir revivre l'Élu ou terrifiée de ce que cela signifiait pour elle, la gitane observait le phénomène. Nergal avait accepté le pacte qu'elle lui avait proposé. Manaïl vivrait. Un frisson d'appréhension lui parcourut le dos.

Un gémissement la ramena au présent. Manaïl avait ouvert les yeux et fixait sur elle un regard rempli de colère. À grand-peine, il parvint à se relever sur un coude en grimaçant. D'une main tremblante, il empoigna la tunique de fortune de la gitane, l'attira brutalement vers lui et posa son oreille contre sa bouche.

– Tu n'aurais... pas... dû ! cracha-t-il avant de s'affaisser de nouveau, blême et haletant.

– De rien..., rétorqua Ermeline en essuyant une larme qui n'était pas le fruit du désespoir.

Déjà, l'Élu dormait profondément dans ses bras. Elle le déposa doucement sur la pierre froide, plaça la dague sanglante près d'elle et s'installa à ses côtés pour le veiller pendant qu'il récupérait.

L'ESPOIR DE MONTEZUMA

Tenochtitlán, Mexique,
en l'an 1519 de notre ère

Le jour se levait sur Tenochtitlán. Une fois encore, le soleil, rassasié par le sang versé la veille, acceptait de répandre sa lumière sur son peuple. Dans l'aube naissante, la capitale de l'empire aztèque était aussi magnifique qu'à tous les matins. Mais Montezuma II Xocoyotzin, empereur des Aztèques et prêtre de Huitzilopotchli[1], avait du mal à s'en émerveiller. La fatigue causée par une autre nuit d'insomnie pesait sur ses épaules.

Appuyé à une des fenêtres des luxueux appartements qu'il occupait dans son palais royal, il observait la cité en constante évolution depuis deux siècles. De là, l'empereur régnait sur un territoire immense peuplé par plus de cinq millions de sujets qui, tous, tremblaient de frayeur

1. Dieu aztèque du Soleil et de la Guerre. Principal protecteur des Aztèques.

à la seule mention de son nom. Son pouvoir était absolu. Il parlait aux dieux, décidait de la vie et de la mort, de la richesse et de la pauvreté, des tributs que chaque ville devait lui verser, du commerce et de la guerre.

Montezuma laissa son regard errer vers l'est, au-delà du temple qui dominait l'immense place centrale ; au-delà des rues où grouilleraient bientôt trois cent mille habitants ; au-delà des eaux sombres et salées du lac Texcoco, qui entourait l'île sur laquelle était construire la cité ; au-delà des montagnes bleutées qui s'élevaient au loin. Tenochtitlán était une fière capitale qui imposait le respect. Pourtant, malgré les apparences, elle n'était plus que l'ombre d'elle-même. En l'espace de quelques jours, elle avait été réduite à l'état de prison dorée pour l'empereur et son peuple.

Tout avait commencé une dizaines d'années plus tôt, alors que Montezuma était encore un jeune *hueyi tlatoani*[1]. Un soir, une étoile filante avait traversé le ciel et terrorisé les habitants. Le sage Nezahualpili, roi-prophète de la cité de Texcoco, avait vu dans le corps céleste un très mauvais présage. Il avait déclaré que le phénomène annonçait l'effondrement prochain de l'empire aztèque. Montezuma en avait conçu une sourde angoisse et le pressentiment d'une catastrophe inéluctable ne l'avait jamais quitté depuis.

1. En nahuatl : grand orateur.

Le passage de l'étoile filante avait été suivi par d'autres signes inquiétants qui semblaient confirmer la prophétie de Nezahualpili. Le grand temple de Huitzilopotchli, somptueux centre religieux de la capitale, avait d'abord été détruit par un incendie puis, à peine reconstruit, il avait été frappé par la foudre. Quelque temps plus tard, les eaux du lac Texcoco, toujours si calmes, s'étaient gonflées et avaient inondé la ville, causant d'énormes dommages.

À la lumière de tant de mauvais présages, Montezuma avait ordonné que l'on doublât le nombre de sacrifices humains afin d'amadouer les dieux, mais les choses n'avaient fait qu'empirer. Les dieux ne paraissaient pas vouloir être indulgents pour l'empire.

Les événements s'étaient précipités quelques mois plus tard quand des inconnus étaient apparus à Tenochtitlán. Une vingtaine d'hommes et de femmes à l'allure étrange et au comportement inquiétant. On les avait aperçus un matin sur la grande place parsemée de temples, alors que le soleil se levait. Plus tard, il avait été établi qu'aucun des gardes qui surveillaient nuit et jour les trois voies d'accès qui menaient à la ville ne les avait vus passer. Ils semblaient être sortis de nulle part, comme des dieux. Ces étrangers étaient différents de tous les autres que les Aztèques avaient rencontrés ou dont ils avaient entendu parler. Leurs traits ne ressemblaient pas aux leurs et leur peau n'avait pas la même teinte. Certains, chose inédite dans l'empire, étaient barbus. Tous portaient de longues robes sombres dont le capuchon était rabattu sur leur tête, cachant une expression de glacial mépris.

Les mystérieux voyageurs étaient de puissants sorciers qui ne craignaient ni les soldats, ni les prêtres, ni les terribles dieux de Tenochtitlán. Indifférents à tous ceux qui les dévisageaient et qui s'écartaient avec crainte sur leur passage, ils s'étaient dirigés vers la grande pyramide *teocalli*, au sommet de laquelle se trouvait le sanctuaire où seul Montezuma avait le droit d'adorer Huitzilopotchli. Ils en avaient gravi avec morgue les cent quatorze marches. Une fois au sommet, ils avaient été interpellés par les prêtres du dieu soleil, scandalisés, mais les avaient écartés comme s'ils n'étaient que des moustiques insignifiants. Puis ils étaient entrés dans le sanctuaire, commettant ainsi le plus inconcevable des sacrilèges. Ils en étaient ressortis quelques minutes plus tard et avaient été interceptés par des gardes alertés entre-temps par les prêtres.

Lorsque les soldats s'étaient avancés pour les arrêter et les conduire devant l'empereur, leur chef s'était planté devant eux et avait eu un sourire de prédateur. Il avait ouvert les bras et fermé les yeux. Quelque chose d'incompréhensible s'était alors produit. Sans que leurs adversaires paraissent s'être déplacés, les soldats avaient été sauvagement massacrés. En moins de temps qu'il en fallait pour battre des paupières, ils s'étaient tous retrouvés sur le sol, éventrés et décapités. Puis les inconnus avaient redescendu l'escalier et s'étaient éloignés, souverainement indifférents.

Lorsque ces événements lui avaient été rapportés par les prêtres apeurés, Montezuma avait immédiatement lancé aux trousses des étrangers les trois mille soldats de sa garde personnelle avec comme ordre de les abattre à vue et de lui ramener leurs têtes. Mais ils semblaient s'être volatilisés. Pendant des jours, on avait fouillé tous les recoins de Tenochtitlán et de ses environs, sans succès.

Quelques jours plus tard, on lui avait confirmé que les inconnus avaient été vus se dirigeant vers Teotihuacan, la cité interdite. En y songeant bien, cela avait du sens. La cité interdite était aussi mystérieuse que ces étrangers. Lorsque les Aztèques avaient découvert cette ville deux cents ans plus tôt, elle était déjà en ruine depuis très longtemps. Ils l'avaient nommée Teotihuacan, « l'endroit de ceux qui connaissent le chemin vers les dieux », mais son véritable nom était perdu depuis longtemps et personne ne savait lire les inscriptions qu'on y avait laissées dans la pierre. On ignorait quel peuple l'avait construite, mais elle avait été majestueuse puisque ses ruines l'étaient encore. Même érodés par les siècles, ses pyramides et ses temples étaient toujours impressionnants. Ses longues avenues pavées semblaient avoir été foulées la veille. La légende disait qu'elle avait été jadis plus grande que Tenochtitlán, qu'elle avait été habitée par des centaines de milliers d'habitants et que, longtemps, les dieux avaient étendu sur elle leur protection. Un jour, sans qu'on sache pourquoi, ses habitants l'avaient quittée. Depuis, elle semblait attendre qu'on vienne y vivre à nouveau.

Mais voilà que récemment, ses messagers lui avaient rapporté des rumeurs plus inquiétantes encore. Il semblait que les dieux anciens s'étaient réveillés à Teotihuacan et qu'ils exigeaient de nouveaux sacrifices. De loin, disaient-ils, on pouvait apercevoir chaque jour des cadavres qui jonchaient l'escalier de la grande pyramide du soleil et, au sommet, l'autel était ensanglanté.

Malgré cela, le passage de ces mystérieux étrangers avait annoncé bien pire encore, car, peu après, des *teules*[1], très différents, étaient apparus sur la mer, au-delà des montagnes, dans d'immenses maisons flottantes. Ils en étaient descendus, vêtus de métal argenté qui scintillaient au soleil, montés sur de terrifiantes créatures à quatre pattes et armés de bâtons qui crachaient le feu et le tonnerre. Ils s'étaient aussitôt mis en marche vers Tenochtitlán en ravageant tout sur leur passage.

À coups de présents aussi luxueux que nombreux offerts par ses ambassadeurs les plus

1. En nahuatl : étrangers.

prestigieux, l'empereur avait tenté de les convaincre de partir, mais sans succès. Ces nouveaux étrangers avaient accepté de bon gré l'or, les joyaux, les luxueux vêtements de plume et de coton, mais avaient refusé de s'arrêter, prétextant devoir rencontrer Montezuma en personne. Tout en poursuivant leur marche, ils avaient soumis et pillé une à une les cités qui leur avaient résisté et s'étaient alliés avec celles qui avaient jugé plus sage de ne pas s'opposer à un adversaire si puissant. Parmi celles-ci se trouvaient les habitants de Tlaxcalteca, ennemis jurés des Aztèques. À la tête de dizaines de milliers d'entre eux, les conquérants avaient poursuivi leur inexorable avance, brisant les idoles sacrées et y substituant les leurs. Montezuma avait vite compris que rien ne les arrêterait. Et depuis, le tout-puissant empereur des Aztèques avait peur.

Petit à petit, devant les prouesses des envahisseurs, le bruit avait couru d'une cité à l'autre que leur chef était le dieu Quetzalcóatl en personne, venu reconquérir son royaume. La légende semblait malheureusement le confirmer. Elle racontait en effet que, voilà très longtemps, après que le monde eut cessé d'exister pour la quatrième fois, Quetzalcóatl, le dieu créateur était venu de l'est et avait engendré les hommes à partir des os de la race précédente et de son propre sang. Dans sa divine magnanimité, il avait fait don à ses enfants du calendrier et de l'écriture. Mais il avait été trahi par ses frères,

Tezcatlipoca[1] et Huitzilopotchli, et avait dû fuir sur un radeau fait de serpents. Mais avant de disparaître, Quetzalcóatl avait promis aux Aztèques qu'un jour, durant le mois du Roseau, il reviendrait du côté du soleil levant pour reconquérir son royaume. Or, les *teules* étaient apparus à l'horizon le premier jour du Roseau. Et depuis, rien ne pouvait les faire reculer.

À court de ressources, Montezuma s'était lui-même rendu les accueillir lorsqu'ils s'étaient présentés devant Tenochtitlán. Leur chef, dénommé Hernán Cortés, lui avait déclaré servir un grand roi dans un royaume très puissant nommé Espagne, de l'autre côté du monde. L'empereur s'était humilié jusqu'à proposer d'en devenir le vassal et de lui verser chaque année un lourd tribut si ses hommes et lui renonçaient à pénétrer dans la capitale. Cortés ayant refusé, Montezuma s'était résolu à l'inviter à séjourner dans la cité, espérant l'amadouer en lui laissant en piller librement les richesses. Mais la cupidité des *teules* était sans limites et ils étaient restés. Toutes les richesses de Tenochtitlán ne leur suffiraient pas. Ils désiraient l'empire tout entier pour eux seuls.

À peine installé dans le palais impérial, Cortés avait compris que, si Montezuma en donnait l'ordre, les ponts-levis seraient relevés et que les

1. Dieu aztèque de la Nuit, du Vent, de la Tentation, de la Sorcellerie, de la Guerre, de la Mort et de la Discorde.

Espagnols se retrouveraient prisonniers dans la cité qu'ils avaient conquise. Pour se protéger, le conquistador avait accompli l'ultime sacrilège : il s'était emparé de la divine personne de l'empereur et lui avait mis les fers aux pieds. Il l'avait fait parader, soumis et brisé, devant ses sujets. En quelques jours, Cortés était devenu le maître incontesté de Tenochtitlán et Montezuma, son otage, dépourvu de pouvoir réel, avait dû se contenter de prétendre gouverner.

Accoudé sur le rebord de la fenêtre, l'empereur des Aztèques laissa échapper un soupir angoissé. Il savait que, même si ses pouvoirs semblaient aussi grands que ceux d'un dieu, Cortés n'était qu'un homme de chair et de sang, comme lui. Les habitants de Tenochtitlán étaient impatients de se soulever pour chasser les envahisseurs. Déjà, les chefs de guerre n'attendaient que le signal de leur empereur, et la population avait secrètement préparé ses armes. Dans huit jours se tiendrait le grand festival de Toxcatl[1], au cours duquel un jeune garçon serait sacrifié à Tezcatlipoca en reconnaissance de récoltes abondantes. Alors, Cortés et ses hommes seraient punis pour leur arrogance. Les chefs seraient capturés et offerts en sacrifice à Huitzilopotchli. Le reste d'entre eux serait massacré.

Bientôt, Montezuma remonterait sur son trône légitime.

---

1. Le cinquième mois de vingt jours du calendrier aztèque.

RETOUR D'OUTRE-TOMBE

Éridou, en l'an 3612 avant notre ère

Lorsque Manaïl ouvrit les yeux, il ne sut pas immédiatement où il se trouvait et sentit la panique monter en lui. Puis, à mesure que ses yeux arpentaient le temple de Nergal, la mémoire lui revenait. Il s'assit et sourit faiblement à Ermeline, qui était assise près de lui.

– Comment te sens-tu ? s'informa la gitane en lui passant la main dans les cheveux.

Le garçon hésita un instant en faisant tourner ses épaules et en étirant son dos.

– Comme si la cavalerie de Cyrus II au complet m'était passée sur le corps, répondit-il en grimaçant.

– Je suis heureuse de l'entendre, murmura Ermeline, un fond de tristesse dans le regard. C'est tout de même mieux que le trépassement.

Manaïl ne répondit rien. Il pencha la tête, écarta son vêtement souillé de sang et palpa longuement la cicatrice en forme de pentagramme inversé qui déformait sa poitrine. La peau qui recouvrait deux des pointes était tendue sur les fragments qui se trouvaient maintenant dessous. Contemplatif, il passa ses doigts sur les formes surélevées.

– J'ai pensé qu'il valait mieux les mettre à cet endroit, expliqua la gitane.

Pour la première fois depuis le gâchis du *kan* de Londres, sa quête avait progressé. Au bout du compte, il avait récupéré un fragment. L'Élu aurait dû s'en réjouir, mais comment le pouvait-il en connaissant le tribut qui avait été versé ?

Il leva les yeux vers Ermeline. Il aurait voulu pouvoir lui dire qu'elle avait bien fait, que, grâce à elle, l'espoir était encore permis. Mais les mots restaient coincés en travers de sa gorge. Comment remercier quelqu'un de s'être vendu en échange de la vie d'un autre ? La damnation éternelle auprès de Nergal était mille fois pire que la mort. Pourtant, son amie avait fait son choix.

Manaïl se sentait lâche et sale. Ishtar et Ashurat avaient eu beau dire, son existence ne valait pas plus que celle d'Ermeline. Ou de quiconque. Alors qu'il aurait dû être mort, il devait plutôt la vie au Mal. *Fils du Bien, il combattra le Mal par le Mal*, disait la prophétie des Anciens. Voilà. Elle était accomplie. L'étincelle qui animait son être était l'essence même de Nergal et avait été acquise par le sang d'un sacrifice, au prix de la vie d'Ermeline. Et il était condamné à poursuivre sa quête en portant ce terrible poids.

Il réalisa que, sous le coup du découragement, il avait penché la tête vers l'avant. Il se tourna pour faire face à la gitane, qui le dévisageait toujours.

– Que lui as-tu promis exactement ? demanda-t-il à brûle-pourpoint.

Un petit rictus d'embarras traversa les lèvres de la gitane. Elle baissa les yeux.

– Ah… Tu… tu es au courant.

– Que lui as-tu promis ? répéta le garçon, la mâchoire crispée.

Les yeux de la gitane se remplirent de larmes qu'elle combattit fièrement.

– Ma vie. J'ai bien peur que le fait que tu sois là confirme que Nergal l'ait acceptée.

Elle haussa les épaules avec une désinvolture qui avait quelque chose de pathétique.

– Jehan Malestroit et ses amis les prêtres me considéraient déjà comme damnée. Je ne pouvais guère faire pire, fit-elle avec un ricanement qui sonnait faux.

Manaïl l'empoigna par les bras et l'attira à lui.

– Je veux savoir *exactement* ce que tu lui as promis. Réfléchis.

Ermeline releva un sourcil, surprise.

– Je lui ai offert ma personne contre ta vie.

– As-tu fixé des conditions ?

La gitane hocha la tête.

– Que ta quête réussisse ou non, je lui appartiendrai lorsque tout sera terminé. Mais d'ici là, je lui ai bien promis de lui botter le croupion aussi souvent que je le pouvais, à cette couille molle !

Elle voulut sourire, mais ne parvint qu'à produire un semblant de rictus avec ses lèvres tremblotantes. Manaïl aurait souhaité la prendre dans ses bras et la serrer, la protéger, mais il devait réfléchir et le temps était compté. Les Nergalii lui avaient tendu un piège. Ils savaient sans doute qu'il se trouvait dans leur temple et pouvaient surgir à tout moment.

Il se souvint de sa discussion avec Ishtar lorsqu'il avait pris la décision de revenir. Il posa sur elle un regard rempli d'une froide détermination.

– Je ne laisserai pas Nergal s'emparer de toi.

– Tu ne pourras pas l'en empêcher, je le crains, mon pauvre ami.

– Si... Mort, Nergal ne pourra pas te réclamer, murmura-t-il.

– Quoi ? s'exclama la gitane, incrédule. Tu penses à... *tuer* un dieu ? Mais tu as perdu l'esprit ! Les dieux sont immortels. Personne ne te l'a jamais dit ?

– Chaque chose en son temps, répondit l'Élu d'un ton énigmatique.

La gitane se pencha vers lui et lui mit la main sur l'avant-bras.

– Tu es un rêveur. Un adorable rêveur. À une autre époque, tu aurais fait un chevalier fort preux. Ce que tu évoques est impossible, mais je te suis reconnaissante de l'avoir envisagé.

Préoccupé, Manaïl laissa courir ses doigts sur la cicatrice épaisse et écarlate qui traversait sa gorge. Après les lacérations de Noroboam sur sa poitrine, la marque de YHWH sur la paume de sa main gauche et le carreau d'arbalète qui lui avait déchiré l'épaule gauche, cela lui en faisait quatre. *Un vrai guerrier doit porter fièrement quelques cicatrices*, lui avait affirmé un jour le frère Enguerrand. Le commandeur serait sans doute content de lui s'il le voyait maintenant.

– On dirait un pendu qui a survécu à la corde, dit Ermeline en désignant la fine ligne qui restait sur son cou.

Le garçon ne répondit pas. Il se leva et, après avoir titubé un peu, se dirigea vers l'autel. Une fois arrivé, il s'y appuya des deux mains pour se soutenir.

Pendant longtemps, il demeura rigide comme une statue. Fixant le réceptacle vide, il semblait ébranlé, désemparé. Il soupira tristement, secoua la tête et se retourna enfin. Il contempla sa compagne avec une expression d'animal battu.

– C'est injuste. Tu n'as pas demandé à être entraînée dans tout cela.

– Mais toi non plus ! ragea Ermeline. On ne t'a guère donné le choix, que je sache ! On t'a annoncé que tu étais l'Élu. Oh ! bien sûr, on a prétendu te laisser libre de choisir, mais on savait aussi fort bien quel genre d'homme tu es.

On comptait sur le fait que tu refuserais d'abandonner ! On t'a mis la quête sur les épaules, comme mes ancêtres m'y ont mêlée !

– Mais c'est *ma* quête, pas la tienne !

Sans prévenir, la gitane explosa. Elle s'approcha à grands pas de l'autel, se planta en face du garçon et se mit à lui frapper les épaules de ses poings. Bientôt, des sanglots la secouèrent.

– Âne ! s'écria-t-elle, rouge de colère. Brute épaisse ! Sot ! Tu n'as pas encore compris que je ne pouvais pas supporter l'idée de te perdre ?

Manaïl écarquilla les yeux, lui saisit les poignets puis baissa la tête, honteux.

– Qui sait ? Sans moi, tu aurais peut-être eu une vie tout à fait normale, ici, à Éridou, dit-il. Au lieu de cela...

Ermeline lui mit un doigt sur les lèvres pour le faire taire.

– Pour le moment, nous sommes ensemble et j'en suis contente. S'il n'en tient qu'à moi, Nergal n'aura pas la partie facile, cornebouc !

La gitane sourit tristement et se blottit contre lui. Ils restèrent ainsi un moment, en silence, seuls parmi les cadavres qui empestaient le temple du Mal.

Ce fut Ermeline qui, la première, se ressaisit et rompit le silence.

– Qu'est-ce qu'on fait, maintenant ? s'enquit-elle en se dégageant des bras de Manaïl. Si les Nergalii se sont enfuis dans un autre *kan*, comment retrouverons-nous les fragments ?

– Je ne sais pas.

– Tu ne peux pas les suivre à la trace ?

– Non. Je sais tout juste identifier le *kan* où je désire me rendre. Il faudrait que je sache dans lequel ils sont allés, que j'aie un ancrage pour les suivre…

La jeune fille scruta le temple.

– Tu as vu l'état dans lequel ils ont laissé cet endroit ? dit-elle en avisant les cadavres envoyés par Manaïl. Ils semblent avoir été pressés de partir. Fouillons. Nous trouverons peut-être un indice.

Une grimace de dégoût sur les lèvres, Manaïl revint vers le centre du temple, ramassa la dague qui avait servi à le ramener à la vie et la passa à sa ceinture. Puis il se mit à fureter.

L'ORACLE

Manaïl et Ermeline fouillèrent minutieusement les moindres recoins du temple de Nergal, enjambant les cadavres qui jonchaient le sol, les déplaçant au besoin sans le moindre égard. La gitane longea les murs en scrutant le plancher des yeux, à la recherche d'une piste quelconque. L'Élu, lui, examina l'autel, mais n'y trouva rien de nouveau. Impulsivement, il ramassa le second brasero qui se trouvait tout près et en frappa de toutes ses forces le réceptacle, qui éclata en morceaux. Au moins, s'ils revenaient jamais, les Nergalii ne pourraient pas y remettre les fragments.

– Allons voir là, suggéra Ermeline derrière lui.

Elle lui désignait une porte en bois. Le garçon passa devant la gitane et tâta délicatement la poignée. Elle était verrouillée. Il posa l'oreille contre le bois. Rien. Tout semblait tranquille, mais, dans l'antre des Nergalii, on n'était jamais trop prudent.

– Écarte-toi, dit-il.

Ermeline se déplaça de quelques pas. Manaïl tira la dague de sa ceinture, attrapa une des torches fichées au mur et recula. Il se donna un élan et enfonça son pied avec force contre la serrure. La porte s'ouvrit d'un coup sec. L'Élu passa la torche à l'intérieur et avança la tête avec prudence. Satisfait, il replaça la dague à sa ceinture et entra, la gitane sur ses pas. L'endroit était désert.

La petite pièce austère et sans fenêtres avait été taillée à même le roc. Personne n'avait jugé utile de couvrir la surface des murs avec de la brique laquée comme on l'avait fait dans le temple. Pour tout mobilier s'y trouvaient une table basse et un tabouret qui avaient connu de meilleurs jours. Sur la table était posé un bout de chandelle éteinte dans un bougeoir de terre cuite et un carré de tissu pourpre sous lequel on devinait une forme ronde. Le garçon se pencha, en saisit le coin et le retira, découvrant un disque de pierre. Intrigué, il tendit la torche à la gitane et s'accroupit.

– Éclaire-moi.

De la taille d'une petite soucoupe, l'objet était épais d'un doigt tout au plus. Sa face supérieure était ornée d'un motif sculpté en bas-relief avec un remarquable raffinement. Le garçon l'étudia un moment avant de réussir à bien distinguer tous les symboles qui le composaient : deux triangles et deux pentagrammes superposés, un vers le haut et l'autre vers le bas, le tout dans un cercle dont le centre était marqué par un point.

– Tu sais ce que ça signifie ? s'enquit la gitane.

Manaïl fit une moue, les sourcils froncés par la concentration, en se remémorant les leçons de maître Ashurat.

– Je crois, oui… Le pentagramme et le triangle inversés surmontent les deux autres… Le Mal domine le Bien. La matière prime sur l'esprit et la Terre sur le Ciel. Tout est inclus dans un cercle au milieu duquel se trouve un point. Tu te souviens, dans la Chambre du Milieu, sur la porte ?

Ermeline se souvint d'un des deux symboles qu'elle avait déchiffrés un peu avant que Toussaint Perrault choisisse de rejoindre les autres Gardiens dans la mort.

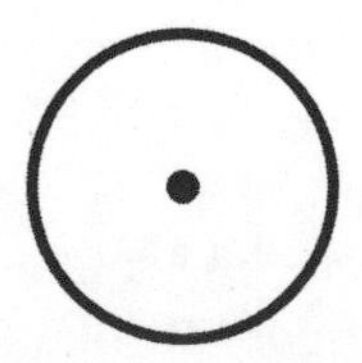

NIL NISI CLAVIS DEEST

– « Rien ne manque que la clé », dit-elle en réprimant un frisson.

– Et Angélique me l'a rappelé plus tard, ajouta le garçon. Il représente un moment précis. C'est grâce à lui que j'ai compris que, pour entrer dans un instant voulu d'un *kan*, je devais avoir un ancrage qui m'y conduise.

– Et alors ?

Manaïl désigna le disque du menton.

– Le Mal qui domine le Bien à un moment précis. Le moment initial. Le début de tout…

– Tu crois que c'est le symbole du Nouvel Ordre ?

– On dirait…

Manaïl soupira, perplexe. Son attention fut attirée par une tache sombre sur la table, à la droite du disque. Il mouilla le bout de son doigt avec un peu de salive, frotta la mystérieuse substance puis ramena son doigt sur sa langue. Il cracha sur le sol et s'essuya les lèvres avec son avant-bras, dégoûté.

– Du sang, déclara-t-il.

Ermeline s'installa sur le tabouret près de l'Élu et posa les mains de chaque côté du disque. Sa main droite couvrit la tache.

– Celui qui s'est assis devant cet objet portait une blessure à la main droite, déclara-t-elle.

Elle se retourna vers Manaïl.

– Tu penses au même que moi ?

– Mathupolazzar…

Inconsciemment, il tâta le petit paquet suspendu à sa ceinture, où se trouvaient toujours les doigts du grand prêtre de Nergal.

– À quoi cette chose pouvait-elle bien lui servir ? s'interrogea la gitane. Tu as une idée ?

Manaïl haussa les épaules.

– Laisse-moi voir, répondit-il en poussant un peu Ermeline pour qu'elle lui cède le siège.

Il s'installa à son tour et toisa le disque, à la fois intrigué et méfiant. Il soupira et, résigné, tendit les doigts en direction du symbole sculpté.

– Attention ! prévint la gitane, nerveuse.

Il sursauta et lui jeta un regard impatient. La jeune fille se figea. Manaïl posa les doigts sur l'objet, ferma les yeux et se concentra.

Autour de lui, le monde s'évanouit. Devant ses paupières closes, les filaments multicolores qu'il avait appris à connaître se mirent à danser, s'entortillant et se repoussant dans leur habituel ballet gracieux, sans début ni fin. Il avait devant lui le tissu même de l'Univers, là où le temps et l'espace n'étaient que deux manifestations d'une même réalité extrêmement complexe.

Mais vue à travers le disque de pierre, l'infinité des *kan* était tellement plus claire… Manaïl observa les filaments, concentrant son attention sur ceux qui l'intéressaient, passant de l'un à l'autre avec une aisance inédite, presque naturelle. Il lui suffit de songer à son *kan* pour qu'un filament s'immobilise et qu'en émerge l'image des rues de Babylone avec sa foule bourdonnante, ses temples, le palais royal, les jardins suspendus... Il songea au *kan* d'Ermeline et aussitôt, Notre-Dame de Paris s'éleva devant lui. Il n'avait qu'à désirer et le moment s'offrait immédiatement à lui, sans effort.

On aurait dit que l'objet canalisait les Pouvoirs Interdits. Qui avait bien pu le concevoir ? Les Nergalii ? Non. Ils n'en avaient certainement pas la capacité, pas plus que les Mages d'Ishtar. Les Anciens ? Si oui, que faisait ce disque entre les mains des adorateurs de Nergal ?

Manaïl secoua la tête. Pour l'instant, ces questions étaient sans importance. Une seule comptait : pouvait-il utiliser ce disque pour retrouver Mathupolazzar et les trois fragments manquants ?

Il se détendit et ouvrit son esprit, puis attendit. Mais rien ne se produisit. Les filaments dansaient gaiement dans la plus parfaite indifférence. Après quelques tentatives avortées, il abandonna. Quel que fût le pouvoir de cet objet, il refusait de lui révéler le parcours des Nergalii et de leur maître.

Il lâcha le disque et les innombrables filaments lumineux s'estompèrent brutalement. L'Élu rouvrit les yeux et inspira profondément en cherchant son souffle. Il suffoqua pendant un moment puis se laissa tomber sur le côté, au sol, hors d'haleine et vidé de ses forces. Sur son front, la sueur perlait et son visage était pâle. Il avait l'impression que son corps venait d'encaisser un choc immense. Il sentit la main d'Ermeline sur son épaule.

– Cornebouc ! Que t'est-il arrivé ? s'exclama-t-elle, inquiète. Tu étais figé en place comme un gisant dans une église. Et maintenant, te voilà tout transi.

– Cette chose..., souffla-t-il. Elle sert... à explorer les *kan*... Elle rend tout si... facile.

Il secoua la tête, appuya les mains contre le sol et se redressa. Sonné, il reprit place sur le tabouret.

– Tu as réussi à retrouver les Nergalii, alors ? s'enquit anxieusement Ermeline.

– Non. Je n'avais aucune difficulté à ouvrir les *kan* que je désirais, mais rien de plus. C'était comme si...

Perdu dans ses pensées, l'Élu se renfrogna.

– Comme si quoi ? insista Ermeline. Allez, parle !

Il releva soudainement la tête vers elle.

– Comme si le disque n'obéissait qu'à une seule personne...

Une esquisse de sourire prit forme sur le visage de Manaïl. Il détacha le paquet de sa ceinture, le retourna et fit tomber dans le creux de sa main les quatre doigts desséchés, aux ongles noircis. *Je crois que tu auras besoin de ceci*, lui avait affirmé l'énigmatique Angélique sur le parvis de l'église Notre-Dame. *Je les ai conservés pour toi. Ils appartenaient à ton ennemi.*

L'estomac dans la gorge, il déplia les doigts de Mathupolazzar un à un et les étendit sur la table de façon à ce que les bouts reposent sur le disque de pierre. Puis il posa les siens par-dessus et referma les yeux.

Une fois encore, le monde s'évanouit. Les filaments étaient les mêmes, mais Manaïl avait l'étrange impression de suivre un chemin tracé par quelqu'un d'autre, comme on suit une piste à peine visible dans une forêt. Il lui suffit de se demander dans quel *kan* Mathupolazzar et les Nergalii étaient passés pour qu'un filament se détache des autres et qu'une scène s'ouvre devant lui.

Le garçon rompit le contact avec le disque et inspira sèchement en écarquillant les yeux. Les doigts du grand prêtre roulèrent sur la table. Haletant, il s'appuya sur le rebord pour ne pas retomber sur le sol.

– Toutes ces diableries finiront par te coûter la vie, gronda Ermeline. Tu as trouvé quelque chose ?

– Oui, répondit-il avec peine. Je sais où ils sont allés. Donne-moi quelques minutes. Ensuite nous partirons.

Il considéra un moment l'objet. Devait-il l'emporter avec lui ? Il savait déjà que, s'il arrivait à regrouper tous les fragments, il devrait revenir dans cet endroit. La bataille finale se déroulerait à Éridou, il en avait la profonde conviction. Là où tout avait commencé. Et il en connaissait déjà le chemin à travers les *kan*. Il décida de ne pas s'embarrasser inutilement et de l'abandonner.

Lorsqu'il se sentit suffisamment remis pour pouvoir espérer être en mesure d'absorber les terribles exigences des Pouvoirs Interdits, il soupira et tendit la main à la gitane, qui la saisit.

– Tu es prête ?

Transie de peur à l'idée de cesser temporairement d'exister, une fois encore, pour reprendre vie dans un autre *kan*, Ermeline acquiesça de la tête en déglutissant.

– Ai-je le choix ?

Manaïl se concentra comme il avait appris à le faire dans le ventre de Gendenwitha. Les filaments multicolores des *kan* se mirent à danser autour de lui. Il visualisa un point au centre d'un cercle, appelant silencieusement celui qu'il avait entrevu à l'aide du disque de pierre. Puis, serrant la main de sa compagne, il se lança dans le vide, hors du temps et de l'espace, dans cet endroit où tout n'était que potentialité.

Ermeline et lui cessèrent d'être et, dans le *kan* d'Éridou, les choses se déroulèrent comme s'ils n'y avaient jamais séjourné.

LE TEMPLE SANGLANT

Tenochtitlán, Mexique,
en l'an de Dieu 1519

Assis sur son trône couvert d'or et incrusté de pierres précieuses, Montezuma regardait défiler les trois cents serviteurs qui lui présentaient, dans des bols de céramique fine produits expressément pour lui dans la cité de Cholula, tous les plats desquels il pouvait choisir son dîner.

L'empereur des Aztèques était ravi. Les choses semblaient tourner mieux qu'il avait osé l'espérer. Quelques jours plus tôt, Cortés avait quitté précipitamment Tenochtitlán à la tête de deux cent cinquante de ses hommes et de milliers d'alliés de Tlaxcalteca. La veille, on l'avait informé de l'arrivée récente d'une flotte espagnole commandée par Pánfilo de Nárvaez, chargé de le ramener à Cuba, où il serait jugé pour insubordination. Il avait décidé d'aller à la rencontre de ses poursuivants pour les écraser avant que ceux-ci ne remontent jusqu'à Tenochtitlán.

Cortés n'avait laissé dans la capitale que cent vingt soldats sans chevaux sous la direction de son second, Pedro de Alvarado. Si tout se déroulait comme l'espérait Montezuma, les deux armées s'entretueraient avec ferveur loin de Tenochtitlán et le peu qui en resterait ne représenterait plus une menace. Quant à ceux qui se trouvaient encore sur place, il serait aisé de les massacrer jusqu'au dernier. Et il savait comment y arriver.

Le lendemain, au sommet de la grande pyramide, on sacrifierait l'*ixiptla*, un jeune homme vierge choisi spécialement pour sa beauté et sa perfection, qui personnifierait le dieu Tezcatlipoca. Sa mort glorieuse marquerait le début du festival de Toxcatl. Elle serait aussi le signal convenu pour lancer le soulèvement. Les guerriers et la population de la cité s'élanceraient en bloc contre ce qu'il restait d'envahisseurs et les abattraient comme les chiens qu'ils étaient. Dans leur sang, Tenochtitlán laverait son honneur souillé. Oui, les choses s'annonçaient de mieux en mieux…

Montezuma arrêta son choix sur des *tamalli*[1] fourrés de viande de lapin épicée au chili et de haricots bouillis. Il terminerait son repas avec une tasse de cacao en tirant de longues et

1. En nahuatl : pâtes de farine de maïs molles qu'on enroule autour de la garniture.

savoureuses bouffées de tabac de sa pipe. Puis il ferait entrer les jongleurs, les chanteurs et les bossus pour se divertir un peu en sirotant du *pulque*[1]. Pour la première fois depuis l'apparition des Espagnols, le *hueyi tlatoani* avait une faim de loup. Il se sentait à nouveau un homme. Un souverain. Un dieu. Il contrôlait sa destinée.

Il ferma les yeux et pria Huitzilopotchli de bénir son entreprise.

✦

Lorsque Manaïl reprit conscience, il eut une fois encore l'impression d'avoir enduré mille morts, toutes plus atroces les unes que les autres. La faiblesse l'écrasait telle une chape de plomb contre un sol dur et froid, et rendait sa respiration ardue. La simple idée d'un mouvement, si menu fût-il, était absolument impossible à envisager. Il n'avait même pas la force d'entrouvrir les paupières. Chaque muscle de son corps était douloureux et vidé de toute parcelle d'énergie.

Une odeur âcre et cuivrée, chargée de puissants relents de pourriture, lui agressa les narines et l'alarma. Au prix d'un suprême effort, il parvint à émettre un grognement presque inaudible.

– Cornebouc ! Te revoilà enfin ! s'écria Ermeline, tout près de lui, dans un étrange écho.

1. En nahuatl : boisson fermentée fabriquée à partir d'une plante appelée « maguey ».

Tu es raide comme un macchabée ! Heureusement que ton cœur battait, sinon je t'aurais encore cru mort.

Il sentit une main qui lui tapotait le visage avec insistance et comprit qu'il était étendu sur le dos.

– Mais réveille-toi à la fin, fainéant, grommela la gitane, une pointe d'urgence dans la voix. J'ai été seule assez longtemps dans cet endroit de fous ! Je vais finir par avoir une petite venette[1], moi…

Après plusieurs profondes inspirations, Manaïl parvint à entrouvrir les paupières. La première chose qu'il vit fut Ermeline, accroupie à ses côtés. Le visage de la gitane était blême et ses lèvres pincées étaient exsangues. Ses magnifiques yeux étaient exorbités de frayeur.

Sans avertissement, il se sentit revivre. Sa respiration se fit plus calme et lui redonna de la vigueur. Ses membres perdirent leur lourdeur et, bientôt, il réussit à s'asseoir. Quelques instants de plus et les tremblements de faiblesse accompagnés de sueurs froides le quittèrent. Peu à peu, le monde cessa de tourner autour de lui.

– Tu m'as l'air en meilleur état que la dernière fois, s'exclama Ermeline, visiblement soulagée. Tu ne sembles pas blessé, en tout cas. J'ai vérifié. Rien de cassé ?

– Non… Ça va, je crois.

---

1. Peur.

– On dirait bien que tu t'habitues à ces maudits voyages.

Manaïl hocha la tête, une moue de dédain sur les lèvres.

– Pas du tout. Les Pouvoirs Interdits sont toujours aussi exigeants pour celui qui les utilise. Une seule chose a changé depuis la dernière fois.

– Quoi donc ?

– Le Mal, dit-il. N'oublie pas que je suis en vie grâce à Nergal et au sang d'un sacrifié. Le Mal est en moi.

Il frissonna et poursuivit.

– Et on dirait bien qu'il est plus puissant que le Bien...

– Voilà qui est un peu désespérant...

Sans plus attendre, la gitane chassa ses sombres pensées et se remit debout.

– Bon ! Tout cela est fascinant, mais, si ça ne te froisse pas trop, j'aimerais que tu m'expliques ce que nous faisons dans cet endroit, dit-elle en désignant les alentours de la tête. Tu t'es trompé, j'espère. Parce que si tu l'as fait exprès, tu as perdu la raison.

Intrigué, le garçon leva les yeux. Pendant un moment, il crut qu'il faisait un cauchemar éveillé. Il cligna des yeux à quelques reprises, incrédule et transi. Il ne rêvait pas. Il se leva. Le sol vacilla brièvement sous ses pieds, puis il se sentit solide. L'odeur de putréfaction était suffocante et il mit sa main sur sa bouche pour l'atténuer.

Les deux torches qui brûlaient faiblement, fichées aux murs, éclairaient un lieu à côté duquel l'antre des satanistes de Londres, la maison des morts de Paris, les cadavres parmi lesquels il avait dû se cacher à Babylone, les plaies purulentes de Noroboam l'Araméen, le *golem* sous les rues de Montréal et toutes les autres horreurs que l'Élu avait croisées au fil de sa quête n'étaient rien.

La pièce, toute petite et carrée, avait une seule ouverture basse et dénuée de porte qui donnait sur un corridor sombre. Les murs, le plafond bas et le plancher étaient formés de gros blocs de pierre parfaitement ajustés. Au fond, face à la porte, se trouvait un autel rectangulaire orné de sculptures aux motifs cauchemardesques merveilleusement ouvragés. Sur l'autel était assis un démon encadré de deux autres créatures plus petites, mais tout aussi répugnantes.

Involontairement, Manaïl sursauta et recula, convaincu que la créature allait s'élancer vers lui. Mais l'idole, d'une laideur repoussante, resta immobile, paraissant attendre calmement la prochaine offrande qu'on lui ferait. Le garçon se maîtrisa et l'examina. Du crâne grimaçant se dégageait une pénétrante impression de cruauté sadique. D'appétit, presque. Ses oreilles étaient décorées de gros disques plats et, sur sa tête, unc haute coiffure de plumes était posée. Ses jambes étaient repliées de manière à ce que ses genoux touchent presque son menton et ses tibias étaient recouverts de jambières. Contre sa cuisse était appuyé un bouclier rond. Dans une main, il tenait un arc d'or, dans l'autre, des flèches du même métal. À son cou pendait une chaîne de cœurs en or et en argent. Ses yeux de pierres précieuses semblaient fixer intensément les deux intrus et leur promettre mille cruautés. Mais tout cela n'était rien à comparer du sang frais et luisant qui maculait son visage tout entier et qui avait laissé des coulisses sur ses épaules et sur son torse en formant une flaque autour de lui.

Manaïl s'arracha à la fascination morbide que le dieu inconnu exerçait sur lui et observa le reste de la pièce. Du sang. Tout le temple en était baigné. Les murs en étaient couverts, tout comme l'autel et le sol. Il y en avait tant que les pas de l'Élu et de la gitane y laissaient des traces et que les semelles de leurs sandales y restaient collées. Mais il y avait pire.

Contre un des murs se dressait une structure de bois formée de poteaux verticaux entrecoupés de dizaines de perches horizontales. Sur chacune d'elles, des têtes étaient enfilées comme les perles d'un collier, dans des états variables de décomposition. Certaines n'étaient plus que des crânes nettoyés depuis longtemps par le temps. Sur d'autres, la chair s'accrochait encore par endroits, grouillantes de moustiques et de vers. D'autres encore étaient fraîches et leurs visages à la langue bleuie et aux yeux exorbités portaient encore la grimace de souffrance et d'horreur qui avait marqué leurs derniers moments. Au pied de l'obscène étalage, des membres dépecés étaient empilés les uns par-dessus les autres dans le même état, les cuisses avec les cuisses, les bras avec les bras, les avant-bras avec les avant-bras. Sur le sol, tout le long des murs, des braseros avaient été disposés. Manaïl s'approcha avec circonspection et constata que, dans chacun, un cœur humain se consumait lentement sur des braises rouges en dégageant une fumée écœurante qui empuantissait encore davantage les lieux.

La tête se mit à lui tourner. L'odeur était telle qu'il sentit un violent haut-le-cœur monter dans sa gorge. Il eut à peine le temps de se pencher et vomit dans un des braseros, près de l'autel, faisant surgir une vapeur infecte des braises.

– Si ça peut te consoler, j'ai eu exactement la même réaction, déclara Ermeline d'un ton presque amusé, derrière lui. Mais au moins, j'ai jeté mon lest dans un coin sans causer toute cette pestilence.

Elle examina l'assemblage de crânes.

– Même les prêtres de Paris, qui ne manquent pourtant pas d'imagination perverse en ces matières, n'ont jamais réussi à si bien décrire l'enfer pour terrifier leurs fidèles, remarqua-t-elle. J'ai l'impression d'être tombée dans le repaire d'un cannibale.

Le visage baigné de sueurs froides, Manaïl se redressa et essuya les restes de vomissures sur ses lèvres avec son avant-bras. Il n'arrivait pas à détacher ses yeux de l'horreur qui se déployait autour de lui. Dans cet endroit, des esprits malades sacrifiaient régulièrement des êtres humains comme on abattait des bêtes et en stockaient les parties pour des fins qu'il préférait se garder d'imaginer.

– Tu crois que nous sommes dans le bon *kan* ? Je t'en prie, dis-moi que non...

– Oui, répondit Manaïl d'une voix lointaine.

– Ton Mathupolazzar a vraiment des goûts... uniques, observa la gitane avec une grimace en se frottant les bras avec ses mains pour en chasser un frisson. Mais au fond, cela ne devrait pas m'étonner.

– Sortons d'ici, cracha le garçon, en proie à une profonde répulsion.

Il prit la main d'Ermeline et ils franchirent la porte. Au bout du corridor sombre brillait la lumière du jour. Ils avancèrent lentement, aux aguets. Lorsqu'ils en émergèrent, ils furent momentanément aveuglés par le soleil et restèrent immobiles, les mains devant leurs yeux mi-clos. Quand la vue leur revint, c'est le souffle qui leur manqua.

Ils se trouvaient au sommet d'une immense pyramide à degrés en pierre pâle, qui dominait une cité gigantesque. Devant eux, un double escalier haut d'une centaine de marches descendait abruptement vers le sol. Manaïl se souvint, sans trop s'y arrêter, qu'il était, lui aussi, maculé de sang et qu'il devrait trouver le moyen de se changer aussitôt que possible. À perte de vue, le paysage n'était que rues enchevêtrées bordées de maisons basses, larges boulevards noirs de monde et canaux couverts d'embarcations qui allaient et venaient comme des fourmis au travail. Autour de la pyramide, d'autres temples, plus petits mais tous magnifiquement bâtis de pierre massive, occupaient une vaste place publique où les gens qui circulaient dans tous les sens semblaient minuscules tant ils étaient vus de haut. De l'autre côté de la large avenue qui passait devant le temple, une foule compacte était rassemblée dans des gradins et ses cris parvenaient jusqu'à eux. Une compétition semblait se dérouler sur un terrain conçu à cet effet. De loin, Manaïl pouvait apercevoir des hommes qui se disputaient une balle noire sous les encouragements des spectateurs. Au-delà de toutes ces merveilles se trouvait un lac. Incroyablement, il encerclait la ville qui semblait y flotter et n'était reliée à la rive que par trois chemins peuplés de piétons.

– C'est... céleste, balbutia la gitane en prenant la main de son compagnon dans la sienne sans s'en rendre compte. Tout est si magnifique. Si différent. On dirait... la cité de Dieu lui-même...

– Descendons, suggéra le garçon en se souvenant de ce qui les avait menés dans ce *kan*, la gitane et lui. Il faut retrouver les fragments.

Il allait l'entraîner dans les marches lorsqu'une voix criarde et haut perchée retentit derrière eux.

– Sacrilège ! On a pénétré dans le sanctuaire de l'empereur !

Manaïl et Ermeline se retournèrent en même temps. Une apparition sortie tout droit d'un cauchemar se tenait à quelques pas d'eux et gesticulait en hurlant à tue-tête. L'homme était enveloppé dans un ample manteau noir qui lui descendait jusque sur les pieds. Ses cheveux noirs comme les ailes d'un corbeau semblaient n'avoir jamais été coupés et atteignaient ses genoux. Son visage pâle et émacié comme celui d'un mourant était incroyablement mutilé. Son nez, ses lèvres, ses paupières et ses oreilles avaient été tranchés. Ses joues, la peau de ses bras et de son cou étaient percées de grosses aiguilles d'os. Mais tout cela n'était rien en comparaison du sang séché qui encroûtait ses cheveux et son vêtement, et qui maculait aussi son visage et ses mains. Cet homme en était littéralement couvert. Manaïl réalisa instantanément qu'il avait devant lui un prêtre du culte inhumain pratiqué dans le sanctuaire qui leur avait servi de porte d'entrée dans ce *kan*.

– Gardes ! Gardes ! hurla l'apparition.

Un homme surgit au pas de course de derrière le sanctuaire. Il était vêtu d'un costume ajusté fait de la peau d'un animal jaune et tacheté. Il portait un casque de bois sculpté qui représentait sans doute la tête de la bête.

Son visage émergeait de la gueule dentelée et avait un air terrible. Sur son avant-bras gauche était suspendu un bouclier rond dont le bas était décoré de larges lanières de cuir et de plumes qui s'agitaient au rythme de ses pas.

Le soldat se précipita vers eux en brandissant une arme faite d'un manche de bois dans lequel étaient fichés des éclats d'une pierre verte à l'allure très tranchante.

– Halte ! cria-t-il, l'air autoritaire.

Il se planta devant Manaïl et Ermeline, leur coupant le chemin vers le grand escalier. Son regard, d'un noir de jais, était ferme et déterminé. Cet homme avait une totale confiance en sa capacité de venir à bout des deux intrus. En peu de temps, d'autres gardes pareillement vêtus accoururent et les encerclèrent. Derrière eux, quelques prêtres arrivaient en trombe, aussi défigurés et nauséabonds les uns que les autres. Tous arboraient la même expression scandalisée.

Le garçon posa sa dague sur le sol et leva les mains en signe de reddition, mais le geste ne sembla avoir aucune signification pour ces individus. La drôle d'épée s'abattit sur sa tête. Il sentit son cuir chevelu se fendre sous l'impact des lames d'obsidiennes et un liquide chaud lui mouiller la tempe.

Il était inconscient avant de toucher le sol.

✦

Debout au sommet de la pyramide du soleil, Mathupolazzar admirait la vue imprenable qu'il avait sur les ruines. Il adorait ce *kan*. Les dieux qui y régnaient étaient délicieusement cruels et exigeaient des sacrifices continuels que les Nergalii se faisaient un plaisir de leur offrir. Ils appréciaient particulièrement Mictlantecuhtli et son épouse Mictecacihuatl, dieu et déesse des Enfers qui, ensemble, régnaient sur le Mictlan, le neuvième et dernier monde souterrain, situé quelque part au nord. C'est là que devaient se rendre tous les morts après un périlleux voyage de quatre ans sous la terre pour trouver le repos éternel.

Avec son goût du sang, Mictlantecuhtli lui rappelait Nergal. Représenté comme un squelette aux dents avancées, portant une coiffe conique et un collier d'yeux humains, il était assis sur un tabouret et semblait attendre sans cesse une nouvelle offrande de la chair dont il devait se nourrir pour survivre. Il exigeait d'ailleurs de ses prêtres qu'ils mangent eux-mêmes la chair des sacrifiés, un rituel auquel Mathupolazzar s'était initié avec enthousiasme. Lorsqu'il devrait le quitter, le grand prêtre de Nergal regretterait ce *kan*, mais le Nouvel Ordre serait plus agréable encore. Il y atteindrait assurément de nouveaux raffinements de cruauté et de perversion.

Les Nergalii ne resteraient sans doute plus très longtemps ici. Environ une heure plus tôt, Mathupolazzar avait senti une altération de la structure du temps. Tandurah et Amadi-nîn étaient arrivés. Il leur faudrait quelques jours pour franchir la distance depuis leur point d'entrée, mais ils savaient où ils devaient se rendre.

Il se dirigea vers l'autel, où une nouvelle victime attendait d'être sacrifiée. Aujourd'hui, l'offrande serait faite directement à Nergal. Pour lui rendre l'hommage qu'Il méritait, il s'était assuré que la fillette n'avait pas été droguée et qu'elle souffrirait un long martyre.

Mictlantecuhtli comprendrait sûrement.

LE *HUEYI TLATOANI*

Manaïl était assis au centre de nulle part. Autour de lui, dans toutes les directions, le sable s'étendait à perte de vue. Son seul vêtement était un pagne d'une blancheur aveuglante. Le soleil lui brûlait le dos et les épaules. Ses cheveux étaient aussi longs qu'à l'époque de Babylone. Ils étaient détrempés par la sueur qui s'écoulait le long de ses tempes et traçait de petits ruisselets qui se perdaient sur son torse. La chaleur était si étouffante qu'il avait l'impression d'avoir un poids sur la poitrine et avait peine à respirer. Il avait faim et se sentait épuisé, vide.

– Ishtar..., murmura-t-il. Ne peux-tu pas m'aider ? N'ai-je pas fait tout ce que tu as exigé de moi ?

La seule réponse fut une légère brise chaude qui souleva un peu de poussière et le fit tousser.

Au loin, il lui sembla percevoir un mouvement. Une forme sombre dans le sable. Il redressa la tête, anxieux, et attendit. Un serpent noir comme la nuit rampait dans sa direction. Lorsque le reptile fut à quelques pas, il s'arrêta et l'avant de son corps se dressa, comme charmé par une flûte que lui seul entendait. Puis il émit un sifflement aigu qui paraissait se répercuter à l'infini dans l'immensité du désert.

– Que me veux-tu ? demanda le garçon.

– J'ai un message pour toi.

– Pour moi ?

De la tête, le serpent indiqua le ciel. Manaïl suivit son geste du regard. En plein jour, une étoile brillait, presque aussi puissante que le soleil.

– Même quand elle ne brille pas, l'Étoile du Matin est toujours présente.

Le serpent se laissa redescendre sur le sol.

– Je ne comprends pas. Que veux-tu dire ?

Déjà, le reptile avait fait demi-tour et s'éloignait dans la direction d'où il était venu.

– Toute la connaissance est au centre, Élu d'Ishtar. Ne l'oublie pas.

– Attends ! Que dois-je faire ?

– Suis la voie tracée par le serpent. Elle te mènera vers le centre.

La bête disparut à l'horizon.

✦

Manaïl était étendu sur une surface dure. Il essaya de relever la tête, mais quelque chose retenait ses cheveux. Il tira plus fort et parvint douloureusement à les arracher du sol. Il cligna des yeux à quelques reprises et regretta aussitôt ce réflexe. Une douleur aiguë lui traversa le crâne et le fit grimacer.

Peu à peu, les souvenirs lui revinrent. Le temple où tout était baigné de sang… L'immense pyramide… Le prêtre atrocement défiguré qui avait sonné l'alerte… Les soldats vêtus de peaux de bêtes… Le coup qu'il avait reçu.

Précautionneusement, il s'assit, tâta sa tête et constata que ses cheveux étaient encroûtés. Sur le côté, il découvrit une profonde plaie qui suintait encore. Il considéra un moment le sang sur le bout de ses doigts et comprit pourquoi il avait eu du mal à se relever : le sang englué dans ses cheveux les avait collés au sol pendant qu'il était inconscient et, en tirant, il en avait arraché quelques mèches. Il plaça la marque de YHWH sur la blessure. Pendant que le mystérieux pouvoir faisait son œuvre sans grande difficulté, il constata avec étonnement qu'il se trouvait dans une cage en bois trop petite pour lui permettre de se tenir debout. Comme un animal dans la ménagerie royale de Babylone. De sa main libre, il empoigna un barreau et le secoua, sans succès. La structure était solide.

Près de la sienne, une autre cage reposait sur le sol. Une forme inerte gisait, recroquevillée, au milieu. Ermeline. Le cœur de l'Élu cessa presque de battre.

– Ermeline ? murmura-t-il.

La gitane ne bougea pas.

Oubliant sa propre blessure, Manaïl passa le bras gauche entre les barreaux et l'étira le plus qu'il pouvait, mais en vain. Il arrivait à peine à effleurer du bout des doigts les barreaux de l'autre cage.

– Ermeline, chuchota-t-il avec plus d'insistance. Tu m'entends ?

La gitane était toujours inerte. Manaïl sentit l'angoisse lui serrer le ventre. Était-elle morte ? Un gémissement le rassura soudain.

– Ermeline ! s'exclama-t-il en faisant fi de toute prudence.

Le garçon l'entendit inspirer et, bientôt, elle tourna lentement la tête.

– Cornebouc..., marmonna-t-elle. Ces sauvages m'ont tuée...

Elle releva la tête avec difficulté et lui révéla un visage ensanglanté. Il ne put s'empêcher de sourire de soulagement malgré la plaie sanguinolente qui traversait le côté gauche du front de son amie.

Suivant son regard, elle passa la main sur son visage.

– Me voilà bien déparée[1], on dirait..., dit-elle en grimaçant.

– Ne t'en fais pas. Dès que je pourrai te mettre la main dessus, j'arrangerai ça. Tu seras encore plus belle qu'avant.

La gitane lui fit un faible sourire en coin.

– Tu ne m'avais jamais dit cela...

1. Enlaidie.

– Quoi ?

– Que j'étais belle...

– Eh bien... Euh... Je te le dis maintenant, balbutia le garçon, embarrassé.

La gitane considéra la cage dans laquelle elle se trouvait, puis observa celle de son compagnon.

– Ces cannibales nous ont encagés comme des bêtes.

Ils étaient dans une salle sans fenêtre dont la porte de bois massif était fermée. La gitane l'avisa et songea à toutes les victimes de sacrifice empilées dans le sanctuaire où ils avaient surgi.

– Tu crois qu'ils... qu'ils vont nous dévorer ? s'enquit-elle, un trémolo d'inquiétude dans la voix.

– Tu es bien trop coriace pour ça, répondit le garçon en essayant d'alléger l'atmosphère. Celui qui arrivera à te mastiquer la couenne n'est pas encore né.

Au même moment, la porte s'ouvrit et quatre hommes entrèrent d'un pas décidé. Manaïl et Ermeline reconnurent dans leur meneur celui qui les avait frappés. Son vêtement était encore taché du sang de l'Élu et il portait toujours l'impressionnant couvre-chef sculpté à l'image d'une tête d'animal. Dans sa main, il brandissait l'épée aux lames d'obsidienne. Ceux qui le suivaient ne portaient qu'un tissu blanc noué à la taille, dont les deux extrémités pendaient devant leurs parties intimes, et des sandales retenues à la cheville par une mince lanière de cuir. Leurs cheveux d'un noir d'ébène étaient relevés en chignon, serrés à l'arrière de leur tête et solidement attachés. Chacun portait une épée et un bouclier rond.

– Sortez-les de là, ordonna sèchement l'homme-léopard.

Les autres s'empressèrent vers les cages. Ils ouvrirent d'abord celle d'Ermeline. L'un d'eux déposa son arme et l'appuya contre les barreaux, puis passa les bras à l'intérieur pour saisir la gitane. Vive comme un chat, celle-ci se précipita vers l'avant et enfonça ses dents dans l'avant-bras de l'infortuné soldat. L'homme hurla et tenta en vain de se dégager, mais la gitane refusait obstinément de lâcher, mordant en secouant furieusement la tête comme un chien accroché à un os.

– Bougre de sauvage..., marmonna-t-elle, la bouche pleine, tout en croquant de plus belle. Cannibale... Barbare... Charognard... Animal...

Un des deux autres soldats s'avança et, d'un geste sec, abattit son pied sur la joue de la gitane, qui lâcha prise et tomba à la renverse, le sang de son infortunée victime lui coulant à la commissure des lèvres. L'homme blessé recula en se tenant le bras avant de jeter sur Ermeline un regard noir de haine.

Ses comparses profitèrent du fait que la gitane était sonnée pour l'empoigner par les cheveux et la tirer avec violence hors de sa cage. Elle se mit aussitôt à se débattre comme une furie, frappant des pieds et des poings dans toutes les directions. À l'aveuglette, elle écrasa l'entrejambe de l'un d'eux, qui, les yeux exorbités, s'écroula sur les genoux, le visage cramoisi, le souffle coupé, en enveloppant à deux mains la partie douloureuse.

– Gardes ! s'écria l'homme-léopard.

Une dizaine de nouveaux soldats surgirent dans la pièce, arme au poing. Ils s'élancèrent sur la gitane et l'immobilisèrent brutalement sur le sol de pierre.

– Sales porcs ! hurla-t-elle. Je vous ferai avaler vos génitoires ! Je vous arracherai les yeux et je les ferai rôtir aux petits oignons ! Je vous enfoncerai vos épées dans le fondement jusqu'à ce qu'elles vous sortent entre les dents ! Je vous ouvrirai le ventre et je vous étranglerai avec vos tripes ! Je...

Sa tirade fut interrompue par une solide gifle qui lui fit tourner la tête.

Sur un signe de tête de leur supérieur, les soldats qui étaient restés à l'écart s'approchèrent de la cage de Manaïl en contournant prudemment la diablesse qui se débattait toujours sur le sol. Ils ouvrirent la porte et le sortirent sans ménagement en lui plaçant une épée contre la gorge pour éviter tout débordement. Ils l'cmmenèrent hors de la pièce et il eut à peine le temps de se retourner pour constater qu'on se mettait à quatre pour relever sa compagne.

Encadrés par les gardes qui leur tenaient fermement les bras, ils furent entraînés hors de la geôle puis parcoururent un véritable labyrinthe de tunnels tous identiques avant de parvenir devant un escalier massif dans lequel on les força à s'engager. Une fois arrivés au sommet, on les conduisit à travers de nouveaux couloirs, cette fois percés de grandes fenêtres qui laissaient entrer un soleil étincelant. À l'extrémité du dernier, l'homme au couvre-chef frappa un coup sec à une porte qui s'ouvrit. Ils furent brutalement poussés à l'intérieur et atterrirent sur le dos. On referma derrière eux. Deux gardes s'installèrent de chaque côté de la porte.

Ils se trouvaient dans une pièce au plafond haut, richement décorée de tapis et de disques d'or et d'argent aux motifs délicats.

À quatre pattes, Manaïl s'approcha d'Ermeline sans attendre et attira sa tête vers lui. Il examina la plaie sur son front, puis y posa la marque de YHWH. Il sentit aussitôt la sensation de chaleur et la mystérieuse énergie léguée par Hanokh s'échapper du symbole pour pénétrer dans la blessure de la gitane et y insuffler la vie. En quelques secondes à peine, la plaie fut refermée et la peau retrouva son satiné.

– Voilà. Ce n'était qu'une égratignure. Mais qu'espérais-tu accomplir, au juste, seule contre tous ces soldats ? la gronda le garçon. Ils auraient pu te tuer.

Ermeline renâcla, un sourire satisfait sur les lèvres.

– Ha ! Au moins, j'ai eu le plaisir de servir sa propre médecine à ce cannibale. Si seulement j'avais pu utiliser mon médaillon, je leur en aurais fait voir ! Mais j'étais sonnée... Je n'y ai même pas pensé. J'en connais un qui va manquer d'huile dc reins pour quelques jours ! Point de jointure[1] pour ce sauvage !

Manaïl grimaça.

– Rappelle-moi de ne *jamais* te mettre en colère, tu veux bien ?

La gitane se contenta de sourire. Un léger froissement de vêtements, suivi du raclement dc gorge impatient et contrarié de quclqu'un qui s'attend à être le centre d'attention, interrompit leur échange. Le Babylonien et la gitane tournèrent la tête en même temps dans la direction d'où la voix était venue.

À l'extrémité de la pièce, assis sur un trône massif en bois incrusté d'or, d'argent et de pierres précieuses, se tenait un homme à la peau foncée. Droit comme un chêne, le port arrogant et majestueux, le menton relevé, il était mince et finement musclé. Il portait un pagne adroitement brodé et orné de pierres turquoise ainsi qu'un manteau de coton blanc couvert de joyaux, qui lui tombait sur les épaules et les bras. Sa tête était ceinte d'une coiffure haute richement piquée de plumes multicolores qui couvrait ses cheveux noirs coupés court. Ses poignets, ses bras et ses chevilles étaient

1. Accouplement.

parés de bracelets d'or et ses pieds, chaussés de sandales à semelle dorée retenues aux chevilles par des lanières de peau de jaguar parsemées de pierres précieuses. Sa lèvre inférieure était percée d'un colibri taillé dans une pierre bleue, ses narines de jades et ses oreilles de turquoises. Il les dévisageait de façon perçante et méprisante. À ses pieds, deux tabourets avaient été disposés, un de chaque côté.

Ermeline et Manaïl se relevèrent, sur la défensive.

– Tiens, le Grand Sauvage, je présume..., ne put-elle s'empêcher de lâcher avec dédain. Il est décoré comme un souverain de carnaval, le vilain...

Un des gardes s'approcha, vif comme l'éclair. Son poing s'abattit lourdement sur la nuque de la gitane, qui se retrouva une fois de plus face contre terre.

– Personne ne s'adresse ainsi à Montezuma II Xocoyotzin, empereur des Aztèques, rugit le soldat.

– Rustre..., marmonna Ermeline, toujours par terre. Sale butor emplumé...

Refusant la main que lui tendait Manaïl, elle se remit sur pied et se donna une contenance en replaçant son vêtement avant de relever la tête avec orgueil.

– Approchez, ordonna l'empereur d'une voix calme et autoritaire en leur faisant signe de venir.

Incertains, ils se regardèrent et traversèrent la pièce en direction du trône.

– Assoyez-vous, dit-il lorsqu'ils furent en face de lui.

Une fois encore, l'Élu et la gitane s'exécutèrent. L'empereur tourna la tête vers une porte qu'ils n'avaient pas remarquée, dans le coin le plus éloigné de la salle, et fit un petit geste gracieux de la main. Un serviteur accourut aussitôt, portant avec empressement un plateau garni de trois bols de terre cuite remplis à ras bord d'un liquide blanchâtre et mousseux. Montezuma en prit un et leur indiqua d'en faire autant. L'Élu et la gitane hésitèrent. Cet individu les avait fait tabasser et voilà maintenant qu'il leur faisait des civilités. Ne sachant que faire d'autre, ils ramassèrent chacun un bol.

Le souverain prit une gorgée, ferma les yeux et claqua des lèvres, satisfait.

– Buvez, buvez, les encouragea-t-il. Le *pulque* est la boisson des dieux. Rares sont mes invités qui y ont droit.

Méfiants, Manaïl et Ermeline trempèrent le bout des lèvres dans le liquide et furent étonnés par le goût douceâtre, presque terne mais néanmoins agréable de la boisson.

– Je vous présente mes excuses pour le traitement qu'on vous a fait subir, ajouta leur hôte. La situation était... particulière.

Pendant qu'ils buvaient, Montezuma se pencha vers l'avant, appuya ses coudes sur ses cuisses et laissa traîner ses yeux sombres et vaguement mélancoliques sur le sang qui maculait le visage de ses prisonniers.

– Une fois notre conversation terminée, vous pourrez vous laver et revêtir des habits plus convenables.

Il se redressa et s'adossa.

– Maintenant, dites-moi, qui êtes-vous ? demanda-t-il sans avertissement, une vague menace dans la voix.

– De simples voyageurs, répondit Manaïl, évasif. Nous ne voulons de mal à personne.

– Pourquoi êtes-vous ici ?

– Nous cherchons des gens.

– Qui donc ?

– Des hommes et des femmes... Je crois qu'ils ont dû passer par ici voilà quelque temps. Ils étaient peut-être vêtus de longues robes noires.

Montezuma les dévisagea un moment à tour de rôle. Manaïl constata que la tête lui tournait un peu.

– Votre visage n'est pas aztèque. Votre nez, vos pommettes, la forme de vos yeux, la couleur de votre peau... D'où venez-vous ?

– De très loin, se contenta de dire le garçon qui, de toute façon, n'aurait su comment expliquer où se trouvait Éridou par rapport à cette contrée dont il ignorait tout.

Le souverain soupira, un peu impatient, et but une gorgée de *pulque*.

– Vous êtes des sorciers, déclara-t-il à brûle-pourpoint.

L'Élu avait de plus en plus de mal à rassembler ses idées. Tout chancelait autour de lui. Il jeta un coup d'œil vers Ermeline. La gitane avait les yeux vitreux et semblait osciller confortablement sur son tabouret, un air hébété sur le visage.

– Cornebouc… Voilà que le monde tangue…, marmonna-t-elle.

– Non… Nous ne… sommes pas… sorciers, répondit le jeune homme, la voix pâteuse.

L'empereur soupira de nouveau.

– Pourtant, on vous a retrouvés dans le sanctuaire de Huitzilopotchli, poursuivit-il. Or, il est gardé en permanence et personne ne vous a vus y entrer.

Luttant contre le malaise qui s'était emparé de lui, incapable de formuler une explication qui pût même paraître vaguement crédible, Manaïl resta muet. Le regard de Montezuma parut le fouiller jusqu'au fond de l'âme.

– Voilà quelques mois, des étrangers sont apparus dans Tenochtitlán, affirma-t-il. Ils étaient vêtus comme tu l'as décrit. Ils n'ont jamais franchi les ponts qui mènent à la cité et pourtant, ils étaient là. Comme vous. Et ils vous ressemblaient.

Le souverain leur raconta comment les étrangers étaient entrés dans le sanctuaire, comment ils avaient massacré ses soldats sans paraître même bouger pour ensuite se volatiliser dans la ville.

– Seuls de puissants sorciers peuvent accomplir pareil prodige. Et depuis quelque temps, des bruits inquiétants me parviennent de Teotihuacan, la cité interdite, conclut-il. On raconte que de mystérieux prêtres ont recommencé à offrir des sacrifices aux anciens dieux, alors que la ville est abandonnée et en ruine depuis des siècles. Et maintenant, vous voilà…

Montezuma but une gorgée et les dévisagea longuement en tapotant l'appuie-bras de son trône du bout des doigts. Puis il reprit.

– Alors voici ce que je crois : il n'y a que deux raisons qui puissent expliquer que vous désiriez les retrouver. Soit vous êtes leurs alliés, soit vous êtes leurs ennemis. Dans un cas comme dans l'autre, vous possédez les mêmes pouvoirs qu'eux. Vous ne pouvez donc être que des sorciers.

– Non…, articula Manaïl en secouant sa tête de plus en plus lourde. Pas des… sorciers.

Le souverain posa son bol sur le sol, se pencha vers l'avant et joignit les mains devant lui.

– Comprends-moi bien, jeune étranger, dit-il en fixant le garçon droit dans les yeux. Je n'ai rien contre le fait que tu sois un sorcier. Bien au contraire. Je serais ravi que tu en sois un. Dans les circonstances présentes, cela me serait très utile.

Interloqué, l'Élu fixa l'Aztèque et s'aperçut qu'il voyait double. Il cligna des yeux à quelques reprises et les deux empereurs finirent par ne plus en former qu'un.

– Voilà six mois, d'autres étrangers très puissants sont apparus sur les côtes dans d'immenses navires, reprit Montezuma d'un ton teinté d'amertume. Ils possédaient des vêtements et des armes de métal comme nous n'en avions jamais vus. Ils ont tout ravagé sur leur passage. Ils ont soumis les villes et pillé leurs temples. Ils semblaient invincibles et le peuple a fini par croire que leur commandant, Hernán Cortés, était le dieu Quetzalcóatl en personne, revenu revendiquer le royaume qu'il avait quitté au commencement du cinquième monde. Lorsque les Espagnols se sont présentés devant Tenochtitlán, je n'ai eu d'autre choix que de les laisser entrer, eux et leurs alliés Tlaxcalteca. Mais j'aimerais *beaucoup* qu'ils repartent. Ou qu'ils restent, mais morts, si tu comprends ce que je veux dire…

L'empereur s'approcha jusqu'à ce que son visage soit à la hauteur de celui du garçon.

– Il y a quelques jours, le gros des troupes de Cortés a quitté la ville pour aller livrer bataille. Demain débutera le festival de Toxcatl. Mes troupes sont prêtes et n'attendent que mon signal pour soulever la population et massacrer ce qu'il reste d'eux. Mais ces étrangers sont de vrais démons. Leurs armes crachent le tonnerre et le feu. Chacun d'eux peut abattre à lui seul des dizaines de mes guerriers les plus courageux. Si ta compagne et toi êtes les sorciers que je crois, et que vous acceptez de m'aider à me débarrasser des Espagnols, je saurai vous montrer ma reconnaissance. Vous pourrez me demander ce que vous voudrez et je vous l'accorderai.

Ermeline essaya de se lever, mais retomba lourdement sur le tabouret.

– Cornebouc ! réussit-elle à articuler. Est-ce que j'ai… j'ai l'air… de… d'une sorcière ? Espèce de…

– Je suis désolé, coupa Manaïl avant que la gitane se lance dans une nouvelle litanie d'insultes qui ne pouvait que leur attirer d'autres problèmes.

Il secoua la tête pour s'aider à rassembler des idées toujours plus confuses.

– Nous… Nous ne sommes pas des sorciers… Nous ne pouvons… pas t'aider. Nous voulons seulement retrouver… ces gens dont tu as d'abord parlé. Ceux… Ceux de la cité interdite.

Le visage de Montezuma se durcit et ses yeux devinrent de glace.

– Tu mens ! s'écria-t-il, menaçant. Je sais que tu es un sorcier. Mais puisqu'il en est ainsi, nous nous débarrasserons seuls des Espagnols.

Le souverain leva les yeux vers les gardes qui encadraient l'entrée et leur fit un signe de la tête. Aussitôt, ils ouvrirent la porte. Des soldats firent irruption dans la salle, empoignèrent l'Élu et la gitane, et les remirent brusquement sur pied.

Montezuma se leva et se planta devant les deux compagnons ahuris et chancelants.

– Vous avez commis un sacrilège en pénétrant dans le sanctuaire. Si vous aviez voulu m'aider, j'aurais accepté de ne pas en tenir compte. Mais comme tel n'est pas le cas, vous devez être punis.

Ermeline releva la tête et tenta de fixer l'Aztèque, sans succès.

– Pu… Punis ? demanda-t-elle en titubant.

– Vous nourrirez le dieu Tezcatlipoca. Demain, lorsque le soleil sera levé et que le cœur de l'*ixiptla* lui aura été offert, vous serez sacrifiés.

– Quoi ? s'exclama la gitane. Sau… sauvage ! Cannibale ! Barb… barbare !

– Emmenez-les, ordonna l'empereur avec froideur.

Ermeline réussit à libérer un de ses bras et à sortir son médaillon de son corsage. Elle le tendit vers le souverain sans parvenir à le passer par-dessus sa tête.

– Re… regarde comme… comme il… il est b… b… beau. N'est-ce p… p… pas qu'il est beau ? Et il… b… b… brille…, balbutia-t-elle en vacillant.

Ses yeux se révulsèrent et elle s'effondra mollement dans les bras des gardes étonnés. Une seconde plus tard, elle ronflait comme un loir.

– Que… Que nous as-tu fait ? bredouilla Manaïl d'une voix de plus en plus pâteuse.

– Du *peyotl*[1] dans le *pulque*... Histoire de m'assurer que l'idée ne vous prendrait pas d'utiliser vos pouvoirs contre moi.

Des gardes tirèrent le garçon, hébété et étourdi, vers la sortie pendant que d'autres traînaient Ermeline, endormie.

– Et n'oubliez pas de les laver, leur rappela Montezuma, l'air sombre. Le *hueyi tlatoani* n'a qu'une parole.

✦

Dans le palais d'Axayacatl, le défunt père de Montezuma, où les Espagnols avaient été logés par l'empereur, Pedro de Alvarado, le commandant en second de Cortés, devait prendre une décision. Lorsque son supérieur avait quitté Tenochtitlán avec le gros des troupes pour aller affronter les représentants du roi d'Espagne, il lui avait bien recommandé de ne rien faire qui pût provoquer l'ire des Aztèques, qui montraient des signes d'agitation de plus en plus visibles. Mais voilà que des actions assez inquiétantes rendaient difficile l'obéissance aux ordres.

Depuis plusieurs jours déjà, les Aztèques avaient cessé d'apporter de la nourriture aux Espagnols qui étaient restés dans la capitale, alors qu'ils l'avaient toujours fait avec une infaillible régularité depuis leur arrivée. Les

1. En nahuatl : petit cactus mexicain aux propriétés hallucinogènes.

soldats avaient été réduits à se rendre eux-mêmes à l'immense marché pour y acheter leurs aliments en troquant des marchandises de pacotille apportées de Cuba. Ils y avaient découvert un univers fantasmatique où tout était à vendre, des textiles aux esclaves en passant par des poteries, des peaux d'animaux tannées, des plumes, du sel, du tabac, des blocs de chocolat, des herbes médicinales, des jouets, des bijoux, des outils de métal, des pierres précieuses et même de la viande humaine préparée et assaisonnée par des bouchers. Évidemment, les Espagnols s'étaient contentés de viandes moins repoussantes, mais de peu, comme le serpent, le chien, la taupe et les souris, évitant soigneusement les vers et les poux que les Aztèques considéraient comme un délice des plus raffinés.

L'informateur qui se tenait maintenant devant lui venait de confirmer ses pires craintes : sur ordre de Montezuma, au début du festival de Toxcatl, le signal serait donné et la population entière se soulèverait contre les Espagnols. Tout avait été arrangé en secret au cours de la dernière semaine. Les troupes impériales étaient en alerte ; les nobles étaient prêts à mener leurs guerriers au combat ; les prêtres s'apprêtaient à haranguer les foules pour leur faire bouillir le sang d'une fureur meurtrière ; même les femmes et les enfants étaient armés, prêts à dépecer ceux qui occupaient leur ville.

– Remercie-le et dis-lui qu'il peut se retirer, dit-il à son interprète, qui transmit ses propos à l'informateur.

Ce dernier accepta le petit couteau de fer qui lui tenait lieu de paiement, s'inclina avec respect à plusieurs reprises, obséquieux, et sortit de la pièce à reculons.

Alvarado était songeur. Même avec leur armement supérieur, il ne se faisait pas d'illusions : les cent vingt soldats dont il disposait ne feraient pas le poids contre une population de trois cent mille habitants, tous déterminés à les massacrer. Les plus chanceux seraient tués sur-le-champ. Les autres seraient capturés et sacrifiés au sommet de la grande pyramide. La seule option qui lui offrait une chance de survie était de prendre les devants et de frapper le premier.

Il réunit les officiers et, ensemble, ils arrêtèrent un plan. La décision fut presque unanime. Si Montezuma voulait une boucherie, il en aurait une.

PRÉPARATION À LA MORT

Sous bonne garde, Ermeline et Manaïl furent amenés dans un autre labyrinthe de couloirs. Une fois hors du palais de Montezuma, le groupe longea une voie bordée par un petit temple à étages et parvint à la pyramide au sommet de laquelle les prisonniers avaient émergé quelques heures plus tôt. L'esprit toujours embrumé par la drogue, Manaïl se laissa docilement guider par son escorte tandis qu'un des gardes transportait la gitane, toujours endormie. Ils furent menés à l'arrière du bâtiment, où tous entrèrent par une petite porte. Après une nouvelle enfilade de couloirs sombres éclairés par des torches, dans lesquels on croisa quelques prêtres au faciès ravagé, Manaïl et Ermeline furent enfermés dans une pièce.

Étourdi, l'Élu tenta tant bien que mal de faire le point sur la situation. La pièce carrée n'avait rien de commun avec celle où Ermeline et lui s'étaient réveillés dans des cages. Tout y était luxueux. Le plancher était recouvert de tapis épais et les murs, drapés de tissus brodés aux couleurs chatoyantes. De chaque côté se trouvait un lit bas, sur un desquels on avait étendu son amie, et, au centre, une table et des bancs. Mais il n'y avait aucune fenêtre. « Une prison de luxe pour condamnés à mort », songea Manaïl avec amertume.

Le garçon secoua la tête. Il ne devait pas s'abandonner à ses sombres pensées. Il existait certainement un moyen de se tirer de ce mauvais pas. Il avait survécu à l'Inquisition de Paris, aux créatures du nécromancien, aux satanistes de Londres et au *golem*. Il n'était pas question qu'il se laisse abattre maintenant. Il avait des Nergalii à retrouver et trois fragments à leur reprendre. Et surtout, il avait la gitane à sauver.

Peu à peu, ses sens lui revenaient. Sur le lit, Ermeline se retourna et gémit.

– Tu... tu te sens mieux ? s'enquit-il auprès d'elle en se frottant le visage.

– Euh... Je ne sais pas, répondit mollement la gitane. Ces sauvages nous ont enivrés, je crois...

Elle tourna la tête et grimaça.

– Aïe... Quelqu'un a enfermé des carillons dans ma tête...

La porte s'ouvrit brusquement. Deux gardes armés entrèrent, l'air féroce et l'épée au poing. Après s'être assurés que les prisonniers étaient tranquilles, ils s'écartèrent pour céder le passage à trois gracieuses jeunes filles vêtues de longues tuniques blanches, l'une portant des vêtements pliés, l'autre des sandales aux courroies dorées et la dernière un plateau comportant quelques fioles.

Les yeux baissés, elles se répartirent dans la pièce, témoignant d'une efficacité qui trahissait l'habitude. Avec un respect infini, la première déplia deux tuniques blanches brodées d'or et de plumes multicolores qu'elle posa tour à tour sur le lit inoccupé. La seconde la suivit en plaçant les sandales à côté des vêtements. La troisième déposa les fioles sur la table. Puis, à l'unisson, elles se retirèrent en marchant à reculons.

Deux paires de jeunes hommes vigoureux leur succédèrent, chacune portant un bassin rempli d'eau chaude dont les vapeurs parfumées embaumèrent aussitôt la pièce. Ils disposèrent leur fardeau près de chaque lit, puis se retirèrent à leur tour en silence sans jamais avoir fait cas des occupants de la chambre.

Enfin, un prêtre entra, son manteau noir traînant sur le sol. Comme l'autre, ses paupières et ses lèvres avaient été taillées, ses oreilles et son nez, coupés. Ses cheveux encroûtés de sang séché lui descendaient au milieu du dos et des mèches crasseuses et emmêlées lui pendaient sur le visage. Les mains enfouies dans ses manches, il posa sur eux un regard auquel l'absence de battements de paupières donnait un air quasi hypnotique.

– Lavez-vous et vêtez-vous, ordonna-t-il d'une voix à peine plus forte qu'un murmure. Vous devez être purs pour le sacrifice. Quand vous aurez terminé, on vous apportera à manger.

Il désigna la table du menton.

– Parfumez-vous aussi. Tezcatlipoca aime que les offrandes sentent bon.

Sans rien ajouter, le prêtre hocha la tête en guise de salutation, tourna les talons et sortit. Les gardes lui emboîtèrent le pas et refermèrent la porte.

– Pourtant, il pue comme un porc, lui ! bafouilla la gitane. Et il est repoussant, en plus...

Elle se leva et tituba jusqu'au second lit en se tenant la tête.

– Ohhhh ! s'exclama-t-elle en examinant la tunique. Comme c'est joli !

Manaïl se frotta le visage avec lassitude en se laissant malgré lui porter par les effluves vaporeux de l'eau.

– Lavons-nous, dit-il. Ça nous remettra un peu les esprits en place. Ensuite, au moins, nous aurons des vêtements propres. Nous sommes aussi ensanglantés que l'énergumène qui vient de sortir.

– Pfffftt ! fit la gitane en posant ses poings sur ses hanches. Et tu crois peut-être que je vais me dévêtir devant toi, paillard ? Piètre excuse !

Elle se dirigea vers un bassin, l'attrapa par le bord et, en s'arc-boutant, le fit pivoter d'un demi-tour. Puis elle fit la même chose avec l'autre.

– Très bien, clama-t-elle, satisfaite, en titubant encore un peu. Nous ferons nos ablutions dos à dos. Maintenant, tourne-toi.

Manaïl obéit. Il entendit la gitane ronchonner en défaisant le vêtement qu'elle avait improvisé dans le *kan* d'Éridou. Puis vinrent des éclaboussements suivis d'un profond soupir de bonheur.

– Voilà. Tu peux y aller maintenant.

– Ne regarde pas, dit le garçon.

– Sache que ta virilité me laisse indifférente.

Ignorant s'il s'agissait ou non d'une insulte, Manaïl retira ses sandales, sa ceinture et son vêtement. Avant de se glisser à son tour dans l'eau chaude et parfumée, il lui sembla entendre un gloussement étouffé. Il rougit sans oser se retourner. Peu à peu, il sentit les effets du *peyotl* s'estomper et put réfléchir calmement à leur situation.

Ainsi, Ermeline et lui étaient bien dans le *kan* indiqué par le disque de Mathupolazzar. Les étrangers que Montezuma lui avait décrits ne pouvaient être que les Nergalii. Ceci signifiait que les trois fragments manquants étaient proches, ce qui était encourageant. Par contre, jusqu'à maintenant, il n'avait pas ressenti la douleur caractéristique que causait leur proximité. Ils n'étaient donc pas à portée de main, mais il ne s'en étonnait guère. L'empereur avait laissé entendre que les Nergalii s'étaient rendus dans une autre ville nommée Teotihuacan. Une cité interdite et abandonnée dont la description correspondait aux préférences de Mathupolazzar et de ses fidèles. S'ils voulaient se lancer sur la piste des adorateurs de Nergal, la gitane et lui devaient d'abord trouver un moyen de fuir cet endroit avant l'aube, c'est-à-dire avant d'être sacrifiés. Mais comment ? La pièce était sans fenêtre et lourdement gardée.

Il trempait encore dans son bain lorsqu'il entendit le clapotis que faisait la gitane en sortant de l'eau.

– Qu'en penses-tu ? fit la voix d'Ermeline après quelques minutes.

– Je... Je peux me retourner ?

– Si tu veux voir, oui, coquebert !

Il obtempéra et trouva la gitane rayonnante dans la tunique multicolore et les sandales dorées. Le blanc immaculé du tissu et les fils d'or dont il était brodé faisaient ressortir le vert et le jaune de ses yeux tout en rehaussant son teint foncé et ses cheveux noirs. Il se sentit presque défaillir. Jamais elle n'avait été aussi belle.

– Tu... euh... Ça te va... bien, bafouilla-t-il. Très bien.

– Tu rougis, rétorqua la gitane en souriant à pleines dents.

– Bon. Tu veux bien te retourner ? s'impatienta le garçon.

Ermeline ricana et s'exécuta pour lui permettre de sortir de l'eau et de passer à son tour la tunique et les sandales qu'on avait laissées pour lui. Il s'approcha d'Ermeline et sentit une envoûtante odeur de fleurs.

– J'ai utilisé le parfum, dit cette dernière avec un brin de coquetterie. Ça sent bon, non ?

– Euh... Oui... Bien sûr. Tu te sens mieux ?

– Le bain m'a fait du bien. Je suis encore un peu étourdie, mais ça ira.

La porte s'ouvrit une nouvelle fois, ce qui les fit sursauter. Les mêmes jeunes filles apparurent, portant cette fois des plateaux chargés de victuailles au fumet alléchant qu'elles posèrent sur la table avant de s'en retourner sans mot dire.

– On veut nous engraisser pour que ces cannibales en aient plus à manger, grommela la gitane, le visage soudain assombri.

Par la porte restée ouverte entra un autre prêtre, différent du précédent, mais au faciès mutilé tout aussi repoussant. Sur un signe de tête de sa part, les gardes sortirent et refermèrent derrière eux. Le nouveau venu resta un moment immobile en fixant la porte. Lorsqu'il parut satisfait, il s'approcha de l'Élu et de la gitane. Son odeur âcre était étouffante et Manaïl eut peine à retenir un haut-le-cœur.

– Je suis Ixtelolotl, prêtre de Huitzilopotchli, chuchota-t-il. Ne dites rien. Je n'ai pas beaucoup de temps.

Le prêtre se retourna, jeta un coup d'œil nerveux vers la porte fermée et se pencha vers eux.

– Surtout, ne mangez pas, dit-il d'une voix tendue en désignant les plats. La nourriture est droguée pour vous tenir tranquilles. Il vaut toujours mieux que les victimes choisies pour être sacrifiées soient dociles...

Il lorgna de nouveau la sortie, l'air méfiant, avant de poursuivre avec la même urgence.

– Une prophétie dit que le dieu Quetzalcóatl reviendra bientôt réclamer son royaume. Plusieurs ont cru qu'il s'agissait de Cortés, mais moi, je sais qu'ils ont tort.

Il posa sur Manaïl un regard intense.

– Toi par contre... Toi... Dès que je t'ai vu au sommet du grand temple, j'ai senti que tu étais lié à l'Étoile du Matin.

Manaïl écoutait l'étrange apparition sans prononcer un mot. Dans son esprit, le serpent de son dernier songe lui revient. En mentionnant l'Étoile du Matin, le prêtre faisait-il allusion à Ishtar ou ne s'agissait-il que d'une coïncidence ? Ce dieu Quetzalcóatl était-il en fait l'incarnation de la déesse dans ce *kan* ?

– Le dieu t'aime et te protège, poursuivit le prêtre. J'ignore quelles sont ses raisons, mais tu es important pour lui. Tu ne dois pas mourir.

Inquiet, il se soucia encore de la porte.

– Demain, à l'aube, lorsqu'on vous conduira vers le lieu du sacrifice, la révolte contre les *teules* éclatera. Un soldat profitera de la confusion pour vous aider à vous échapper. Il sera vêtu d'un costume de serpent. Pour s'identifier, il se frappera trois fois la poitrine du poing gauche. Faites-lui confiance. Il vous conduira où vous devez aller.

L'Élu resta figé sur place. *Suis la voie du serpent. Elle te mènera vers le centre*... Ce soldat providentiel lui indiquerait-il le chemin des fragments ? Les choses pouvaient-elles être aussi simples que cela ?

Son message achevé, Ixtelolotl fit demi-tour et frappa à la porte, que les gardes ouvrirent aussitôt pour le laisser sortir avant de refermer.

L'air catastrophé, la gitane toisa les plateaux chargés de nourriture.

– Cornebouc... Mais j'ai faim, moi..., se lamenta-t-elle.

LE MASSACRE DE TOXCATL

Manaïl et Ermeline n'avaient pas fermé l'œil de la nuit. Fébriles, ils savaient que leur sort se jouerait au lever du soleil. Pendant les heures d'attente, au son des gargouillements de leurs ventres, ils avaient évalué leurs options. Bien sûr, s'il le devait à tout prix, Manaïl pourrait toujours quitter ce *kan* en entraînant sa compagne avec lui, mais, en le faisant, il renoncerait aussi à la possibilité de récupérer les trois fragments manquants. Au mieux, il devrait y revenir en arrivant exactement au même endroit et rien n'assurait qu'il parviendrait à éviter des conséquences identiques. Interrompre temporairement le cours du temps ne représentait pas non plus un avantage. Le fait de se trouver entre deux instants ne serait qu'un répit provisoire : lorsque le temps reprendrait son cours, la gitane et lui seraient toujours prisonniers. Le médaillon d'Ermeline ? Il suffisait d'envoûter le prochain qui entrerait dans leur cellule et de sortir. Avec un peu de chance, ils pourraient fuir. Mais comment s'y retrouveraient-ils ensuite dans tous ses corridors interminables ? Ils y seraient certainement poursuivis et n'avaient pas d'armes.

Après plusieurs tergiversations, ils convinrent que l'intervention annoncée d'un soldat vêtu en serpent constituait un espoir inattendu et qu'ils devaient courir le risque du sacrifice. Si la situation tournait mal, ils tenteraient de s'en tirer grâce au médaillon.

Par mesure de précaution, ils s'assurèrent que leurs geôliers aient l'impression qu'ils avaient mangé. Ermeline avait vidé quelques plats et, tout en essayant d'oublier les cris insistants de son estomac, avait camouflé la nourriture dans les matelas. Ils feignirent ensuite l'effet de la drogue en adoptant une attitude tout à fait docile.

Ils sursautèrent pourtant lorsque la porte de la pièce s'ouvrit et comprirent qu'à l'extérieur, le jour devait poindre. Quatre gardes armés se dirigèrent vers eux et les saisirent par les bras.

– Il est temps, déclara l'un d'eux d'un ton autoritaire.

L'Élu et la gitane se dévisagèrent et les suivirent sans broncher. Tous deux adressèrent à Ishtar une prière chargée d'anxiété. Dans quelques instants, ils seraient morts ou libres.

✦

Debout au sommet de la grande pyramide du soleil, le prêtre laissa son regard errer sur les environs. Le soleil se levait sur Tenochtitlán. Une journée glorieuse naissait et jamais elle ne serait oubliée. Aujourd'hui, les *teules* seraient massacrés jusqu'au dernier et l'empire aztèque laverait son honneur.

Teopixqui, le grand prêtre du culte de Huitzilopotchli, ne se lassait pas de la vue magnifique qu'on découvrait du haut du temple à degrés. Devant lui se trouvait le stade où se déroulaient les parties de *tlatchli* durant desquelles les concurrents luttaient, parfois à mort, pour faire passer une balle de caoutchouc dans des anneaux de métal situés aux deux extrémités en n'utilisant que leurs coudes ou leurs hanches. Au-delà, la digue de Tacuba traversait le lac Texcoco jusqu'à la rive. Sur sa gauche s'élevaient les temples du soleil et de Tezcatlipoca, plus petits que la grande pyramide. Un peu plus loin se trouvait la place publique, où soixante mille personnes vendaient et achetaient chaque jour des produits apportés des quatre coins de l'empire. Juste à côté trônait le magnifique palais de Montezuma, encerclé par une muraille de pierre. En ce moment même, mille serviteurs s'activaient dans les cent pièces du bâtiment afin de satisfaire les moindres désirs de l'empereur. Au-delà du centre de la ville, les maisons s'élevaient par dizaines de milliers, comptant plusieurs étages, spacieuses et agrémentées de jardins ombragés pour la noblesse, basses et sans fenêtre pour la populace. Partout, les rues étaient bordées d'arbres et de fleurs. Au loin, on pouvait apercevoir la ménagerie de l'empereur avec ses cages remplies de lions, de jaguars, de lynx, de crocodiles, d'oiseaux de proie et de serpents, ainsi que son jardin riche d'herbes aromatiques et médicinales de même que de fleurs multicolores. Vraiment, Tenochtitlán était une merveille et valait qu'on donne sa vie pour la défendre. Aujourd'hui, c'est ce qu'il ferait s'il le devait, comme les autres.

Le prêtre attendit que ceux qui l'assistaient entonnent le premier chant rituel, qui descendit jusqu'aux milliers d'habitants massés au pied de la pyramide. Il s'intéressa au jeune homme qui attendait au bas du grand escalier. Il fit un signe de la main et les gardes poussèrent doucement l'*ixiptla*, qui commença à gravir les cent quatorze marches qui le mèneraient vers le sommet et aussi vers sa mort.

Le condamné était à mi-chemin dans l'escalier lorsque les jambes lui manquèrent. Il tomba à genoux, tremblant. Deux prêtres subalternes le saisirent par les bras, l'aidèrent à se relever et le soutinrent pour le reste du parcours en l'empêchant de défaillir. Il finit par atteindre le plateau où l'attendaient Teopixqui et les autres célébrants. Les prêtres le lâchèrent et, l'air résolu, il s'avança de son propre chef vers la grande dalle de pierre magnifiquement sculptée d'ossements et de crânes, à côté de laquelle un feu ronflait dans un brasero. Il s'y allongea calmement sur le dos, étendit les bras et jeta un coup d'œil sur ceux qui l'entouraient. Son regard croisa celui du grand prêtre.

Teopixqui avait vu des centaines de fois le mélange de fierté et de terreur qui brillait dans les yeux de ceux qui allaient être sacrifiés. Lorsque l'ultime moment était imminent, ils étaient toujours pris d'arrière-pensées. Il lui fit un petit signe de la tête pour le rassurer.

– Tout ira bien, dit-il avec calme.

La victime retint ses larmes, soupira et ferma les yeux, s'abandonnant à son sort. Seule sa respiration saccadée trahissait sa peur.

Quatre prêtres empoignèrent les chevilles et les poignets du jeune homme et le maintinrent fermement en place. Teopixqui tendit la main et un des prêtres subalternes y déposa un couteau d'obsidienne au tranchant menaçant. Avec expertise, il palpa la poitrine du supplicié pour bien repérer l'endroit qu'il cherchait, juste sous le sternum. Là résidait le cœur, siège de la vie. Et quelle plus belle offrande pour Huitzilopotchli qu'une vie encore vierge et pure ?

Le grand prêtre releva les yeux et observa l'horizon. Devant le temple, le soleil venait de paraître. D'un geste sec, il enfonça la lame à l'endroit qu'il avait repéré et la ramena vers lui, ouvrant le sacrifié jusqu'au nombril. L'*ixiptla* écarquilla les yeux, émit un grognement retenu en serrant les dents, mais garda le silence, haletant.

Teopixqui posa le couteau sur la table de pierre, où le sang s'accumulait déjà dans les rigoles sculptées par lesquelles il s'écoulerait sur le sol. Puis il enfouit sa main dans la plaie béante et tâta les entrailles chaudes, écartant un à un les organes. Bientôt, il sentit des pulsations puissantes et régulières. Il ferma la main sur le cœur battant et, bandant ses muscles, l'arracha de la poitrine.

Avant que l'*ixiptla* n'expire, un prêtre le saisit par la nuque et lui releva la tête. Devant son regard agonisant, son cœur battait dans la main ensanglantée du célébrant. Le sacrifié sourit avec fierté. Puis un ultime souffle s'échappa de sa poitrine ouverte et ses yeux se fixèrent à jamais sur un point qu'eux seuls voyaient, quelque part dans l'infini.

D'un geste théâtral, le grand prêtre de Huitzilopotchli brandit au-dessus de sa tête le cœur déjà faiblissant, le sang dégoulinant le long de son avant-bras. Une vapeur translucide émanait de l'organe et montait vers les cieux telle une prière.

– Gloire à Huitzilopotchli ! s'écria-t-il dans le jour naissant.

Le prêtre approcha l'organe de sa bouche et y mordit à pleines dents, en arracha un morceau qu'il mastiqua à quelques reprises avant de l'avaler. Il étendit ensuite le bras et laissa tomber le cœur dans les flammes, où il crépita un instant et se mit à cuire.

Deux prêtres saisirent le cadavre de l'*ixiptla*, le soulevèrent et le traînèrent jusqu'au sommet de l'escalier, libérant ainsi l'autel déjà ensanglanté pour le prochain sacrifice. Ils l'y lancèrent sans cérémonie et le virent débouler les marches puis s'immobiliser, brisé et désarticulé, au pied du temple.

✦

Dans un couloir qui s'ouvrait sur le sommet de la pyramide, Ermeline et Manaïl attendaient leur tour d'être sacrifiés en compagnie de dizaines d'autres gens vêtus de la même façon qu'eux. De là où ils se tenaient, ils pouvaient observer les moindres détails de la cérémonie.

Ermeline s'enveloppa de ses bras pour tenter de calmer ses tremblements d'horreur.

– Cornebouc… Ce monstre lui a croqué le cœur… Ces coquins sont de la graine d'inquisiteur, dit-elle d'une voix qui trahissait la peur qui la tenaillait. Tu crois que le défiguré d'hier disait vrai ?

– Je l'espère, répondit le garçon en déglutissant bruyamment. Nous le saurons bientôt. Mais tiens-toi prête à utiliser ton médaillon.

– Il y a beaucoup de monde, remarqua Ermeline en regardant autour d'elle. Je ne sais pas si je serais capable…

– Nous verrons en temps et lieu.

Comme si Ishtar avait voulu les rassurer, Ixtelolotl apparut alors dans le corridor et saisit par l'avant-bras le prochain supplicié, un garçon qui ne devait pas avoir plus de huit ans. Lorsqu'il passa près d'eux, il ralentit presque imperceptiblement le pas.

– Préparez-vous, chuchota-t-il. La révolte éclatera bientôt.

Il poursuivit son chemin d'un pas solennel et émergea de la plate-forme où reposait l'autel de Huitzilopotchli. Même ravagé, son visage avait une expression nettement tendue et ses yeux sans paupières allaient sans cesse d'un côté à l'autre. Le petit garçon qu'il accompagnait avait l'air hébété et se laissait mener avec docilité, sans démontrer la moindre peur. Le grand prêtre leur fit signe de s'approcher.

Au moment où il se penchait pour saisir la petite victime, un coup de tonnerre éclata, son écho se répercutant sur la place publique. La poitrine du grand prêtre explosa en une masse de chair, de cartilages et de sang qui se répandit sur l'autel déjà souillé. Le couteau d'obsidienne qu'il tenait dans sa main virevolta dans les airs avant de se briser en deux sur le sol. Incrédules, les prêtres restèrent interloqués, à détailler le corps sans vie de Teopixqui. Un à un, ils s'effondrèrent à mesure que les grondements de tonnerre se répétaient. Des éclats de pierre volèrent de l'autel et des murs. En l'espace de quelques secondes, la plate-forme du temple ne fut plus qu'un champ de corps inanimés et de mares de sang.

Manaïl eut à peine le temps d'apercevoir Ixtelolotl courir pour se mettre à l'abri. Il semblait désemparé. De toute évidence, quelque chose n'allait pas. Les événements ne se déroulaient pas comme prévu.

Bientôt Tenochtitlán ne fut plus que chaos.

✦

Pedro de Alvarado se leva d'un trait en brandissant son épée.

— Feu à volonté ! hurla-t-il d'une voix rauque aux arquebusiers et aux arbalétriers qu'il avait disposés sur les hauteurs de la grande pyramide à la faveur de la nuit. Visez les prêtres, les nobles et les soldats ! Tuez-les tous !

Les Espagnols ne se firent pas prier. Les arquebuses explosèrent à répétition, crachant le feu et des nuages de fumée âcre. Les arbalètes les suivirent, semant par dizaines leurs carreaux meurtriers pendant que les arquebuses étaient rechargées. Lorsque tous les projectiles furent épuisés, les hommes d'Alvarado et leurs milliers d'alliés Tlaxcalteca, cachés derrière les bâtiments au pied du temple, surgirent, l'épée tirée. Ils s'élancèrent au milieu de la foule terrifiée et prise de court, tranchant au hasard les membres qui se présentaient à leur portée, cherchant des yeux les coiffes de plumes, les pagnes brodés, les manteaux de peaux et de fourrures fines qui distinguaient les nobles.

L'attaque fut si prompte que ni les prêtres ni les nobles n'eurent le temps de crier l'appel au combat. Pêle-mêle et confus, les Aztèques sortirent leurs armes pour résister tant bien que mal aux Espagnols.

✦

Dans le corridor qui menait à la plate-forme sacrificielle, le désordre et la panique étaient complets. Les prêtres qui n'avaient pas été abattus à l'extérieur essayaient de fuir dans les profondeurs du temple, se bousculant et se piétinant mutuellement. Les victimes vêtues, lavées, parfumées et engraissées pour l'offrande étaient laissées à elles-mêmes. Sous l'effet des drogues qu'on leur avait fait ingérer, elles restaient là, hébétées et les bras ballants.

Au milieu du chaos se trouvaient Manaïl et Ermeline, blottis contre un mur pour éviter d'être emportés par la foule. Dans l'embrasure de la porte, devant eux, des soldats aztèques, vêtus de leurs costumes de bêtes, de reptiles et de démons, résistaient avec l'énergie du désespoir à une poussée des Espagnols, taillant à grands coups d'épée la chair de leurs agresseurs. Leurs armes d'obsidienne ne pouvaient rivaliser avec les lames en acier de Tolède, et même s'ils compensaient ce désavantage par l'énergie et le courage, leurs rangs se diluaient à mesure qu'ils tombaient au combat, transpercés ou amputés. Bientôt, ils durent reculer et se replier. La mêlée s'engouffra dans le couloir, les ennemis chargeant à répétition.

– On dirait que les Espagnols ont pris les Aztèques de vitesse ! cria le garçon pour couvrir la cacophonie de la bataille. Ils ont dû avoir vent de la rébellion !

– Ixtelolotl avait dit qu'un soldat nous rejoindrait pour nous sortir d'ici, dit Ermeline, proche de la panique. Comment pourra-t-il nous trouver dans cette confusion ?

Non loin d'eux, un Espagnol s'écroula lourdement sur le sol, son sang giclant d'une profonde entaille à la jonction du cou et de l'épaule. Il laissa tomber sa rapière[1], qui se retrouva aux pieds de Manaïl. Le garçon s'empressa de la ramasser. Armé, il se sentait un peu moins vulnérable.

Il analysa ensuite la situation de tous les côtés. Il ne servait à rien de s'accrocher à des chimères. Personne ne viendrait les chercher au milieu de cette folie. S'ils voulaient survivre, ils devaient tenter de fuir dès maintenant. Le médaillon d'Ermeline serait sans effet sur tout ce monde. La seule façon de s'en sortir était de suivre les prêtres. Il attrapa le bras de la gitane et la tira dans la direction qu'ils avaient prise lorsque la bataille avait éclaté.

– Viens ! cria-t-il. Ne restons pas ici !

---

1. Épée longue et effilée munie d'une garde en forme de panier qui protège la main.

– Attends ! s'exclama la gitane en montrant du doigt. Regarde.

Un soldat s'était détaché d'un groupe de combattants et accourait vers eux. Il était vêtu d'un costume imitant la peau écaillée d'un serpent, déjà amplement maculé du sang de ses adversaires. Son visage luisant de sueur émergeait de la gueule ouverte de son casque de bois sculpté à l'image du reptile. Un arc et un carquois de flèches aux pointes d'obsidienne étaient passés en travers de son dos. Il tenait à la main une épée aztèque terminée par une lanière de cuir qui retenait l'arme à son poignet. Tout son corps dégageait une impression de puissance sauvage et d'agilité.

Sans ralentir, le guerrier aztèque fixa Manaïl et se frappa trois fois la poitrine du poing gauche.

– C'est notre homme ! s'exclama la gitane, soulagée.

Le soldat allait les rejoindre lorsqu'un Espagnol à la chemise couverte de saleté et maculée de sang fendit les rangs de ses adversaires et chargea dans sa direction, prêt à abattre son épée sur lui. L'Aztèque parut sentir la menace davantage qu'il ne la vit. D'un geste étrangement gracieux, il s'accroupit tout en pivotant sur lui-même. L'épée de son assaillant fendit l'air au-dessus de sa tête. Simultanément, il décrivit un arc avec son arme dont les lames tranchèrent la cheville de son ennemi. L'Espagnol hurla de douleur, mais ne put s'arrêter avant d'avoir fait quelques pas sur un pied à moitié détaché de sa jambe. Grimaçant, il s'écroula sur le sol en tenant à deux mains la blessure d'où le sang sortait par jets.

Le soldat aztèque se redressa avec l'agilité d'un chat et compléta la distance qui le séparait de Manaïl, son épée devant lui, les yeux brillants et alertes. Le garçon leva son arme et se plaça entre lui et la gitane, prêt à la défendre. Mais l'homme s'arrêta devant lui.

– Je suis Chicahuac, dit-il, à peine essoufflé. Je viens de la part d'Ixtelolotl. Je dois vous emmener hors de la cité.

Il toisa la rapière que brandissait Manaïl.

– Tu sais t'en servir ?

– Oui.

– Bien. Suivez-moi. Vite !

Sans rien ajouter, l'homme-serpent s'élança vers le couloir, écartant les quelques prêtres paniqués qui restaient encore en les poussant brutalement contre la paroi de pierre. Avant de le suivre, Ermeline ramassa l'épée de l'Espagnol à la cheville tranchée qui gémissait encore faiblement sur le sol dans une mare de sang. Puis ils emboîtèrent le pas à Chicahuac, la gitane au milieu et l'Élu d'Ishtar fermant la marche.

Ils n'avaient pas fait dix enjambées que l'Élu sentit une vive brûlure lui traverser le biceps droit. Instinctivement, il se retourna pour faire face à l'Espagnol enragé qui venait de lui entailler la chair. Levant son épée malgré la douleur, il para les coups suivants, mais l'homme était un redoutable escrimeur. Sa lame volait à la vitesse de l'éclair et le garçon peinait à suivre le rythme de ses attaques à mesure que son bras blessé se fatiguait. Il pensa changer son épée de main pour mieux résister, mais la fureur de l'Espagnol l'en empêchait. Un coup particulièrement sec balaya son arme vers l'extérieur, exposant sa poitrine. En un instant, l'homme avait repris sa position et allait transpercer le ventre de l'Élu lorsqu'une lame sortit de nulle part et s'enfonça dans ses côtes pour ressortir de l'autre côté de sa poitrine. Ses yeux prirent une expression étonnée et vitreuse, puis sa bouche s'entrouvrit sans qu'aucun son n'en émerge. Il tomba lourdement, sans vie.

Ermeline posa un pied sur le cadavre et en retira d'un geste vif sa lame luisante.

– Cette canaille allait t'embrocher ! proclama-t-elle, un sourire carnassier sur les lèvres et le regard enfiévré par la bataille.

Avant que Manaïl ne puisse la remercier, la gitane était repartie dans la direction qu'avait prise Chicahuac. Il s'élança au pas de course à sa suite tout en posant la marque de YHWH sur sa blessure.

Ils dévalèrent des couloirs de plus en plus noirs et humides qui s'enfonçaient dans les tréfonds de la grande pyramide. Chicahuac bouscula au passage les fuyards terrorisés pour emprunter une succession d'escaliers. Ils atteignirent bientôt ce que Manaïl devina être le niveau des fondations. Arrivés à la jonction de deux couloirs, le guerrier aztèque s'immobilisa et parut chercher un instant son chemin.

– Par ici ! indiqua-t-il en s'engageant dans le couloir de gauche.

À toutes jambes, ils parcoururent plusieurs autres couloirs de plus en plus déserts. Au terme d'une course qui leur parut interminable, ils aperçurent enfin la lumière du jour qui brillait au loin. Ils hâtèrent le pas et, bien avant d'atteindre la sortie, des cris, des hurlements et les chocs des épées leur révélèrent que la bataille faisait aussi rage à l'extérieur de la pyramide.

À quelque distance de la sortie, Chicahuac leva la main pour signifier un arrêt puis se plaqua le dos contre le mur. Il haletait, mais son regard était ferme et calme. Ses yeux alertes semblaient analyser le moindre détail de ce qui se déroulait autour de lui. Il étira le cou pour mieux observer la scène et évalua froidement la situation. Puis il se retourna vers Manaïl et Ermeline.

– Restez près de moi, ordonna-t-il. Vous ne ressemblez à personne. Les Aztèques seront aussi dangereux que les Espagnols. Défendez-vous.

Tête baissée, le guerrier sortit, l'Élu et la gitane sur ses pas. Ils furent aussitôt enveloppés par la démence la plus absolue. Espagnols et Aztèques s'entretuaient et se mutilaient avec frénésie, en proie à une haine meurtrière. Des corps éventrés et des membres sectionnés jonchaient la place publique. Les cris de guerre et les hurlements de souffrance retentissaient de toutes parts. Seulement sur la muraille de Babylone, alors que les Perses de Cyrus II attaquaient, le garçon avait-il vu une telle furie homicide. Les deux adversaires ne cesseraient de se battre que lorsque l'un des deux serait exterminé. Le combat était à mort.

Tout en fonçant dans la mêlée, frappant et tranchant avec une habileté méthodique, laissant cadavres et éclopés dans son sillon, Chicahuac ne perdait pas de vue un point à l'orée de la grande place de Tenochtitlán. De temps à autre, il se retournait vers ceux dont il avait la garde pour s'assurer qu'ils étaient encore vivants et qu'ils le suivaient toujours. Il évita de justesse un coup porté par un Espagnol qui avait surgi sur sa droite et lui remonta son arme à la gorge, la tranchant net. L'homme s'écroula en tenant en vain de fermer de ses mains la blessure gargouillante.

Luttant de toutes leurs forces pour survivre, Ermeline et Manaïl essayaient de ne pas perdre l'Aztèque des yeux. L'Élu ne fut guère étonné de constater que la gitane, déjà redoutable au lancer du couteau, s'avérait fort habile avec une épée. Agile comme un chat, légère comme une plume, elle semblait danser et virevolter devant ses adversaires et une lueur de plaisir illuminait ses yeux bicolores. Manaïl, lui, tenait sa rapière à deux mains malgré la légèreté de l'arme avec laquelle il n'était pas familier, et mettait en pratique les leçons reçues jadis du frère Bérenger dans le *kan* de Jérusalem. *Sur le champ de bataille, un templier n'a pas de temps à perdre en finasseries*, avait insisté le maître d'armes. *Tu dois viser le ventre pour étriper, le cou pour décoller, l'épaule et le genou pour estropier. Un adversaire navré est aussi bon qu'un adversaire qui a rendu gorge.* L'acier de Tolède tournoyait devant lui, comme animé par une volonté propre, et tranchait à qui mieux mieux les chairs des Aztèques et des Espagnols qui se ruaient sur lui. Lorsqu'un Espagnol tenta de le frapper à la tête, il s'accroupit et réussit à éviter le coup de justesse avant d'enfoncer la pointe de son arme dans l'aine de son adversaire, l'immobilisant instantanément. Il n'avait pas eu le temps de se relever qu'il dut trancher l'arrière du genou d'un autre qui se dirigeait vers Ermeline alors qu'elle était occupée à résister à un Aztèque en furie.

Devant eux, Chicahuac ouvrait un chemin sanglant, parant et esquivant avec une facilité déconcertante, abattant des coups terribles et fatals sans montrer le moindre signe de fatigue. Par moments, le trio devait enjamber les cadavres qui s'accumulaient. Manaïl ne pouvait empêcher les images et les bruits de la terrible bataille de Babylone de lui revenir en tête. L'odeur cuivrée du sang que buvait avidement la terre nue lui causait des haut-le-cœur.

Ils avaient franchi une distance appréciable lorsqu'un guerrier émergea de la foule et, à l'affût de quiconque n'était pas aztèque, fit mine d'abattre son épée sur la tête d'Ermeline. Manaïl entendit le choc des armes lorsque la gitane bloqua le coup par pur réflexe, puis le cri de surprise qui lui échappa. Il pivota sur lui-même juste à temps pour la voir ployer sous la pression exercée par son agresseur rendu fou de colère. Les éclats d'obsidienne s'approchaient dangereusement de la chair de sa gorge et y pénétreraient incessamment. D'un geste sec, il enfonça la lame de son épée dans les côtes de l'Aztèque et la fit remonter à la recherche du cœur. Sur les lèvres de l'homme, un sang vermeil monta. Le garçon retira sa lame et il mourut avant de toucher le sol.

Nous voilà quittes, haleta-t-il tout en s'assurant que la gitane n'avait rien. Tu vas bien ?

– Oui. Ça ira, répondit cette dernière en tâtant les petites coupures sur sa gorge. Allons, cornebouc ! Sortons de cet enfer !

Un peu à l'écart, sur leur droite, deux Espagnols étaient isolés au milieu d'une meute d'Aztèques exaltés par la folie meurtrière. L'un d'eux vida son arquebuse et faucha deux adversaires avant d'abandonner son arme devenue inutile sur le sol et de dégainer son épée. Dos à dos, les deux hommes se défendirent furieusement avant d'être submergés sous une masse qui eut tôt fait de les dépecer sauvagement. La gitane et l'Élu s'assurèrent de rester à bonne distance des forcenés.

Devant Chicahuac, les rangs des combattants diminuèrent jusqu'à ne plus former que des groupuscules faciles à contourner. Peu à peu, ils laissèrent derrière eux la grande pyramide autour de laquelle le combat faisait toujours rage, quittèrent la place publique et s'engagèrent dans une rue transversale. Au pas de course, ils atteignirent une voie large et dégagée qui était complètement déserte.

– La porte d'Iztapalapa est par là, dit le guerrier. Il faut sortir de la ville pendant que les combats se concentrent autour du temple. S'ils se répandent dans toute la ville, ce sera impossible.

À bout de souffle, l'Élu et la gitane tournèrent la tête dans la direction d'où ils venaient. Les Espagnols battaient en retraite vers le palais où ils logeaient depuis leur arrivée à Tenochtitlán. Leur plan avait échoué. Les Aztèques avaient été pris de court, mais leur nombre avait prévalu. Sous peu, sans doute, les envahisseurs seraient assiégés. Après avoir vu de ses yeux la férocité des soldats de l'empereur Montezuma, Manaïl ne donnait pas cher de leur peau. Pourtant, leur sort serait plus enviable que celui qui attendait ceux des leurs qui seraient réservés aux sacrifices.

– Où irons-nous ensuite ? demanda Manaïl.

Chicahuac le toisa, interdit.

– Mais… je l'ignore.

– Ixtelolotl ne t'a pas dit où tu devais nous mener ?

– Non. Il m'a ordonné de vous soustraire au sacrifice et de profiter de la révolte pour vous faire sortir en sécurité de la ville. C'est ce que j'ai fait. Il a dit que l'Étoile du Matin te guidait et que tu saurais où tu devais te rendre.

Interloqué, Manaïl interrogea silencieusement Ermeline, qui haussa les épaules.

– Cornebouc ! Ne me regarde pas comme ça ! dit-elle. C'est toi, l'Élu d'Ishtar ! C'est toi qui nous a emmenés chez ces cannibales !

Manaïl se passa une main dans les cheveux et découvrit avec dégoût qu'ils étaient maculés de sang à demi séché. Il s'essuya distraitement sur sa tunique, qui n'avait plus rien de blanc.

Il repassa dans sa tête la conservation qu'il avait eue avec Montezuma. Il devait aller à la rencontre des Nergalii pendant qu'ils ignoraient encore que le piège qu'ils lui avaient tendu à Éridou avait échoué et qu'il était entré dans ce *kan* sain et sauf, en possession de deux fragments. Il n'avait sans doute pas beaucoup de temps devant lui.

– Tu connais le chemin de la cité interdite ? s'enquit-il après un moment de réflexion.

Chicahuac, qui avait pourtant démontré toute l'étendue son courage au cours de la bataille, pâlit visiblement et son visage se durcit.

– Teotihuacan ? demanda-t-il en se raidissant. Elle se trouve à quelques jours de marche.

– C'est là que nous allons.

Chicahuac soupira, l'air sceptique mais résigné.

– Soit. Suivez-moi.

LE TEST

Contrairement à ce qu'avait craint Manaïl, leur sortie de Tenochtitlán se fit sans encombre. Lorsqu'ils s'étaient présentés devant le pont-levis qui fermait la route d'Iztapalapa, des gardes les avaient interpellés à la pointe de leur lance en toisant avec méfiance le garçon et la gitane. De toute son autorité, Chicahuac leur avait expliqué qu'il accompagnait ces deux étrangers hors de la cité sur l'ordre exprès d'Ixtelolotl. Le prêtre de Huitzilopotchli devait avoir une grande influence, car on les avait laissés passer sans autre question.

Une fois sur les rives du lac Texcoco, ils avaient jeté un dernier regard vers Tenochtitlán, qui semblait flotter sur l'eau comme par magie. Des incendies faisaient maintenant rage un peu partout dans la magnifique cité et le ciel se saturait de fumée.

– À moins que Cortés ne revienne rapidement leur prêter main-forte, les Espagnols seront bientôt tous morts, déclara Chicahuac d'une voix pleine de haine.

Il cracha sur le sol avec dédain.

– Jamais les dieux n'auront reçu tant de sacrifices.

– Espèce de sauvage…, grommela Ermeline à voix basse.

Sans plus attendre, le trio se mit en route vers le nord. Malgré les fatigues de la bataille et les courbatures qui les gagnaient, l'Élu, la gitane et l'Aztèque marchèrent le reste de la journée. Ils suivirent pendant des heures une route de terre qui traversait une savane dévastée, parsemée de rochers et de hauts cactus. Peu à peu, à mesure qu'ils s'éloignaient de Tenochtitlán, la végétation devint plus fournie pour finalement se transformer en une jungle épaisse. Ils ne s'arrêtèrent que brièvement pour manger des fruits sauvages, dont Chicahuac semblait connaître tous les secrets, et s'abreuver à des ruisseaux.

Une fois sous le couvert des arbres, le soleil brûlant et la chaleur accablante furent remplacés par des nuées de moustiques qui les piquaient sans cesse et qui semblaient déterminés à leur faire perdre la raison. Leur marche était ponctuée du bruit des gifles brutales qu'Ermeline s'administrait à répétition pour écraser en ronchonnant les petits agresseurs insistants.

– Ces bestioles sont pires que les démons de l'enfer! éclata-t-elle après que l'un d'eux l'ait gratifiée d'une piqûre particulièrement douloureuse.

L'air était si épais et humide que l'Élu et la gitane avaient de la difficulté à respirer et furent bientôt couverts de sueur et de résine. Les branches leur fouettaient le visage, les bras et les jambes, qui se trouvèrent rapidement couverts d'égratignures. Des cailloux s'insinuaient continuellement entre la semelle de leurs sandales et la plante de leurs pieds, leur causant des douleurs irritantes qui faisaient tempêter Ermeline de plus belle. Ils avaient si peu mangé depuis quelques jours que la tête leur tournait. Ils étaient tout à fait misérables. Seul Chicahuac semblait inlassable et insensible aux désagréments. Il avançait d'un pas sûr et régulier en ouvrant un chemin dans la végétation avec son épée sans jamais que ses jambes puissantes ne donnent le moindre signe de fatigue.

Lorsque le soleil se coucha, le guerrier repéra une clairière et indiqua que le temps était enfin venu de s'arrêter. Ermeline et Manaïl ne se firent pas prier et se laissèrent choir sur le sol, vidés, sales et affamés.

– Sales engeances ! grogna la gitane en écrasant un autre moustique sur sa joue. Elles vont me dévorer vivante ! Et j'ai mal partout ! Et j'ai faim, cornebouc !

Resté debout, Chicahuac contempla la gitane avec un mélange d'exaspération et d'amusement. Un sourire à peine perceptible traversa son visage austère et disparut aussi vite. Il posa son épée près d'eux dans les herbes puis retira son arc de son épaule, tira une flèche de son carquois et l'installa sur la corde qu'il testa à quelques reprises. Satisfait, il abaissa l'arme.

– Attendez ici, ordonna-t-il avant de faire demi-tour et de disparaître dans la forêt.

La gitane le vit s'éloigner avec une moue sceptique.

– Tu lui fais confiance, à ce cannibale ?

Manaïl suivit la direction de son regard et soupesa la question.

– Je ne sais pas. Une chose est sûre : sans lui, nous ne serions jamais sortis vivants de Tenochtitlán. Il a risqué sa vie pour deux étrangers seulement parce que Ixtelolotl le lui a ordonné. Mais j'ai été souvent trompé...

– Justement, rétorqua Ermeline. T'es-tu demandé *pourquoi* il avait couru de tels risques ? Les êtres humains sont rarement désintéressés, mon pauvre ami. Tu le sais aussi bien que moi. Quel avantage trouve-t-il à faire ce qu'il fait ? Moi, je m'en méfie...

Malgré lui, Manaïl eut un geste d'impuissance.

– Pour autant que nous le sachions, ce cannibale pourrait nous conduire tout droit vers les Nergalii, insista Ermeline. Tu as pensé à cela ?

Le garçon hocha la tête.

– S'il nous menait entre leurs mains à notre insu, cela signifierait que Mathupolazzar sait déjà que son piège a échoué, expliqua le garçon.

Par la suite, bien sûr, il réalisera que les deux fidèles chargés de me reprendre le fragment ne reviendront pas. Mais pour l'instant, les chances sont bonnes pour qu'il ignore encore que j'ai survécu et qu'ils sont morts. Et puis, si Chicahuac était un Nergalii, pourquoi nous accompagnerait-il vers Teotihuacan ? Il serait bien plus simple pour lui de nous tuer et de ramener les fragments. Observe ses traits : cet homme est un vrai Aztèque, pas un habitant d'Éridou.

Ermeline hocha la tête à son tour, pensive.

– Tu as demandé au sauvage de nous conduire à Teotihuacan pour prendre les Nergalii par surprise ? C'est ça ?

– Aussi bien me présenter pendant qu'ils ne sont par sur leurs gardes. Si j'ai la moindre chance de leur reprendre les fragments, je dois le faire avant qu'ils ne commencent à s'inquiéter de l'absence des deux fidèles d'Éridou. C'est pour cette raison que nous devons nous hâter. Bientôt, ils commenceront à se poser des questions.

– Hrmph..., grommela la gitane en repoussant une mèche de cheveux derrière son oreille. Je ne suis quand même pas tranquille. Le cannibale ne me dit rien qui vaille.

Le garçon lui fit un sourire espiègle malgré sa fatigue.

– Justement, je me disais qu'il y a un moyen de savoir s'il dit vrai...

– Tu penses à la même chose que moi ? répliqua Ermeline en lui rendant son sourire.

– Je crois, oui. Tu te sens d'attaque ?

– Il le faudra bien.

Épuisés, ils se turent, écoutant les bruits de cette jungle où tout leur était étranger. Une quinzaine de minutes s'étaient écoulées lorsque Chicahuac émergea en silence de la dense végétation. Ermeline, qui somnolait malgré elle, sursauta lorsqu'elle l'aperçut derrière Manaïl.

– Cornebouc ! Ce bougre est aussi silencieux qu'un esprit mauvais ! maugréa-t-elle. Il pourrait nous égorger sans même que nous l'entendions venir !

Le guerrier avait replacé son arc sur son épaule. Il portait sous un bras un boisseau de bois sec. Dans son autre main, il tenait un lapin. Il s'accroupit et posa ses deux fardeaux sur le sol.

– Désolé de t'avoir fait peur, *nenepilli*[1].

– Je... Je n'ai pas eu peur, protesta la gitane. Et pourquoi m'appelles-tu ainsi ?

– Parce que tu parles tout le temps et que tu ne cesses de te plaindre.

Ermeline allait s'insurger, mais fut interrompue par Manaïl qui pouffait de rire. Elle lui adressa un regard noir, croisa les bras sur sa poitrine et se tut, préférant afficher une bouderie ostentatoire.

Chicahuac sourit et, sans rien ajouter, disposa des brindilles autour de touffes de mousse séchée qu'il avait ramassées. Puis il fouilla dans

1. En nahuatl : langue.

une pochette de cuir cousue à son uniforme et en sortit deux petits silex qu'il frappa pour produire des étincelles. Lorsque la mousse commença à fumer, il souffla délicatement dessus. Bientôt, des flammes embrasèrent les brindilles et, précautionneusement, il ajouta au feu de camp des branches plus grosses jusqu'à ce que les flammes soient bien vives.

– La fumée chassera les moustiques, annonça-t-il.

L'Aztèque ramassa le lapin et tira de sa pochette une lame d'obsidienne avec laquelle il eut tôt fait d'écorcher et de vider la bête. Il enfila la carcasse sur une branche qu'il ficha dans le sol, au-dessus du feu. Un fumet alléchant de viande grillée se répandit. Sur ses talons, il se tourna vers Manaïl.

– Si nous marchons vite, nous serons à Teotihuacan après-demain.

Il fit tourner le lapin sur lui-même pour faire cuire l'autre côté. Pendant que son intérêt était attiré ailleurs, le garçon fit un signe de tête discret à Ermeline.

Lorsque l'Aztèque se retourna, la gitane faisait osciller doucement son médaillon à quelques doigts de son nez.

– Regarde le joli pentacol[1], roucoula-t-elle. Regarde comme il brille...

Chicahuac s'immobilisa, ses yeux suivant malgré lui le mouvement de va-et-vient de la

1. Pendentif.

pièce de monnaie enfilée sur un lacet de cuir. Son visage prit graduellement une expression impassible.

– Tes membres sont lourds…, continua la gitane sur un ton envoûtant. Tes paupières se ferment… Tu te sens fatigué… Très fatigué… Tu t'endors…

La tête du guerrier dodelina un moment puis tomba brusquement vers l'avant. Son menton s'appuya contre sa poitrine et il se mit à respirer profondément.

– Voilà, dit Ermeline, fière d'elle-même. Il est à ta disposition.

Manaïl se pencha vers le guerrier.

– Quel est ton nom ?

– Chicahuac, répondit celui-ci d'une voix lente et monocorde.

– Où es-tu né ?

– À Tenochtitlán.

– Quand ?

– Voilà vingt-sept années.

Pourquoi nous as-tu sauvés du sacrifice ?

– On me l'a ordonné.

– Qui t'en a donné l'ordre ?

– Ixtelolotl.

– T'a-t-il dit pourquoi ?

– Il avait l'impression que tu étais spécial. Que tu étais lié à l'Étoile du Matin et que tu ne devais pas mourir. Une ancienne prophétie annonce le retour de Quetzalcóatl ce mois-ci. Il m'a dit qu'il croyait que tu préparais la voie au dieu.

L'Élu était songeur. Si le dieu Quetzalcóatl était l'incarnation de l'Étoile du Matin dans ce *kan*, la prophétie disait vrai. Il était l'Élu d'Ishtar, l'Étoile du Matin de Babylone.

– Qui est Ixtelolotl ? poursuivit-il.

– Un des prêtres de Huitzilopotchli.

– A-t-il quelque chose de spécial ?

– Non… Il n'est qu'un prêtre subalterne.

– Pourquoi est-ce à toi qu'il a fait appel ?

– Il me connaît bien. Je suis garde au temple depuis neuf ans. J'ai aidé à organiser la révolte commandée par l'empereur et je savais quand serait donné le signal. J'étais le mieux placé pour vous faire sortir du temple avant qu'elle n'éclate. Mais quelque chose s'est produit. Les Espagnols ont attaqué avant nous…

Manaïl dévisagea l'Aztèque, incertain. Puis il se retourna vers Ermeline et se frotta le menton, songeur.

– Il ne peut dire que la vérité ? l'interrogea-t-il.

– Rien d'autre.

Le garçon reporta son attention sur Chicahuac.

– Es-tu un Nergali ? lança-t-il sèchement.

Le visage du guerrier prit une expression d'incompréhension. Il ouvrit la bouche à quelques reprises sans que le moindre son n'en sorte, cherchant visiblement à formuler une réponse à une question qu'il ne comprenait pas.

– Es-tu un Nergali ? répéta Manaïl.

Chicahuac ne répondit pas. L'Élu tourna la tête vers Ermeline, sollicitant silencieusement son opinion. Tout en maintenant le mouvement de balancier de son médaillon, elle haussa les sourcils.

– Il ne semble pas savoir de quoi tu parles… Peut-être que si tu essayais une approche différente ?…

– Tu as raison.

Il se retourna vers le guerrier qui attendait docilement la prochaine question.

– Comment s'appelle le dieu des Enfers ?

– Mictlantecuhtli.

– Connais-tu Nergal ?

– Non.

– Mathupolazzar ?

– Non.

L'Élu fit un signe de tête à la gitane.

– Réveille-le.

Ermeline s'approcha à nouveau de l'Aztèque.

– Lorsque je claquerai des doigts, tu te réveilleras, dit-elle. Tu ne te souviendras de rien. Tu as compris ?

– Souviendrai… de rien…, répéta Chicahuac d'une voix pâteuse.

Ermeline repassa son médaillon à son cou et claqua des doigts. Aussitôt, le guerrier écarquilla les yeux et promena un regard égaré autour de lui. Désorienté, il secoua la tête et inspira. L'air dubitatif disparut de son visage. Il se retourna vers le lapin qui grillait.

– La viande est cuite.

Il la retira du feu et, de ses mains nues, en arracha des morceaux qu'il leur offrit. Affamés, Ermeline et Manaïl dévorèrent à belles dents pendant que le guerrier mangeait avec modération en les observant.

– Ces cannibales sont au moins capables de cuisiner comme tout le monde quand il le faut, murmura Ermeline.

Chicahuac leva la tête.

– Nous ne sommes pas des cannibales, protesta-t-il fermement.

– Peuh ! fit la gitane. J'ai vu des têtes et des morceaux de bras et de jambes empilés dans le sanctuaire au sommet de la pyramide. J'ai vu l'affreux prêtre mordre dans un cœur qui battait toujours ! Quiconque mange de la chair humaine est un cannibale. Na !

Le visage de Chicahuac s'assombrit. Manaïl sentait que les choses risquaient de s'envenimer, mais ne savait pas comment détourner la conversation.

– De quel droit nous juges-tu, *nenepilli*, toi qui ignores tout de nous sauf le peu que tu as pu en connaître depuis quelques jours ? demanda-t-il d'une voix égale mais cassante. Nous mangeons parfois de la chair humaine, c'est vrai, mais pour apaiser les dieux et non par préférence. Sinon, ils ne feraient pas lever le soleil chaque jour. D'ailleurs, les *teules* eux-mêmes ne consomment-ils pas la chair et le sang de leur dieu chaque fois qu'ils célèbrent leur messe ?

– Ce n'est pas la même chose ! s'exclama la gitane. Les chrétiens boivent du vin et mangent du pain béni.

– Et pourtant, ils prétendent qu'au cours de leurs cérémonies, ces substances se transforment réellement en sang et en chair. C'est le prêtre des Espagnols lui-même qui me l'a affirmé. Alors, dis-moi, toi qui es chrétienne, es-tu moins cannibale que moi ?

Bouche bée, Ermeline se tut. Elle n'avait jamais porté les prêtres dans son cœur et ne souhaitait rien de bon à ces fanatiques hypocrites qui avaient brûlé vive sa pauvre mère. Elle n'allait tout de même pas se retrouver dans l'obligation de les défendre.

– Sais-tu pourquoi les Aztèques ont tout de suite apprécié la viande des cochons que les Espagnols ont apportés avec eux, *nenepilli* ?

– Non.

– Parce que son goût rappelle celui de nos ennemis Tlaxcalteca, que nous mangeons souvent, dit Chicahuac.

Satisfait d'avoir scandalisé la gitane, il se remit à manger. Manaïl fit de même pour mieux masquer le sourire satisfait qui lui fendait le visage alors qu'Ermeline repoussait les restes de sa part, dégoûtée. Lorsque le repas fut terminé, le guerrier creusa un trou dans la terre, près du feu. Il ramassa les os, la peau et les viscères du lapin, et les enterra soigneusement.

– Que fais-tu ? s'enquit Manaïl.

– L'odeur pourrait attirer l'*ocelotl*[1] pendant la nuit.

Ne sachant trop de quoi il parlait, le garçon déduisit qu'il devait s'agir d'un prédateur. Il observa leur guide remettre du bois sur le feu et, sans rien ajouter, leur tourner le dos et s'allonger, une main sous la tête, l'autre sur le manche de son épée.

– Quel grossier personnage..., ronchonna Ermeline. Bougre de cannibale...

– Tais-toi et dors, *nenepilli*, dit le guerrier en soupirant avec lassitude. Nous avons une longue route devant nous demain.

Manaïl s'allongea à son tour, sa rapière près de lui.

– Oui. Dors... *nenepilli*, ricana-t-il.

Ermeline lui administra une grande claque sur l'épaule, ce qui le fit s'esclaffer davantage, puis se coucha en se roulant en boule. Quelques minutes plus tard, le trio dormait à poings fermés.

1. En nahuatl : jaguar.

OCELOTL

La journée du lendemain fut tout aussi éprouvante. Ils marchèrent sans relâche dans la forêt et couvrirent une distance bien plus grande que la veille avec pour seul mode d'orientation l'instinct de Chicahuac qui leur ouvrait un chemin à grands coups d'épée. Les moustiques, les cailloux, l'humidité, les branches, la chaleur, la soif, la faim, tout leur paraissait pire en raison de la fatigue et des courbatures accumulées. Ermeline et Manaïl persévérèrent pourtant, sachant que le temps leur était compté. Chicahuac, lui, semblait déterminé à mener à bien la mission que lui avait confiée le prêtre de Huitzilopotchli.

Lorsque, le soir venu, ils s'arrêtèrent enfin, fourbus et affamés, l'Aztèque, à peine essoufflé, s'engouffra de nouveau dans les bois pour en ressortir quelques minutes après avec du bois pour le feu et, drapé sur son épaule, un gros iguane vert à la queue interminable. En apercevant l'animal, la gitane écarquilla les yeux et recula d'un pas.

– Cornebouc ! s'exclama-t-elle, dégoûtée. Nous n'allons tout de même pas ingurgiter cette… cette… gargouille ? On dirait un démon de l'enfer !

– Le *cuetzpalin*[1] est très savoureux, *nenepilli*. Si tu préfères jeûner, libre à toi.

Le guerrier écorcha et vida l'iguane, puis l'embrocha et le mit à cuire sur le feu. Une plaisante odeur proche du poulet rôti monta dans la clairière. Lorsque fut venu le temps de le manger, il en tendit un morceau à Ermeline.

– Fi ! Jamais ! Plutôt mourir d'inanition ! s'indigna-t-elle. Je mangerais ma propre main avant d'avaler cette horreur !

Au même moment, son estomac émit un gargouillement tonitruant qui la trahit. Manaïl et Chicahuac se regardèrent et pouffèrent de rire.

– Ton ventre est moins difficile que toi, *nenepilli*, dit le guerrier en ricanant. Allez. Mange. La bouche pleine, tu ne pourras pas geindre.

Rouge de honte, la gitane accepta à contrecœur le morceau d'iguane et y mordit du bout des dents. Après quelques secondes de perplexité, elle oublia son orgueil, déglutit puis abandonna toute prétention à la dignité. Elle s'empiffra tant et si bien qu'elle dévora à elle seule la moitié de la bête. Lorsqu'elle eut terminé, un rot sonore lui échappa avant qu'elle ne puisse poser la main sur sa bouche.

---

1. En nahuatl : iguane.

– On dirait que ce n'était pas si mauvais, après tout, la taquina Manaïl.

– Nenni. C'était... J'avais faim, c'est tout! opposa-t-elle. Et puis, trépassée, je ne te servirais pas à grand-chose.

L'Élu ressentit un grand élan de tendresse pour cette fille courageuse et loyale qui s'était trouvée mêlée bien malgré elle à sa quête et qui avait déjà payé trop cher l'aide qu'elle lui avait apportée. Elle était têtue, susceptible, irascible par moments, bougonne, polissonne et parfois assez irritante pour rendre fou le plus saint des hommes, mais aussi déterminée, fiable et pleine de ressources. Sans elle, il aurait échoué voilà longtemps. Manaïl prit une décision : si jamais Ermeline et lui sortaient vivants de cette maudite aventure, c'était avec elle qu'il finirait ses jours. Il ne possédait rien ni personne et l'acceptait. Il ne demandait qu'Ermeline. Il ferma les yeux et adressa une brève prière à Ishtar, même s'il doutait qu'elle pût encore l'exaucer.

Une fois le repas terminé, ils se rendirent tous s'abreuver à un ruisseau qu'avait repéré Chicahuac non loin de là en chassant. Leurs bâillements répétés indiquèrent que l'heure de dormir était venue. Chicahuac prit les mêmes précautions que la veille puis chacun s'installa pour la nuit.

– Demain matin, Huitzilopotchli sortira du ventre de sa mère, Coatlicue[1]. Lorsqu'il atteindra

1. Déesse aztèque de la Terre.

le milieu de sa course, nous serons à Teotihuacan, dit le guerrier.

✦

Manaïl fut brusquement tiré de son sommeil par des hurlements de douleur qui déchiraient la nuit et effrayaient les oiseaux endormis de la forêt. La cervelle embrumée, il saisit sa rapière, bondit sur ses pieds et en chercha la source. Une seconde plus tard, Ermeline en faisait autant.

Chicahuac était sur le dos et se débattait avec l'énergie du désespoir contre un grand félin jaune tacheté de noir et d'orangé accroupi sur sa poitrine qui lui labourait le visage et les avant-bras de ses longues griffes acérées. Le visage crispé, le guerrier serrait le cou de l'animal entre ses mains pour l'empêcher d'enfoncer ses crocs dans sa gorge. Ses bras tremblaient sous l'effort. Frustrée, la bête crachait et rugissait furieusement. Ses muscles puissants roulaient sous sa peau de manière menaçante. Il était clair que l'Aztèque se fatiguait et que c'en serait bientôt fini de lui si personne n'intervenait.

« L'*ocelotl…* », pensa Manaïl, sachant qu'il n'avait qu'un instant pour réagir. Il ne pouvait se permettre de perdre Chicahuac. Il était le serpent annoncé, celui dont il devait suivre la voie. Sans lui, il ne trouverait jamais Teotihuacan et les Nergalii. Les fragments seraient peut-être perdus à jamais.

Il s'élança à toute vitesse vers le prédateur, son épée brandie au-dessus de sa tête, l'acier de Tolède prêt à trancher la chair. Au même moment, l'animal ouvrit tout grand la gueule. Ses crocs étincelèrent dans la lumière de la lune. Il recula imperceptiblement pour prendre son élan puis darda la tête vers la gorge de l'Aztèque, dont les bras plièrent sous la pression. Il était déjà trop tard. Manaïl n'arriverait pas à temps.

Sauf si le temps était suspendu.

– Non ! hurla-t-il en courant.

Il fut enveloppé par la sensation à la fois familière et étrangère du temps qui s'arrêtait. Autour de lui, les bruits de la nuit se turent et un lourd silence tomba sur la forêt. Les faibles flammes du feu avaient interrompu leur danse et étaient figées dans leur mouvement. Chicahuac, le visage pétrifié en une grimace d'effort et de terreur, tentait un ultime effort pour empêcher le jaguar d'enfoncer ses canines acérées dans la chair de sa gorge mais, déjà, la bête avait vaincu. La pointe de ses dents avait percé la peau et de petites gouttes de sang s'en écoulait.

✦

Mathupolazzar était perplexe. Il allait porter à sa bouche une cuillérée d'*atole*[1] lorsqu'il

1. En nahuatl : sorte de bouillie de maïs.

avait senti une brève fluctuation dans le cours du temps. La deuxième en quelques jours. Depuis, il se tenait immobile, sa cuillère en bois immobilisée devant sa bouche entrouverte, le front plissé par la concentration, à l'affût de la moindre sensation. Mais rien d'autre ne se produisit. Le phénomène n'avait duré que quelques secondes.

Intérieurement, il regretta l'obligation dans laquelle il s'était trouvé d'abandonner l'oracle à Éridou. Sans lui, il se sentait vulnérable, mais les deux fidèles qu'il y avait laissés en avaient besoin pour retrouver avec précision le *kan* où ils étaient attendus. Avec le disque de pierre, il aurait pu déterminer la nature du phénomène, mais il devait plutôt s'en remettre à sa seule expérience des Pouvoirs Interdits.

Peut-être que, pour une raison encore inconnue, Tandurah et Amadi-nîn n'étaient pas arrivés en même temps ? Cela expliquerait les deux fluctuations différentes. Il repoussa les mèches de cheveux qui tombaient sur son visage et soupira de frustration. Il détestait être dans l'incertitude. D'ici peu, les deux Nergalii rejoindraient leurs frères et sœurs avec les fragments manquants et tout s'expliquerait.

Il porta à sa bouche et mastiqua sans enthousiasme la pâtée un peu fade dont il se nourrissait depuis son arrivée dans ce *kan*. Lorsqu'il eut terminé, il posa le bol de bois sur une table basse, se leva, empoigna la torche qui l'éclairait et sortit de la pièce qui lui servait de chambre.

D'un pas déterminé, il parcourut quelques corridors sombres et parvint dans une salle où se trouvaient une dizaine de cages.

Dans chacune était détenu un prisonnier terrifié. Les Nergalii étaient vite passés maîtres dans l'art d'attirer vers la cité interdite les curieux qui vivaient dans la jungle et qui croyaient reconnaître en eux des dieux venus d'ailleurs.

Mathupolazzar se promena entre les cages, examinant leurs pensionnaires comme on le ferait des marchandises au marché. Il s'arrêta un moment devant l'une d'elles, où gisait une jeune femme aux yeux exorbités de terreur. Elle tenait dans ses bras tremblants un nourrisson qui s'abreuvait à son sein. Le grand prêtre de Nergal observa un moment les deux prisonniers et se délecta intérieurement du raffinement de perversion que représenterait le sacrifice simultané d'une mère et de son enfant, mais décida que leur tour n'était pas arrivé. Il préférait les garder pour la célébration finale qu'il tiendrait lorsque le talisman serait à nouveau entier. Pour ce soir, il se contenterait de quelque chose de plus... normal.

Il avisa un jeune garçon recroquevillé dans le coin de sa cage, les joues humides de larmes, et lui sourit cruellement.

– Bonjour, mon petit..., roucoula-t-il.

Il passa le bras entre deux barreaux et tenta d'aller chatouiller l'enfant de l'index, mais celui-ci se blottit encore plus profondément pour éviter d'être touché.

Mathupolazzar leva les yeux au ciel, amusé, et se retourna vers la Nergali qui gardait les prisonniers.

– Celui-là, dit-il en désignant le petit garçon de la tête.

– Bien, maître, fit la femme en s'inclinant.

Le grand prêtre de Nergal sortit en tâtant la petite pochette de cuir qui reposait contre sa poitrine, sous sa robe. Il s'assura que les trois fragments étaient bien en sécurité, comme il le faisait plusieurs fois par jour. Déjà, le fait de laisser volontairement l'un d'eux à Éridou avait été difficile à accepter. Il n'était pas question que les autres soient hors de sa vue, ne fût-ce qu'un instant.

Il était temps que Tandurah et Amadi-nîn reviennent. L'attente commençait à lui user les nerfs.

✦

Manaïl savait qu'il devait faire vite. Chaque fois qu'il avait eu cet effet sur le déroulement du temps, les choses avaient rapidement repris leur cours normal. Il était aussi conscient qu'il n'aurait pas d'autre chance de sauver le guerrier. Il franchit la distance qui le séparait encore du combat et, de toutes ses forces, abattit son épée sur la nuque du félin. La tête de l'animal, facilement tranchée par l'acier de qualité, roula paresseusement à ses pieds, la bouche toujours ouverte et la langue sortie. Du pied, il poussa le corps décapité qui écrasait toujours Chicahuac et le fit tomber sur le côté.

Le temps reprenait déjà son cours. Les mains de Chicahuac se refermèrent sur le vide. Son cri s'arrêta net et ses yeux s'écarquillèrent de surprise. Il tourna la tête d'un côté et de l'autre, désorienté, et localisa le corps du jaguar à sa droite et la tête à sa gauche. Puis il dévisagea le garçon, perplexe, avant de regarder de nouveau le félin décapité.

Manaïl leva son épée et lui asséna un coup de pommeau à la base du crâne. Chicahuac s'écroula mollement sur le côté, inconscient.

Devinant ce qui s'était produit, Ermeline accourut à ses côtés et s'accroupit près du guerrier.

– Tu craignais qu'il ne devine tes sorcelleries ?

– Il vaut mieux rester discret, confirma l'Élu.

Il retourna le guerrier sur le dos et se mit à examiner ses plaies. Son visage et ses bras étaient ensanglantés, mais, heureusement, la plupart des blessures n'étaient pas trop profondes. Il avait lutté avec courage et était parvenu à repousser le pire.

– Tu pourrais retrouver le ruisseau ? demanda-t-il à la gitane. Il faut laver ses plaies.

– Pourquoi ne pas simplement les guérir ?

– Il se posera des questions s'il n'a plus aucune blessure.

– Tu as raison. Je reviens tout de suite.

La gitane choisit une branche dans le feu et, l'utilisant comme torche, s'enfonça dans les bois. Le garçon reporta son attention sur les blessures et les scella une à une en y appliquant la marque de YHWH, sentant le pouvoir mystérieux couler de son corps vers celui du guerrier. Il ne laissa que les plus petites égratignures afin que l'Aztèque ne se doute de rien.

Ermeline revint vers eux. Faute de récipient, elle avait trempé le bas de sa tunique dans le ruisseau. Pendant que l'Élu récupérait, elle s'agenouilla près du guerrier et lava soigneusement le sang qui couvrait son visage et ses bras aux blessures refermées. Les paupières de Chicahuac papillonnèrent et il ouvrit les yeux, un peu égaré. Il grimaça et se tâta l'arrière de la tête.

– Que… Que s'est-il passé ?

– Tu as trébuché en luttant avec cette bête qui t'attaquait, mentit Manaïl. Tu as dû te frapper contre une pierre.

L'Aztèque leva les yeux vers l'Élu, médusé.

– L'*ocelotl*… Oui… Je dormais… Je me suis réveillé en l'entendant approcher, mais il était trop tard. Je n'ai pas eu le temps de prendre mon épée… Il allait me dévorer et…

Il s'assit et se frotta le visage, puis s'attarda aux égratignures sur ses avant-bras.

– … et puis… tu étais là, près de moi. Le jaguar était mort.

– Tes cris m'ont réveillé et mon épée était toute proche, expliqua le garçon. J'ai frappé aussi fort que je le pouvais et je lui ai détaché la tête. Tu as eu de la chance.

Chicahuac secoua lentement la tête, incrédule.

– Tu te déplaces comme un *xolotl*[1]... Je ne t'ai jamais vu approcher.

– Tu étais occupé à te défendre.

Le guerrier se remit debout et tâta distraitement une plaie un peu plus profonde que les autres à l'intérieur de son avant-bras. Manaïl se leva à son tour.

– Tu m'as sauvé la vie, dit l'Aztèque en lui tendant la main.

– Comme tu as sauvé la mienne sur la plateforme du temple, répondit l'autre en l'acceptant solennellement. Une vie pour une vie.

Ermeline, elle, toisait encore le cadavre de l'animal.

– Quelle sale bête.

– Ne dis pas cela, *nenepilli*. L'*ocelotl* est un animal puissant et rusé, la corrigea doucement Chicahuac. Un grand chasseur. Seuls nos guerriers les plus habiles sont autorisés à se vêtir de sa peau.

– Tu crois qu'il y en a d'autres ? s'enquit-elle en scrutant la forêt avec un air mal assuré.

Chicahuac hocha la tête.

– Pas par ici. L'*ocelotl* chasse toujours seul.

1. En nahuatl : esprit.

Malgré tout, le reste de la nuit se passa sans que le sommeil leur revienne. Chacun tint son épée près de lui. Lorsque le soleil se leva, ils étaient prêts depuis longtemps à partir vers la cité interdite.

21

TEOTIHUACAN

Le reste du périple s'effectua sans anicroches quoique chacun fût davantage aux aguets, ébranlés qu'ils étaient tous les trois par l'irruption récente du jaguar. Depuis l'attaque qui lui avait presque été fatale, Chicahuac était encore plus taciturne.

Sans surprise, l'Aztèque avait correctement estimé le chemin qu'il leur restait à parcourir et le soleil était à mi-course lorsqu'ils arrivèrent à destination. Ils s'arrêtèrent à l'orée de la jungle, cachés par des buissons.

– Teotihuacan, murmura le soldat, un relent de superstition dans la voix, en écartant un peu le feuillage. Te voilà arrivé, *nahualli*[1].

La gitane et l'Élu furent ébahis par la scène qui se déployait devant leurs yeux. Même en ruine, la cité interdite conservait encore des traces de sa grandeur passée et il n'était pas difficile d'imaginer ce qu'elle avait pu être à l'apogée

1. En nahuatl : sorcier.

de sa gloire. On aurait vraiment dit une cité érigée par des dieux. Une large voie pavée de pierres plates, que le guerrier avait désignée sous le nom d'avenue des Morts, la traversait sur sa longueur. Elle passait à travers ce qui semblait avoir été jadis une vaste citadelle entourée d'un muret qui enfermait une pyramide à étages et sa cour intérieure. À l'autre extrémité, elle se terminait devant une pyramide dominée par un escalier central qui menait au sommet. À mi-chemin entre les deux se dressait une troisième pyramide, plus haute que les deux autres, au sommet de laquelle le temple et l'autel des sacrifices, dont la teinte ocre rappelait le sang séché, étaient encore visibles.

L'avenue était bordée de chaque côté par des plates-formes de pierre et des structures en ruine qui avaient sans doute été des temples plus modestes. Plus loin, on pouvait encore voir les traces des quartiers de la cité, où s'étaient jadis trouvées les maisons des habitants, et où il ne restait que des rues construites à angle droit. Après le départ des hommes, la jungle avait peu à peu rétabli son empire et tout était maintenant envahi par la végétation. Malgré cela, la cité semblait n'être qu'endormie et sur le point de se réveiller.

Manaïl se tourna vers Chicahuac.

– Que sais-tu sur cet endroit ?

Sans que son regard méfiant ne quitte les ruines, le guerrier hésita avant de répondre.

– Teotihuacan est maudite. Nul ne sait qui l'a construite ni pourquoi ses habitants l'ont quittée. La légende dit que le dieu Quetzalcóatl lui-même y régnait et qu'il en a été chassé par ses frères, Tezcatlipoca et Huitzilopotchli, mais qu'Il reviendra un jour réclamer son royaume et que c'est ici qu'Il s'installera après avoir détruit l'empire aztèque. On raconte que, depuis quelque temps, les anciens dieux y sont revenus.

Manaïl tendit la main au guerrier.

– Je te remercie de m'avoir conduit jusqu'ici, Chicahuac. Maintenant, retourne à Tenochtitlán lutter contre les Espagnols.

L'Aztèque toisa la main offerte avec un certain dédain et ne fit aucun geste pour la saisir. Il releva les yeux et les vrilla dans ceux de l'Élu.

– Tout est prévu d'avance dans le calendrier sacré légué par les dieux et aucun homme ne peut se soustraire à sa destinée. Tu dois accomplir la tienne, *nahualli.* Quant à mon peuple, il est capable de venir à bout des envahisseurs sans moi. Toi et ta compagne êtes encore presque des enfants et, quelle que soit votre raison d'être ici, vous avez besoin d'aide. Mes armes sont à ton service.

– Ma cause n'est pas la tienne, protesta Manaïl. Tu pourrais y laisser la vie. Je n'ai pas le choix, mais toi, si.

Chicahuac se redressa, fier.

– Je suis un soldat. Combattre est mon devoir… jusqu'à la mort.

Puis il fit la moue et, en silence, détacha son vêtement pour dénuder son épaule droite. Sur la peau brune saillait une tache de naissance plus pâle. Elle avait la forme distincte d'une étoile.

– Je suis né marqué par l'Étoile du Matin, *nahualli*, déclara-t-il. Lorsque Ixtelolotl m'a demandé de te conduire en sécurité hors de la ville, j'ai compris que mon destin m'appelait. Puis tu m'as sauvé de l'*ocelotl* d'une manière que je ne comprends toujours pas... Alors j'ai su. Ixtelolotl avait raison. Tu n'es pas comme les autres. Tu es lié à Quetzalcóatl. Peut-être es-tu ici pour empêcher les anciens dieux de détruire l'empire ?

Manaïl soupira, vaincu. Il avait accepté depuis longtemps que, dans sa quête, les coïncidences n'existaient pas. Il avait besoin de cet homme, désigné par Ishtar, qui semblait être destiné à lui venir en aide.

– Soit, dit-il en posant sa main sur l'épaule de l'Aztèque. J'espère que le prix ne sera pas trop élevé pour toi.

– Le prix sera ce qu'il doit être.

Manaïl reporta son attention sur les ruines.

– L'endroit semble parfait pour les Nergalii, observa-t-il. Il est isolé et les gens en ont peur. Personne ne viendra les déranger pendant qu'ils attendent le retour de ceux qu'ils ont laissés dans le *kan* d'Éridou.

– S'ils étaient ici, nous les verrions, non ? demanda Ermeline.

– Il paraît que les anciens dieux ne sortent qu'au coucher du soleil, dit Chicahuac d'un ton sombre. Peut-être qu'il s'agit de tes... Nergalii ?

– Attendons la nuit. S'il ne s'est rien passé alors, nous irons voir de plus près, déclara le garçon.

– Et si les Nergalii ne sont pas là ? insista la gitane.

Manaïl réfléchit. Il savait que les Nergalii étaient venus dans ce *kan*. Le disque dans le temple de Nergal le lui avait indiqué sans équivoque. Il avait aussi établi qu'ils étaient passés par Tenochtitlán. Il s'était fié au récit de l'empereur et s'était fait guider jusqu'ici, supposant qu'ils s'y trouvaient, mais il n'en avait aucune certitude. Distraitement, il passa la main sur sa poitrine et laissa traîner ses doigts sur sa cicatrice, sous laquelle se trouvaient les deux fragments. Puis il fit tourner sur son poignet le bracelet laissé par Naska-ât. Au moins, s'il s'était trompé, il possédait toujours les fragments. Sans eux, les Nergalii ne seraient pas plus avancés que lui. Il pourrait toujours réorienter ses recherches. Peut-être aussi que le bracelet du vieux maître finirait par révéler ses secrets.

Chicahuac interrompit ses pensées.

– Restez ici, ordonna-t-il avant de s'éloigner dans la forêt.

Quelques minutes plus tard, l'Aztèque reparut. Il tenait dans ses mains une grande feuille d'arbre qu'il avait remplie de baies sauvages. Il se rassit près d'eux et posa le tout sur le sol. Ils mangèrent en silence sans quitter des yeux la cité interdite.

✦

Après des heures de guet sans que le trio n'ait aperçu de mouvement, les rayons du soleil rasaient les ruines dont l'ombre s'étirait sur le sol.

– Je crois qu'il se passe quelque chose, dit Ermeline, soudain tendue. Regardez.

Manaïl et Chicahuac suivirent la direction qu'indiquait la gitane. Le guerrier plissa les yeux comme un chasseur.

– Là, fit-il. Des hommes, vêtus en noir...

Le sommet de la plus grande des pyramides, au milieu de l'avenue des Morts, était enveloppé par de gros nuages noirs qui roulaient sur eux-mêmes, menaçants et traversés d'éclairs. Un vent chaud s'était levé et faisait osciller les arbres et lever la poussière du site.

Sur la plate-forme du dernier étage, une vingtaine de personnes avançaient à la file indienne. Même de loin, Manaïl les reconnut sans difficulté et son sang se mit à bouillir de colère dans ses veines. Ils portaient tous leur longue robe noire qui battait dans le vent de plus en plus vif. Plusieurs avaient rabattu le capuchon sur leur tête. Les Nergalii. Tous ceux qui vivaient encore semblaient se tenir sur cette plate-forme. L'espace d'un moment, l'Élu souhaita de toute son âme être un dieu pour les effacer de la surface de la terre d'un simple geste de la main. Mais il n'était qu'un garçon qui s'était retrouvé pris dans une quête bien trop ambitieuse pour lui. Il se rappela à lui-même que son but n'était pas d'éliminer les adorateurs de Nergal, mais bien de détruire le talisman. Sans lui, ils ne seraient plus rien.

Les Nergalii s'assemblèrent autour de l'autel et se tournèrent vers l'ouverture sombre et partiellement enveloppée de végétation qui menait à l'intérieur de l'immense bâtiment. Quatre d'entre eux en émergèrent en tirant par les bras un jeune garçon qui se débattait comme un diable et dont les cris de terreur et les pleurs paniqués résonnaient lugubrement dans la cité déserte. Il devait avoir sept ou huit ans tout au plus. Les Nergalii le traînèrent et finirent par le déposer sur l'autel, où il fut allongé sur le dos puis maintenu de force. Pressentant ce dont ils allaient sous peu être témoins, la gitane et l'Élu restèrent sans voix. Chicahuac, lui, observait la scène avec une relative indifférence, peu ému par le sacrifice imminent dont il avait l'habitude.

Un adorateur de Nergal s'approcha et rabattit son capuchon, dévoilant de longs cheveux blancs, sales et en broussaille, que le vent agitait dans toutes les directions, lui donnant des airs de méduse. Malgré la distance, il n'y avait aucun doute possible sur son identité.

– Mathupolazzar..., crachèrent en même temps Manaïl et Ermeline.

– Ces gens sont ceux que tu cherches ? s'enquit Chicahuac.

– Oui.

– Ils ne sont pas Aztèques. Ce sont les étrangers qui sont passés à Tenochtitlán, je suppose. Pourquoi invoquent-ils les anciens dieux ? N'ont-ils pas les leurs ?

Au sommet du temple, Mathupolazzar avait levé bien haut un poignard de bronze qu'il avait dû ramener de son *kan*. L'élu était trop loin pour voir clairement son visage, mais il imaginait sans difficulté la grimace cruelle et perverse qui le transfigurait.

Soudain, comme si les dieux sanguinaires de ce *kan* avaient voulu contribuer à la réussite de la cérémonie, le vent tomba et un calme étrange enveloppa la cité interdite.

– Ô Nergal ! fit la voix de Mathupolazzar, qui se répercutait sur les vestiges environnants. Toi qui te trouves hors des *kan*, reçois le sacrifice de cet enfant pur et sans taches ! Accepte-le comme un avant-goût de ceux que nous t'offrirons lorsque le Nouvel Ordre sera venu ! Ton attente tire à sa fin et ton règne arrive enfin !

– Gloire à Nergal ! s'écrièrent en chœur les Nergalii.

À ce moment précis, les derniers rayons du soleil émergèrent entre deux nuages pour balayer le sommet du temple. Mathupolazzar abattit le poignard d'un geste brusque. Un terrible cri de douleur parcourut les ruines et sembla se prolonger de manière presque surnaturelle. Le grand prêtre faisait tout en son pouvoir pour faire durer le supplice et ouvrit lentement l'abdomen de l'enfant qui, solidement retenu, se tordait sur la table de pierre. Puis ses hurlements se transformèrent en faibles gémissements et s'éteignirent.

Mathupolazzar plongea les mains dans la cavité abdominale béante et en arracha sauvagement le cœur encore palpitant pour l'élever dans les airs, le sang chaud coulant le long de ses bras, humectant les manches de sa robe et lui dégouttant sur le visage. Autour de leur maître, les Nergalii levèrent les yeux vers le ciel menaçant et rendirent grâce à leur dieu.

– Gloire à Nergal ! répétèrent-ils à plusieurs reprises d'une voix exaltée, les bras ouverts.

Le grand prêtre de Nergal jeta le cœur sur l'autel, près du supplicié. Contrairement au prêtre aztèque, il ne semblait éprouver aucun respect pour l'organe de la vie. Il se remit à l'ouvrage en grognant sous l'effort. Un à un, il sortit de la cavité abdominale les poumons, l'estomac et le foie. Puis il s'attaqua à l'intestin, qu'il déroula comme un câble en le laissant s'enrouler sur le sol en un tas ensanglanté. Bientôt, l'abdomen du garçon fut complètement vide. Lorsque sa besogne fut terminée, Mathupolazzar fit un signe de la tête à un des Nergalii qui s'approcha, une grande hache à la main, et la lui tendit. Le visage en transe, il trancha minutieusement les membres de la victime, puis en détacha la tête, qui roula sur le sol.

Manaïl et Ermeline observaient la scène, horrifiés.

– Cornebouc, cracha celle-ci. Cet homme est complètement fou… Ce n'est pas un sacrifice… C'est une boucherie…

Sous leurs yeux, l'impensable se produisit, démontrant, s'il y avait encore des raisons d'en douter, que la dépravation et le vice des Nergalii ne connaissait point de limite. Mathupolazzar fouilla parmi les organes déposés autour du corps et y trouva le foie. Il le ramena vers sa bouche, encore fumant et sanglant, et y mordit à pleines dents. Sa tête fit un mouvement sec vers l'arrière. Puis, dans un révoltant rituel, il passa l'organe au Nergali qui se trouvait sur sa droite, qui y mordit à son tour. Bientôt, tous les adorateurs de Nergal auraient pris part à l'obscène communion.

Lorsque tout fut terminé, deux Nergalii empoignèrent les morceaux du corps et les lancèrent pêle-mêle dans le grand escalier. Du haut de la pyramide, ils éclatèrent de rire en voyant la tête rouler et rebondir jusqu'en bas.

Alors qu'Ermeline et Manaïl étaient figés par l'horreur qu'ils ressentaient, le visage de Chicahuac passa de l'indifférence à la révolte.

– Ils n'ont même pas drogué le garçon, dit-il d'une voix tremblante de colère et d'indignation. Et ils l'ont démembré comme une bête au lieu d'offrir son cœur pour apaiser les dieux. Ils voulaient qu'il souffre. Ils sacrifient pour le plaisir. Ces sacrilèges doivent mourir.

Une fois le sombre rituel consommé, les Nergalii retraitèrent dans la pyramide par là où ils étaient sortis sur la plate-forme. Comme si la nature, honteuse, désirait cacher les gestes qui venaient d'être faits, la nuit enveloppa définitivement Teotihuacan dans les minutes qui suivirent. La cité semblait à nouveau déserte et tout à fait abandonnée.

– Les Nergalii ne sont guère alertes, nota Ermeline en se frottant le visage pour secouer sa stupeur. Ils ne semblent même pas avoir posté de gardes. Un régiment pourrait entrer sans qu'ils ne s'en aperçoivent.

– C'est bon signe. Cela signifie qu'ils ne croient pas avoir de raisons de se méfier, en conclut l'Élu. Ils ont sans doute ressenti notre entrée dans ce *kan* et ont cru que les leurs revenaient. Je parierais qu'ils ont déjà célébré ma mort.

– Tu crois qu'ils ont les fragments avec eux ?

L'Élu hocha la tête avec certitude.

– Oh oui ! Aucun doute là-dessus. Depuis qu'il les a récupérés, Mathupolazzar les a toujours gardés en sécurité dans le réceptacle du temple de Nergal. Il fait certainement la même chose ici.

– Tu as mal ?

– Non. Je suis sans doute trop loin.

– Espérons-le... Tu as un plan ?

– Attendons qu'ils dorment et nous verrons si nous ne pourrions pas entrer en douce dans la pyramide et filer avec les fragments...

– C'est un peu... sommaire comme stratégie, ronchonna la gitane. Et fort optimiste, aussi.

– Nous ne sommes que trois, *nahualli*, et ils sont une vingtaine, avança Chicahuac. Un affrontement direct ne mènerait à rien. Il vaudrait mieux être astucieux.

Manaïl se leva prudemment, aussitôt imité par la gitane et l'Aztèque.

– Allons toujours voir de plus près. Peut-être que nous aurons une meilleure idée.

Ensemble, sous le couvert de la nuit, ils se glissèrent dans la cité interdite. Manaïl se sentait fébrile. Pour la première fois depuis le *kan* de Londres, il avait une chance de regrouper les cinq fragments, qui étaient tout proches. Il ne lui resterait qu'à découvrir comment détruire le talisman. Et à sauver Ermeline des griffes de Nergal...

Son enthousiasme le quitta aussitôt, remplacé par un sombre pressentiment. Les choses ne se dérouleraient pas comme il l'espérait. Mais le faisaient-elles jamais ?

LA MALÉDICTION DE QUETZALCÓATL

Subrepticement, ils remontèrent l'avenue des Morts, l'épée au poing. La lune était obscurcie par les nuages et, au loin, des roulements de tonnerre annonçaient un orage imminent. Aucun oiseau, aucun insecte ne brisait le silence funeste et ils avaient l'impression d'avancer dans un tombeau. À pas de loup, et en se fiant au sens de l'orientation de Chicahuac, ils marchaient lentement, aux aguets. Les Nergalii semblaient sûrs d'eux-mêmes, mais rien ne garantissait qu'ils n'avaient pas posté quelques sentinelles parmi les ruines.

À la hauteur de la première des trois pyramides, un éclair aussi violent que soudain déchira la nuit et illumina un édifice à une centaine de pas sur leur droite, dans un enclos délimité par un muret de pierre. Sur les murs du temple, de chaque côté de l'escalier central qui donnait accès au sommet, le garçon aperçut brièvement des créatures sorties tout droit d'un cauchemar. La gueule ouverte, les naseaux dilatés, les yeux proéminents et remplis de colère, une crête de plumes hérissée autour du crâne, les bêtes semblaient avoir passé la tête par une ouverture dans la paroi et vouloir croquer tous ceux qui avaient l'arrogance de s'approcher du temple qu'elles gardaient. Malgré lui, l'Élu sursauta et fit un pas en arrière. Puis le tonnerre gronda au-dessus de leurs têtes et la nuit noire les enveloppa de nouveau.

– Cornebouc..., bredouilla Emeline. Tu as vu ? On aurait dit des démons sortis de l'enfer.

– Quetzalcóatl, le dieu-serpent, émit gravement l'Aztèque.

Manaïl se figea sur place. *Suis la voie tracée par le serpent*, avaient dit les Mages dans son rêve.

Au même moment, l'orage éclata, déversant sans prévenir des trombes d'eau telles, que Manaïl crut pendant un instant que la fin des temps était arrivée.

– Voilà qu'il pleut des hallebardes maintenant, fit Ermeline.

Manaïl ne l'écoutait pas. Il empoigna le bras de Chicahuac.

– Qu'as-tu dit ? cria-t-il pour couvrir le bruit de la pluie. Un dieu-serpent ?

– Quetzalcóatl, répéta le guerrier en hochant la tête. Le serpent à plumes. C'est lui qui a créé l'humanité. Il est l'Étoile du Matin, le commencement et la fin. Il est...

– Oui, oui, je sais, coupa Manaïl avec impatience. Mais tu ne m'avais pas dit qu'il était un serpent !

– Tu… Tu ne me l'as jamais demandé, se défendit Chicahuac. Comment pouvais-je savoir que ?…

Le garçon lâcha le bras du guerrier.

– Allons voir.

– Pourquoi donc ? s'enquit la gitane. Les Nergalii sont dans l'autre pyramide.

– Je t'expliquerai.

Ils entrèrent dans l'enceinte, dont le mur était si bien construit qu'il avait résisté, presque intact, aux ravages du temps, et se dirigèrent vers le temple de Quetzalcóatl. Ils étaient parvenus à la base de l'impressionnante construction lorsqu'un violent coup de tonnerre retentit, faisant trembler le sol sous leurs pieds. Des éclairs aveuglants illuminèrent le temple.

L'Élu eut le temps d'entrevoir les têtes de serpent entourées d'un collier de plumes qui émergeaient de la pierre à intervalles réguliers de chaque côté du grand escalier, sur chacun des quatre degrés de la pyramide. Elles alternaient avec une autre figure au visage carré orné de longues dents et de grands yeux globuleux. La créature était auréolée de cercles formés par des serpents. « Encore des serpents », songea Manaïl.

– Le dieu Tlaloc, l'informa Chicahuac, qui avait suivi la direction de son regard. Il règne sur la pluie, la foudre et l'agriculture.

– Il doit apprécier ce magnifique temps…, ronchonna Ermeline, misérable, en s'enveloppant de ses bras pour calmer les frissons que lui causait sa tunique complètement trempée.

Songeur, l'Élu resta silencieux jusqu'à ce qu'un nouvel éclair explose dans la nuit. Profitant de la brève clarté pour s'orienter, il s'engagea dans les marches à demi recouvertes d'herbes, de mousse et de racines. Il leur fallut cinq minutes pour escalader à tâtons les quatre escaliers rendus glissants par la pluie, trébuchant à qui mieux mieux dans le noir et se frappant douloureusement les genoux sur la pierre. Ils atteignirent enfin le sommet du temple millénaire.

L'orage cessa aussi brusquement qu'il avait commencé. La lune parut entre deux nuages et baigna la plate-forme sur laquelle le trio se tenait, au pied du dernier étage de la pyramide. Au centre, devant l'escalier, trônait un autel de pierre dont l'Élu reconnut aussitôt la fonction. Derrière, une ouverture dans la paroi menait à l'intérieur de l'édifice.

– Aurais-tu l'obligeance de me dire ce que nous faisons perchés au sommet de cette relique, trempés comme des nouveau-nés ?

Pendant que Chicahuac écoutait en silence, Manaïl relata à la gitane le rêve qu'il avait fait pendant qu'il était inconscient, après leur capture par les gardes dans le sanctuaire de Huitzilopotchli, alors qu'un serpent lui avait affirmé que l'Étoile du Matin était toujours là, même lorsque la nuit la masquait.

– Quetzalcóatl est l'Étoile du Matin, compléta la gitane. Chicahuac a dit qu'il est aussi un serpent à plumes…

Manaïl examina un instant la plate-forme puis se dirigea vers l'ouverture.

– Allons voir à l'intérieur, dit-il en avançant son épée.

Chicahuac lui attrapa le bras et le retint. Il secoua la tête, l'air grave.

– Il ne faut pas. La légende dit que le temple de Quetzalcóatl est maudit. Ceux qui y pénètrent sans y être invités paient leur arrogance de leur vie.

– Je dois entrer, assura l'Élu.

– Alors, laisse-moi passer le premier.

Sans attendre la réponse du garçon, il l'écarta et se plaça entre lui et l'ouverture sombre. Empoignant son épée dans sa main droite, il s'approcha puis s'arrêta sur le seuil. Il examina soigneusement le linteau et les chambranles, et étira le cou pour regarder à l'intérieur en prenant grand soin de ne pas traverser l'entrée. Des plis de méfiance lui traversaient le front et ses lèvres étaient crispées par la tension. Il recula d'un pas et observa l'ensemble. Un soupir déterminé s'échappa de sa poitrine. Puis il franchit le seuil, son épée tendue devant lui.

Tout se déroula très vite. Un éclair traversa la porte, suivi d'un hurlement d'animal blessé à mort. Chicahuac s'effondra à l'intérieur.

– Cornebouc ! s'écria Ermeline.

Dans un rayon de lune, le guerrier était allongé sur le côté et tremblait de tous ses membres. Sa bouche était grande ouverte et formait un cri silencieux. Son visage n'était plus qu'une grimace de souffrance et ses yeux exorbités fixaient le poignet droit qu'il serrait de sa main gauche sans le moindre effet. Entre ses doigts, le sang giclait par jets puissants et réguliers. Déjà, une flaque sombre grandissait à un rythme alarmant sur le sol. Près de lui, sa main droite, sectionnée tout près de la lanière de cuir, tenait encore son épée et ses doigts se contractaient mécaniquement sur le manche.

– Il est blessé, insista la gitane en faisant mine de se précipiter au secours de l'Aztèque.

Manaïl la saisit par la taille et la souleva de terre pour la retenir.

– Attends, lança-t-il en luttant pour l'empêcher de se libérer. Tu veux te faire amputer, toi aussi ?

Il reposa la gitane sur le sol et celle-ci s'élança illico vers la porte mais, cette fois, eut le bon sens de s'arrêter avant le seuil au lieu de le franchir. Troublée, elle observa Chicahuac à l'intérieur. Manaïl la rejoignit aussitôt.

– Il faut faire quelque chose..., murmura-t-elle.

– Laissez-moi, haleta Chicahuac, les dents serrées et la mâchoire crispée. La malédiction... de Quetzalcóatl. N'essayez pas... d'entrer. Accomplis... ta destinée, *nahualli*...

Puis ses paupières se fermèrent et il ne dit plus rien.

Manaïl n'avait pas écouté le stoïque Aztèque. Toute son attention était concentrée sur la porte. Dans la lumière de la lune, le linteau et les chambranles de pierre lui apparaissaient clairement et il ne pouvait y apercevoir aucune fente ni marque qui pût trahir la présence d'un mécanisme secret. Et pourtant, quelque chose venait de surgir à la vitesse de l'éclair pour trancher net la main droite de l'Aztèque.

Il s'agenouilla en s'assurant de rester à l'extérieur de la porte et étudia le sol du mieux qu'il le put. Le seuil était composé d'une dizaine de pierres taillées de dimensions inégales. Il secoua la tête, soucieux. Quelque part devait se trouver un déclencheur. Il était encore à genoux lorsque Ermeline laissa échapper un petit couinement de terreur.

Il releva la tête, en alerte, juste à temps pour faire un petit mouvement de côté. Près d'eux rampait un petit serpent à peine long comme le pied, d'une couleur oscillant entre le gris et le brun. Aussi apeuré que la gitane, le reptile disparut à toute vitesse dans le temple. Une fraction de seconde plus tard, l'éclair retraversa l'ouverture, en sens inverse cette fois, déplaçant suffisamment d'air sur son passage pour que l'Élu le sente sur son visage humide et dans ses cheveux.

Suis la voie tracée par le serpent... Il fronça les sourcils et reporta son attention sur le seuil.

Le serpent avait rampé sur les pierres de l'entrée. Il les examina de plus près puis recula d'un pas. Du bout de son épée, il appuya au hasard sur l'une d'elles. Aussitôt, le mystérieux éclair traversa l'ouverture à toute vitesse, mais en sens opposé. Il appuya sur plusieurs autres pierres et, chaque fois, le résultat fut le même.

– On dirait un balancier..., fit Ermeline, stupéfaite, à ses côtés. La première fois, ce qui a tranché la main de Chicahuac est passé de droite à gauche. La seconde fois, c'était de gauche à droite. Et ainsi de suite. C'est simple : il y a une lame derrière, qui va d'un côté à l'autre quand le mécanisme est actionné par une pression sur ces pierres.

Chicahuac avait bien dit que seuls ceux qui étaient invités par le dieu lui-même pouvaient pénétrer dans le temple. Ceux qui connaissaient la manière d'y entrer... Il devait exister un moyen d'immobiliser cette machine. Mais le temps pressait et il faisait trop noir pour espérer le découvrir. L'Aztèque, inconscient, était en train de se vider de son sang sous leurs yeux.

Désespéré, le garçon appuya sur d'autres pierres avec son arme et, chaque fois, le résultat fut identique. Il réfléchit un moment puis plaça la lame de son épée un peu au-dessus du sol, dans la porte.

– Déclenche-la, ordonna-t-il à la gitane.

Celle-ci s'exécuta avec la pointe de son arme. Une fois encore, la lame fendit l'air, si rapide qu'elle était à peine perceptible. Mais elle passa bien au-dessus de l'arme. Le garçon remonta l'épée de quelques doigts.

– Encore.

La lame passa une autre fois, effleurant l'épée. Manaïl considéra l'espace libre sous son arme. Il semblait assez haut pour passer – si une personne très mince retenait bien son souffle.

– Ça devrait suffire, dit-il. Tiens ça. Je vais entrer.

Il tendit son épée à Ermeline et fit mine de s'allonger sur le ventre.

– Peuh ! s'exclama la gitane. Je suis plus petite que toi. Écarte-toi.

Avant qu'il ne puisse s'y opposer, Ermeline se mit à plat ventre, le visage appuyé sur la pierre, le ventre rentré au maximum, le côté des pieds plaqués contre le sol. Jamais elle n'avait essayé de se faire aussi petite.

– Cornebouc..., maugréa-t-elle. Pour une fois, j'aimerais bien avoir le croupion un peu moins rebondi...

– Tu es certaine que tu veux ?...

– Tais-toi ! Qu'ai-je à perdre ? Aussi bien mourir tranchée en deux que de passer le reste de mes jours avec Nergal !

Elle expira pour vider ses poumons, ferma les yeux et commença à ramper sur la pierre avec une prudence infinie. Sous sa joue, elle sentit un léger déclic. Un vent frais lui effleura le cou. Puis plus rien. Frénétiquement, elle passa le reste du corps à l'intérieur.

– Vois-tu un mécanisme quelque part ? s'écria l'Élu, soulagé, lorsque la gitane fut de l'autre côté.

– Il fait noir comme dans le trou de cul du diable ici, rétorqua-t-elle.

Graduellement, ses yeux s'ajustèrent à l'absence des rayons de la lune et elle étudia l'intérieur de la porte. Comme elle l'avait imaginé, une immense lame d'obsidienne en forme de demi-lune était fixée à un axe central, lui-même suspendu à un pivot au-dessus de la porte. Le poids de l'ensemble était supporté par une courte cheville de bois courte. Le fonctionnement du mécanisme était simple mais ingénieux : à chaque pression exercée sur les pierres du seuil, la cheville se rétractait dans la paroi, libérant du coup la lame qui traversait l'espace de l'ouverture puis allait se poser sur une cheville identique de l'autre côté. En cours de déplacement, elle tranchait net tout ce qui se trouvait sur son chemin.

– J'ai trouvé ! Fais glisser mon épée sur le sol.

Une seconde plus tard, l'arme s'arrêta à ses pieds. Elle l'empoigna et se dirigea vers le mécanisme. Juchée sur les orteils, elle coinça la lame en acier de Tolède dans le trou qui abritait la cheville de bois. Elle appuya de toutes ses forces sur le manche et poussa l'épée le plus loin possible.

– Voilà ! Je crois que tu peux y aller.

– Tu n'as pas l'air très sûre...

– C'est le mieux que tu obtiendras dans les circonstances.

– Bon...

Manaïl déglutit, grimaça un peu et, après une courte supplique à Ishtar, s'élança à travers l'ouverture. Il sentit avec épouvante le déclic que faisait la pierre sur laquelle il mit le pied et redouta le pire, mais rien ne se produisit. La lame était bien bloquée. Une seconde plus tard, il était de l'autre côté en un seul morceau.

Sans se préoccuper du mécanisme, qu'il aurait tout le loisir d'étudier plus tard si cela se révélait nécessaire, il s'accroupit auprès de Chicahuac. Le guerrier, livide et maintenant presque exsangue, avait perdu conscience. Un filet de salive coulait de sa bouche entrouverte. Le garçon saisit son avant-bras droit et constata que le sang en sortait toujours, mais en un flot réduit. Le temps pressait. Sans hésitation, il appuya la marque de YHWH sur le moignon sanglant et ferma les yeux.

Comme chaque fois qu'il avait fait ce geste sur quelqu'un d'autre que lui-même, le monde se contracta en une bulle où n'existait plus que l'énergie grouillante de vie qui se canalisait dans sa main gauche. De la même façon que lorsqu'il avait ramené à la vie Clothilde LeMoyne et ses enfants, puis sauvé Ermeline après les tortures infligées par Mathupolazzar et ses fidèles, il perçut dans la mystérieuse force l'étincelle divine qui tirait l'existence de la non-existence, la matière du vide, le mouvement de l'immobilité, les dimensions de l'infini. La puissance de YHWH, vorace et fébrile, exsuda de sa peau pour se répandre dans le corps de l'Aztèque et y attiser la vie qui s'éteignait. Lorsqu'un faible gémissement le ramena brusquement à la réalité, il n'aurait pu dire combien de temps s'était écoulé. Il ouvrit les yeux.

Chicahuac gisait toujours sur le sol. Pâle comme la mort et stupéfait, il regardait fixement le moignon qui avait remplacé sa main droite. La chair s'y était refermée en épaisses cicatrices violacées. Le guerrier leva les yeux vers Manaïl puis s'évanouit.

Ermeline s'agenouilla près de lui et posa sa tête sur ses cuisses pour lui donner plus de confort. Puis elle toisa la main sectionnée, maintenant inerte, qui tenait toujours son épée.

– Tu peux faire quelque chose pour sa main ? s'enquit-elle.

Manaïl secoua la tête et s'assit pour permettre à son cœur de reprendre un rythme normal.

– Il avait perdu beaucoup de sang. Il était presque mort. Je devais faire vite. Mais il vivra.

– Il comprendra, j'en suis sûre. Tu lui as sauvé la vie une seconde fois.

– Il le mérite.

Sans rien dire de plus, l'Élu attendit que la tête cesse de lui tourner. Quand il sentit ses forces lui revenir, il se releva et inspecta la blessure de l'Aztèque. Satisfait du résultat, il s'affaira à inventorier l'endroit où ils s'étaient tous retrouvés. Mais on n'y voyait goutte. Il s'approcha de l'ouverture en prenant garde de ne pas enclencher le mécanisme et utilisa la lumière de la lune qui y pénétrait pour étudier les murs. Les pierres utilisées pour ériger le temple étaient énormes. Il avait peine à imaginer combien d'hommes il avait fallu pour les hisser à pareille hauteur. Il repéra quelque chose qui saillait sur sa gauche, juste à l'écart de l'arc que décrivait la lame, et s'approcha.

Il empoigna l'objet et le retira du simple trou circulaire dans lequel il avait été fiché. Il l'approcha de son nez et le sentit, puis en tâta l'extrémité avec ses doigts. Perplexe, il reconnut la résine un peu durcie.

– Une torche. Neuve..., dit-il, étonné.

Il se dirigea vers Chicahuac et fouilla dans la petite poche de cuir où il conservait les silex. Les ayant trouvés, il les examina un moment et posa la torche sur le sol devant lui. Il les entrechoqua à quelques reprises, comme il avait vu le guerrier aztèque le faire, avant que la première étincelle n'en surgisse. Encouragé, il frappa de plus belle et, bientôt, une étincelle enflamma la torche.

Pendant que la gitane veillait sur Chicahuac, le garçon se releva et inspecta la pièce. Elle n'avait aucune fenêtre, mais de l'autre côté se trouvait une seconde porte. Il porta son attention sur le sol et aperçut les restes de ceux qui avaient tenté de pénétrer dans le temple sans en connaître le secret. Il y en avait peu. Trois ou quatre squelettes tout au plus. L'un avait eu le bras sectionné au coude. Les trois autres s'étaient littéralement fait décapiter et leur tête avait roulé loin de leur corps. Il s'approcha d'eux et les poussa un peu du bout du pied. Le temps avait réduit leurs vêtements en poussière depuis longtemps et il était impossible de déterminer leur identité et leur provenance.

– Quelqu'un est entré dans ce temple récemment, remarqua-t-il néanmoins.

– Que dis-tu là ? s'étonna Ermeline. Observe-les. Ils ne sont plus que des paquets d'os. Ils gisent là depuis des lustres !

Il désigna la torche du menton.

– Je ne pensais pas à eux. Ces ruines sont abandonnées depuis très longtemps, selon Chicahuac. Pourtant, cette torche est récente. La résine est encore fraîche. Tu as vu comme elle a pris feu ? Quelqu'un l'a mise ici voilà quelques années tout au plus.

Il avisa l'autre porte. Elle semblait mener plus avant dans le temple. Il se pencha pour ramasser l'épée aztèque abandonnée par Chicahuac, surmontant sa répugnance pour déplier les doigts déjà tièdes qui s'étaient refermés sur le manche et dégager le poignet tranché de la lanière de cuir. Puis il tendit sa propre rapière à Ermeline.

– Garde ça près de toi. On ne sait jamais.

Manaïl soupesa l'arme et haussa les épaules. Elle ferait l'affaire. Puis il avisa les pierres qui formaient le seuil de la seconde ouverture et appuya dessus une à une. Rien ne se produisit.

Il examina le linteau et les chambranles. Satisfait, il se retourna vers Ermeline.

– Attends-moi ici et veille sur lui. Je reviens.

Sans attendre, il tendit la torche devant lui et traversa l'ouverture. La gitane allait protester mais, déjà, l'Élu avait disparu. Au même moment, une bête gronda au loin, à l'extérieur. Avec la main sectionnée près d'elle et la tête du guerrier inconscient reposant sur ses cuisses, la nuit noire lui parut tout à coup très oppressante.

– Cornebouc..., grommela-t-elle en serrant le manche de la rapière. Ma chevelure pour un moment de calme...

LA VOIE DU SERPENT

L'ouverture donnait sur un escalier sombre qui s'enfonçait à pic dans les entrailles du temple de Quetzalcóatl. Les ténèbres étaient si épaisses que la torche arrivait à peine à éclairer les premières marches luisantes d'humidité, sur lesquelles se reflétait la lumière des flammes. Manaïl passa la lanière de cuir de l'épée de Chicahuac autour de son poignet et laissa l'arme pendre librement à son bras pour pouvoir appuyer la main contre la paroi et se maintenir en équilibre. La torche tendue dans l'autre main, il hésita un moment. La cage de l'escalier lui faisait penser à une gueule prête à l'avaler. Il soupira pour se donner du courage et, avec une infinie prudence, amorça la descente en posant soigneusement le pied sur les marches humides. Il n'avait aucune idée de la longueur de l'escalier et, s'il glissait, Ishtar seule savait où et dans quel état il se retrouverait.

En une minute, le garçon eut l'impression de s'être enfoncé dans un cauchemar. L'escalier descendait à pic pour s'interrompre à toutes les vingtaines de marches. Les murs de chaque palier étaient décorés de la même manière que le sanctuaire de Huitzilopotchli, à Tenochtitlán, c'est-à-dire par des rangées de crânes humains enfilés sur des perches de bois comme les boules d'un boulier. Des fémurs et des humérus formaient des motifs géométriques à la fois écœurants et fascinants. Les ossements, délavés par le temps et les insectes, étaient d'une parfaite blancheur que la lumière des flammes accentuait d'une façon sinistre. Puis l'escalier reprenait vers un nouveau palier tout aussi macabrement paré. Manaïl finit par garder les yeux au sol et se concentra sur ses pas.

Il avait descendu ainsi une vingtaine d'étages, le froid ambiant augmentant à chacun, lorsque l'escalier se termina abruptement quelques pieds devant un mur de grosses pierres brutes. Ayant encore fraîche en mémoire la mésaventure de Chicahuac et craignant un piège, il se garda de faire le moindre pas, se contentant d'approcher la torche de la surface pour l'examiner. Elle ne portait aucune trace d'ouverture.

Pour autant que Manaïl pût évaluer sa progression, il se trouvait bien en deçà du sol, sous la pyramide de Quetzalcóatl. Mais pourquoi quelqu'un aurait-il construit un escalier si long au prix d'efforts gigantesques pour qu'il ne mène nulle part ? Cela n'avait aucun sens.

Il scrutait le mur lorsque son attention fut attirée par un clapotis d'eau. Intrigué, il s'aperçut soudain qu'il avait les pieds submergés. Pestant contre l'humidité des profondeurs, il jeta un regard distrait vers le sol et se figea. Plusieurs doigts d'eau s'y accumulaient et le niveau paraissait monter avec régularité. Déjà, ses chevilles étaient trempées. Le souvenir de s'être presque noyé dans la Seine lui serra aussitôt le cœur et il sentit une panique étouffée l'envahir. Par instinct, il fit demi-tour, avec la ferme intention de remonter l'escalier mais s'arrêta net, sidéré. De l'eau dévalait les marches et la force du courant augmentait à vue d'œil. L'eau venait d'en haut et allait remplir l'espace où il se trouvait. Il était pris au piège.

Le petit ruissellement se mua en trombes violentes, comme si, quelque part en haut, une digue avait cédé. L'eau atteignit ses cuisses. Paniqué, il tenta de gravir les marches, mais le torrent de plus en plus violent lui fit perdre pied et le projeta violemment contre la paroi. Il parvint tout juste à garder la torche hors de l'eau. Une douleur vive parcourut l'épaule qui avait encaissé le choc, mais il n'y fit pas attention. S'il ne parvenait pas à sortir de cet endroit, il n'aurait bientôt plus mal nulle part.

L'eau monta si vite qu'il se retrouva bientôt à flotter. Piètre nageur, il battait des pieds de son mieux tout en s'accrochant aux pierres de la paroi de sa main gauche, l'épée de Chicahuac suspendue à son poignet. Son bras droit était tendu vers le plafond, où l'espace disponible s'amincissait dangereusement. La torche menaçait d'être engloutie et de le laisser dans le noir. À plusieurs reprises, entre ses hoquets apeurés, sa bouche se remplit d'eau et il faillit s'étouffer. Bientôt, sa tête fut appuyée contre le plafond, la flamme près de son visage. Derrière lui, l'escalier avait disparu. Dans quelques secondes c'en serait fini. La lumière s'éteindrait et, dans les entrailles noires de la terre, sa vie en ferait autant. La quête serait terminée.

L'eau atteignit sa bouche et il prit une grande inspiration. Sa dernière. La torche crépitait piteusement et sa bouche se remplissait malgré lui d'eau lorsque ce qu'il lui restait d'attention fut attiré par quelque chose. Profitant de ses derniers instants de lumière, il étira le cou et se colla le nez contre les pierres du plafond. Là, presque invisible, quelqu'un avait gravé un pentagramme dans un cercle.

Sans gaspiller de temps à réfléchir, il enfonça de toutes ses forces sa bague sur le symbole. Le niveau de l'eau sembla se stabiliser et il put prendre quelques inspirations, la joue droite collée au plafond, battant frénétiquement des pieds pour se maintenir à flot. Un puissant gargouillis envahit la pièce et, avec un soulagement infini, il constata que l'eau baissait, s'échappant par une quelconque conduite. Luttant pour maintenir la torche à l'air libre, il sentit ses orteils se poser sur le sol. La tête appuyée contre le mur, il attendit, haletant, et bientôt, il ne resta plus que des pierres humides. Il se laissa tomber à genoux, grelottant de froid et de peur.

Tout ceci ne s'était pas produit par hasard, songea-t-il. Dans les profondeurs du temple, quelqu'un qui était familier avec la nature de sa quête avait gravé dans la pierre le symbole des Mages d'Ishtar. Probablement le même individu qui s'était assuré qu'il ait une torche fraîche à sa disposition. Cette personne lui avait volontairement laissé des directives qui étaient entrées dans les légendes aztèques... Mais qui ? Chacun des cinq Mages d'Ishtar avaient été transporté dans un *kan* prédéterminé par le temple du Temps. Ashurat à Babylone, Hiram à Jérusalem, Abidda à Paris, Nosh-kem et Mour-ît dans deux *kan* différents qui avaient convergé en un seul à Londres. Aucun n'eux n'avait maîtrisé les Pouvoirs Interdits. Aucun d'eux n'avait su comment voyager librement d'un *kan* à l'autre. À sa connaissance, seuls les Nergalii et lui-même avaient cette capacité. Alors qui d'autre ? Les Anciens eux-mêmes ? Après tout, ils semblaient connaître d'avance le déroulement de la quête. Ils avaient bien laissé pour lui un temple et une chambre dans les *kan* de Ville-Marie et de Montréal. Peut-être avaient-ils aussi construit cette ville avant le cataclysme, sachant qu'il s'y présenterait un jour ?

Un sourd grondement interrompit les questionnements de l'Élu. Sous ses pieds, le sol vibra et les murs se mirent à trembler autour de lui. Quelques morceaux de mortier se détachèrent du plafond. Il reconnut sans difficulté les signes, observés dans le tunnel sous le temple de Salomon : la structure allait s'écrouler. Il prit ses jambes à son cou et s'élança dans l'escalier trempé et glissant. Derrière lui, un terrible vacarme éclata et tout se mit à trembler.

Il n'avait gravi que quelques marches lorsqu'un silence épais enveloppa l'espace. Il sentit un mouvement d'air et la flamme de la torche vacilla. Il s'arrêta et se retourna. Un bloc de pierre s'était détaché de la paroi et gisait sur le sol. Méfiant, il redescendit prudemment et s'approcha.

L'ouverture ainsi libérée était tout juste suffisante pour permettre à un homme de s'y glisser. Avec prudence, le garçon y passa la torche en faisant attention de garder sa main à l'extérieur du trou, craignant un mécanisme semblable à celui de l'entrée du temple. Rien ne survint. Il jeta un coup d'œil des deux côtés. La lumière éclaira une petite portion du plancher et des murs, en pierre taillée eux aussi. Se servant du bloc délogé comme marchepied, il passa l'autre bras dans l'ouverture et se hissa à l'intérieur. En équilibre sur le ventre, les jambes pendant encore dans l'antichambre devant l'escalier, il observa de nouveau.

La pièce était ronde, comme celle qu'avaient aménagée les Anciens entre hier et demain, dans le *kan* de Montréal. Mais il ne s'y trouvait ni siège ni momie. Seul un petit autel formé d'une table rectangulaire et de deux colonnes grossières trônait au centre. Manaïl passa le reste du corps dans l'ouverture et chut lourdement à l'intérieur. Alerte, il se releva et fit lentement le tour de la salle en éclairant la moindre surface. Les murs, le plafond et le plancher étaient de pierre nue. Il ne put déceler aucune ouverture indiquant la présence d'un piège. Après les vipères, le *golem*, l'eau et tout le reste, il valait mieux être prudent.

Rassuré, il s'approcha de l'autel. La table était pourvue d'un trou à son extrémité. Il y inséra la torche et constata sans grande surprise qu'elle s'y encastrait à la perfection. Puis il posa son épée et l'appuya contre l'autel sans vraiment s'en rendre compte, estomaqué et incapable d'arracher son regard de ce qui se révélait à lui. Pour la première fois depuis le *kan* d'Éridou, les choses semblaient devenir plus claires.

Au centre de l'autel était encastré un magnifique anneau en or sur lequel la lumière dansante des flammes se reflétait gaiement. Il fallut au garçon de longues secondes pour se remettre à respirer. Inconsciemment, il porta les doigts de sa main gauche au bracelet trouvé dans la demeure de Naska-ât, sur lequel étaient gravés les trois mystérieux symboles. Comme l'un d'eux, l'anneau doré représentait un serpent qui mordait sa propre queue.

Gravé dans le plus pur style aztèque, le reptile s'enroulait autour d'un disque de pierre semblable à celui qu'il avait découvert dans le temple de Nergal. Manaïl se pencha vers l'avant pour mieux le voir. Les symboles qu'il portait, s'ils étaient les mêmes, y étaient par contre disposés dans l'ordre inverse. Le pentagramme bénéfique surmontait sa contrepartie maléfique. Le triangle pointant vers le ciel recouvrait celui qui tendait vers la terre. Tout cela dans un cercle centré d'un point. Le sens en était clair : sur ce disque, le Bien dominait le Mal et le moment initial pouvait être conditionné par le Bien. Ce symbole représentait le contraire du Nouvel Ordre.

Suis la voie tracée par le serpent, avaient ordonné les Mages dans son rêve. On aurait presque dit que le serpent gardait l'objet et l'enveloppait de sa protection.

En évitant de le toucher, Manaïl considéra pensivement le disque. Si Mathupolazzar avait possédé un objet semblable, entre les mains de qui avait pu se trouver son contraire ? Qui était la contrepartie du grand prêtre de Nergal ? Une seule réponse était possible : Naska-ât. Le prêtre d'Ishtar avait formé les cinq Mages et leur avait confié chacun un fragment du talisman qu'il avait démantelé. Il leur avait transmis les connaissances dont ils avaient besoin. Puis il les avait envoyés chacun dans un *kan*. C'était ce que maître Ashurat lui avait raconté. Mais rien ne prouvait que c'était là toute l'histoire. Il était possible que Naska-ât ait détenu des connaissances plus vastes que celles qu'il avait transmises à ses disciples. Des connaissances qu'il avait choisi de garder pour lui. Mais pourquoi ? La légende ne disait pas s'il avait fait quelque chose d'autre avant de trépasser. Le maître des Mages d'Ishtar avait laissé son bracelet pour l'Élu. Avait-il lui-même joué un rôle secret dans la quête ? Cela expliquait sa mystérieuse disparition. Avait-il quitté non seulement la ville d'Éridou, mais aussi son *kan* ? Si oui, était-il celui qui avait enfoui cet objet dans les tréfonds de la terre, sous un temple abandonné perdu au milieu de la jungle ? Et pourquoi ? À quoi devait-il servir ?

D'un coup d'œil, Manaïl vérifia la torche. Elle avait beaucoup raccourci et ne brûlerait plus très longtemps. S'il ne voulait pas le faire dans le noir, il devrait bientôt remonter. Il reconsidéra le disque avec un empressement accru. Était-il comme l'autre ? Se souvenait-il de celui qui l'interrogeait ? Si tel était le cas, à quoi bon l'explorer puisqu'il ne possédait pas les doigts de Naska-ât ?

Le garçon se raidit. Il ne possédait peut-être pas ses doigts, mais il portait *le bracelet* de Naska-ât ! Le serpent le lui avait bien dit dans son rêve : *toute la connaissance est au centre.* Et le disque était placé au centre du serpent qui devait lui indiquer la voie... Il ne pouvait y avoir qu'une seule explication : en lui laissant le bracelet, Naska-ât lui avait légué un objet personnel qui lui donnerait accès au message contenu dans le disque ! Et si rien ne se produisait, c'était que quelqu'un d'autre que le vieux prêtre avait déposé l'objet dans cet endroit.

Manaïl inspira, ferma les yeux et pressa le bout des doigts sur le symbole sculpté. Il sentit un petit picotement sur sa peau, sous le bracelet et, comme la fois précédente, le monde disparut brusquement. La chambre ronde, les murs, la paroi, l'escalier, tout cela était immatériel et existant quelque part, ailleurs. Mais pas dans la dimension où il se trouvait. Devant ses yeux fermés, les filaments multicolores, infinis en nombre et en variété, dansaient et s'entortillaient les uns autour des autres avant de s'écarter et de reprendre leur course vers nulle part. La structure même du temps et de l'espace se déployait une fois de plus, se dessinant et se redéfinissant sans cesse. Un filament se détacha des autres et se mit à osciller devant lui, comme s'il désirait attirer son attention. Manaïl tendit vers lui une main qui n'était pas de chair et le saisit avec délicatesse entre ses doigts.

Un *kan* inconnu lui apparut. Sur une rue large et bordée d'arbres, les hommes et les femmes étaient vêtus d'une façon qui lui rappelait le *kan* de Londres, dont ils semblaient aussi parler la langue. Les bâtiments de pierres grises à plusieurs étages étaient appuyés contre des maisons basses en briques rouges. Au niveau du sol, des auvents annonçaient la présence de boutiques. L'air pressé, plusieurs passants se dirigeaient vers un magnifique édifice situé au bout de la rue, au centre duquel une bâtisse ronde en construction montait vers le ciel.

Au prix d'un violent effort de volonté, l'Élu retira ses doigts du disque, s'arrachant au bien-être indescriptible que procurait l'univers des *kan*. Il s'écroula aussitôt sur le sol, haletant et vidé de ses forces. À quatre pattes, la tête pendant vers l'avant, les yeux mi-clos, il attendit que le malaise se dissipe. Le soulagement lui vint plus vite qu'à l'accoutumée et, malgré lui, il apprécia cet avantage que la puissance de Nergal lui prodiguait.

Il secoua la tête pour s'éclaircir les idées. Naska-ât avait voulu lui indiquer une voie à suivre. Cela était logique puisque l'Élu ne le connaissait pas. Comment aurait-il pu se servir de lui comme ancrage ? Et pour quelle raison ? Qu'avait-il à faire dans ce *kan* inconnu ?

Les cinq fragments étaient regroupés dans le *kan* où Ermeline et lui se trouvaient en ce moment même. Pourquoi se rendre ailleurs ? Pour détruire le talisman ? Il avait toujours cru que la lutte ultime se déroulerait dans le *kan* d'Éridou, là où les Nergalii avaient tenté d'ouvrir le portail. Peut-être s'était-il trompé ? Au fond, sur quoi se basait-il sinon sur une présomption ? Mais peut-être aussi n'avait-il pas compris le message du vieux prêtre ? Peut-être, sans le savoir, n'avait-il pas suivi la voie tracée pour lui ?

Il n'avait aucune idée du temps qui s'était écoulé pendant qu'il était en contact avec le disque, mais la torche avait encore raccourci. S'il ne remontait pas sous peu, il risquait de la voir s'éteindre en chemin.

Il s'empara du disque et le glissa dans sa ceinture, puis ramassa l'épée de Chicahuac. De l'autre main, il reprit la torche, se glissa dans l'ouverture, sortit de la chambre ronde et s'engagea dans l'escalier au pas de course. S'il faisait vite, il atteindrait la sortie avant que la lumière ne lui fasse défaut.

LA PROMESSE

Dès qu'il entendit les pas du garçon, avant même de voir la lumière dans l'ouverture, Chicahuac bondit sur ses pieds, une épée brandie dans la main qui lui restait, prêt à se défendre malgré sa faiblesse. En voyant Manaïl émerger, un bout de torche à la main, il se détendit et se rassit lourdement, visiblement soulagé de ne pas avoir à livrer bataille. Son visage était encore pâle, mais son regard était alerte et déterminé.

– Heureux de te revoir, *nahualli*, dit-il d'une voix empreinte de fatigue, un faible sourire s'effaçant de ses lèvres aussi vite qu'il s'y était formé.

L'Élu s'approcha de lui, s'accroupit et s'attarda au bras droit du guerrier, qui se terminait au poignet.

– Tu te sens mieux ?

– Oui. Et pourtant, je devrais être mort. Une fois encore, quelque chose d'inexplicable s'est produit…

Pendant ce temps, sur le visage d'Ermeline, les émotions s'étaient succédé, passant du soulagement à l'attendrissement puis à la colère.

– Cornebouc ! Mais où étais-tu passé ? s'indigna-t-elle. Tu es descendu au fond de l'enfer ou quoi ? Tu es parti depuis au moins deux heures !

Avant qu'il ne puisse se justifier, la gitane s'approcha de lui et lui administra une de ses douloureuses claques sur l'épaule.

– Ingrat ! Bohème ! laissa-t-elle fuser, en proie à une sainte colère. J'étais seule à croquer le marmot[1] avec le cannibale esmoignonné[2] qui n'en finissait plus de dormir en se lamentant ! Je n'avais même pas de lumière. Le plus petit bruissement me faisait sursauter ! Et il y avait cette main qui commence à empester, mais que je n'osais pas jeter dehors de peur de trahir notre présence. Et il y a du sang partout. Je... Je...

Les larmes qui montèrent dans ses magnifiques yeux parurent la prendre par surprise. Ses lèvres se mirent à trembler. Orgueilleuse, elle se fit violence pour ne pas pleurer. Elle posa plutôt une tendre caresse sur la joue de Manaïl.

– Misérable fils de cochon... Je croyais que... que tu ne reviendrais pas, que je resterais ici, seule, murmura-t-elle d'une voix tremblante en baissant les yeux.

1. Poireauter.
2. Estropié.

Son visage prit une expression angoissée.

– Tu es trempé…, dit-elle, hébétée. Que t'est-il arrivé ?

– Assieds-toi, suggéra Manaïl. Je vais te raconter.

Il toisa Chicahuac. Le guerrier avait fermé les yeux et s'était rendormi. Sa tête reposait sur une de ses épaules et il respirait profondément, la main posée sur le manche de l'épée.

L'Élu relata alors ce qui s'était passé depuis le moment où il avait franchi la porte et montra à sa compagne le disque qu'il avait ramené.

– Il est semblable à celui qui avait été laissé dans le temple de Nergal, sauf que le symbole pointe vers le haut. Je crois qu'il s'agit de la contrepartie du disque d'Éridou et que les Nergalii et les Mages d'Ishtar avaient chacun le leur.

– Et tu n'as aucune idée de la raison pour laquelle il a été placé là ?

– Je ne suis pas certain… En le touchant, j'ai vu un *kan* qui m'a rappelé celui de Londres… Je présume qu'il s'agit d'une direction que Naskaât voulait m'indiquer, mais je ne comprends pas pourquoi je devrais m'y rendre. Après tout, c'est dans ce *kan*-ci que les cinq fragments sont réunis.

– Peut-être que c'est le *kan* où tu dois détruire le talisman.

– J'y ai songé. J'ai toujours pensé que c'est à Éridou que je devrais le faire. Après tout, c'est là que tout a commencé. Mais peut-être que je fais erreur. La prophétie des Anciens dit seulement que *l'Élu se lèvera, rassemblera le talisman et le détruira.* Elle ne précise pas où cela se produira. Ni comment.

– Hum… *Mysterium hoc magnum est*[1]. Mais chaque chose en son temps. Commence par regrouper les fragments. Tu verras toujours ensuite.

Ermeline examina longuement ses doigts. Elle semblait préoccupée.

– Qu'est-ce qu'il y a ? demanda le garçon.

– Je… Pendant ton absence, j'ai songé au pacte que j'ai conclu avec Nergal, dit-elle à mi-voix. Si jamais tu vois que… que ta quête est perdue, j'aimerais que… j'apprécierais que…

Elle releva la tête, vrilla ses yeux dans ceux du garçon et le saisit fermement pas les bras.

– Si jamais tu échoues, promets-moi que tu me tueras. Je ne veux pas passer l'éternité avec Nergal, cracha-t-elle d'une voix pressante.

– Non… Nous n'en viendrons pas là…

– Promets-le ! insista Ermeline.

– Je…

– Promets ! Sur la dépouille de ton maître !

Devant le désarroi de sa compagne, Manaïl baissa les yeux et céda. Elle ne méritait pas moins que ce qu'elle exigeait.

– D'accord. Je te le promets. Sur la dépouille de maître Ashurat. Mais je t'assure qu'avant,

1. En latin : Ce mystère est grand.

je ferai tout ce qui est possible pour te libérer de ton pacte, insista l'Élu.

– Je sais... Tu veux tuer un dieu pour me sauver, murmura la gitane, qui sentit ressurgir les larmes. Adorable fou.

À cet instant précis, la torche crépita une dernière fois et s'éteignit. Plongé dans le noir, Manaïl sentit des lèvres chaudes qui se pressaient contre les siennes et le souffle de la gitane sur sa joue. Il s'abandonna au fugitif instant de bonheur qui fut trop vite interrompu par la voix de Chicahuac.

– Vous êtes là tous les deux ?

– Oui, répondit l'Élu.

– Je ne suis pas certain d'avoir compris tout ce que tu as raconté à *nenepilli*, mais je suis convaincu d'une chose : l'objet que tu cherches doit être détruit. Je tiens à ce que mon... *kan* survive.

– Tu as l'intelligence vive et le sommeil léger, cannibale..., remarqua Ermeline, narquoise, mais avec une pointe d'affection et de respect.

– Un guerrier digne de ce nom ne dort que d'un œil et d'une oreille.

– J'ai posé ton épée près de toi, dit le garçon. Tu pourras encore t'en servir ?

– Il me reste ma main gauche et elle est à ton service. Je t'aiderai de mon mieux.

– Tu te sens capable de marcher ?

– Oui. Et de combattre s'il le faut.

– Alors, allons-y.

Dans le noir, Manaïl remit le disque dans sa ceinture et ramassa un des humérus qui traînaient sur le sol. Ermeline et Chicahuac se levèrent.

– Restez là, ordonna-t-il.

Il retrouva à tâtons l'épée qui bloquait la chute de la lame d'obsidienne et la dégagea du mur, réactivant le piège qui protégeait l'entrée du temple. La lame siffla aussitôt dans les airs devant lui. Lorsqu'elle eut complété son arc, il la bloqua d'un geste vif à l'aide de l'os puis passa l'épée dans l'ouverture. Rien ne se produisit.

– Voilà. Ça semble solide. Attendez que je sois sorti.

La gorge nouée, il franchit le seuil de pierre sans être coupé en deux.

– Venez, fit-il en se retournant.

Soulagés, ils se retrouvèrent tous à l'extérieur. Manaïl abattit son épée sur l'os, qui se brisa en deux sous le choc. Aussitôt, le pendule mortel traversa l'ouverture. Le mécanisme était enclenché. Plus personne n'entrerait dans le temple.

Dans la lumière de la lune qui, déjà, commençait sa descente vers l'horizon, l'Élu, la gitane et l'Aztèque longèrent les ruines de l'avenue des Morts en direction de la grande pyramide. Instinctivement, le jeune homme plaça la marque de YHWH sur sa poitrine, à l'affût de la douleur qui, l'espérait-il, lui indiquerait la proximité des fragments.

VERS LES FRAGMENTS

Dans une pièce située non loin de la plate-forme des sacrifices, Mathupolazzar faisait les cent pas, sa marche énergique faisant virevolter sa robe noire autour de ses jambes. Périodiquement, sans trop s'en rendre compte, il serrait et massait dans sa main la pochette de cuir sur sa poitrine. Autour de lui, deux Nergalii, un homme et une femme, l'épiaient avec inquiétude.

– Mais qu'est-ce qu'ils font ? rugit-il avec impatience pour la vingtième fois. Pourtant, j'ai bien senti leur arrivée. Le temps a fluctué, j'en suis sûr.

– Ils sont sans doute en chemin, suggéra un homme entre deux âges aux longs cheveux noirs taillés à l'épaule et au visage orné d'une fine barbiche. Tandurah et Amadi-nîn ne sont pas des incapables.

– Je trouve qu'il leur faut bien du temps. Ils n'avaient qu'à éliminer l'Élu, lui arracher le fragment qu'il possède et nous rejoindre sans délai. Ils devraient déjà être ici. Je crains que quelque chose n'ait mal tourné. Il y a des bêtes bien étranges dans les forêts de ce *kan*...

La femme releva le sourcil. Grande et mince, ses cheveux portaient encore le henné dont elle les avait teints dans le *kan* d'où elle était revenue lorsque le maître les avait tous rappelés. Quelque part entre la trentaine et la quarantaine, elle semblait calme et sûre d'elle. Son regard soutint celui de Mathupolazzar sans la moindre hésitation.

– Et si l'Élu avait déjoué notre piège ? proposa-t-elle. Si la fluctuation que nous avons ressentie avait été provoquée par lui plutôt que par nos frères ? S'il se trouvait dans ce *kan*, en ce moment même ?

– Impossible ! rétorqua l'homme avec agressivité. Ce garçon est étonnant, soit, mais il est aussi naïf. Il ne se sera pas méfié d'un prêtre d'Inanna et il aura senti la présence d'un fragment dans le temple.

– Ce ne serait pas le premier traquenard qu'il déjouerait, insista la femme.

– Ni le premier dans lequel il tombe, répliqua le Nergali. Jusqu'à maintenant, il a été beaucoup plus chanceux qu'habile.

Mathupolazzar cessa brusquement sa marche et se prit la tête à deux mains.

– Suffit ! coupa-t-il. Demain matin, si Tandurah et Amadi-nîn ne sont pas revenus, nous enverrons quelqu'un dans le *kan* d'Éridou voir ce qui se passe. D'ici là, que l'on poste des gardes à toutes les entrées, mais qu'ils restent discrets. Nolishka a raison. Mieux vaut être prudents.

– Bien, maître.

Le Nergali s'inclina et sortit de la pièce. Le grand prêtre se retourna vers la femme.

– J'espère que tu as tort, Nolishka.

– Moi aussi, maître. Moi aussi... Mais j'ai un drôle de pressentiment.

La Nergali quitta la pièce à son tour et Mathupolazzar se remit à marcher de long en large en massant la pochette de cuir entre ses doigts.

✦

Dissimulés derrière un monument à demi effondré le long de l'avenue des Morts, Manaïl, Ermeline et Chicahuac surveillaient la grande pyramide. La lune trônait à son sommet et donnait l'illusion de s'y être posée, lui donnant un air à la fois majestueux et lugubre, comme si l'astre froid de la nuit répandait sur lui sa sinistre protection.

L'Élu toisait l'immense escalier qui menait à la plate-forme où se trouvaient les accès qui menaient à l'intérieur.

– Il y a un autre moyen d'entrer ? interrogea-t-il.

– Il y a certainement une entrée au niveau du sol, à l'arrière, dit Chicahuac. Les portes du sommet ne sont utilisées que pour conduire les victimes directement à l'autel durant les cérémonies.

– Allons voir.

Se déplaçant en catimini dans le noir, ils longèrent les ruines et atteignirent l'arrière de l'immense structure. Comme Chicahuac l'avait espéré, ils trouvèrent une porte au niveau du sol.

– L'entrée des prêtres, l'informa l'Aztèque. Ils vivaient sans doute dans le temple, comme les nôtres.

– Elle n'est même pas gardée, remarqua Ermeline. On dirait bien que les Nergalii ne se doutent pas encore que leur petite surprise a échoué.

– Tant mieux.

– Ou alors, il s'agit d'un autre piège…

– On verra bien.

En silence, leur épée brandie devant eux, ils entrèrent. Le couloir dans lequel ils se trouvaient était si noir qu'ils ne pouvaient se voir l'un l'autre. Chacun posant la main sur le mur pour se guider, ils avancèrent avec une extrême prudence pour ne pas heurter quelque chose et alerter les Nergalii de leur présence. À tâtons, ils parvinrent à une intersection. Soudain, Manaïl émit un grognement dans le noir.

– Tu as mal ? s'enquit la gitane, derrière lui, en posant la main sur son épaule.

– Oui, murmura le garçon, les dents serrées, en appliquant la marque de YHWH sur sa poitrine. Enfin... Les fragments sont tous ici, j'en suis sûr.

– Nous sommes dans les caves, remarqua Chicahuac. Ceux que tu cherches doivent se trouver plus haut. Continuons. Tôt ou tard, nous croiserons un escalier.

Ils allaient se remettre en marche lorsque des pas résonnèrent au loin dans le noir. Retenant leur souffle, ils se plaquèrent contre la paroi humide, derrière le coin, leur arme prête à frapper.

La lueur d'une torche illumina l'extrémité du corridor et s'intensifia. Les pas s'approchaient rapidement. Puis, des voix devinrent perceptibles. Deux hommes discutaient sans chercher à être discrets. Manaïl risqua un bref coup d'œil.

Les Nergalii avaient rabattu leur capuchon et les flammes illuminaient leurs visages. Ils se dirigeaient droit vers eux. Avaient-ils découvert leur présence ? Dans la pénombre, Manaïl serra la main sur la poignée de sa rapière. Devant lui, Chicahuac soupesa son épée de sa main gauche, fit une moue satisfaite et leva l'arme. Derrière eux, Ermeline était déjà en position d'attaque, son arme parallèle au sol.

Lorsque les intrus tournèrent le coin, l'épée de l'Aztèque décrivit un gracieux arc de cercle et des éclaboussures rouges explosèrent dans l'espace. Un homme s'écroula, la gorge tranchée, incapable de faire le moindre bruit, et sa torche roula sur le sol. Pris au dépourvu, l'autre Nergali dégaina une dague de bronze, mais l'arme de Chicahuac lui trancha net le poignet. Sa bouche s'ouvrit, mais son hurlement fut interrompu par la lame de Manaïl qui pénétra sa gorge pour ressortir par sa nuque. Le garçon le soutint pour le déposer en silence sur le sol, retira son arme et l'essuya négligemment sur la robe de sa victime.

Ermeline toisa les deux cadavres et admira un moment la main qui gisait, inerte, près du second.

– Deux truandailles[1] de moins... Dommage que nous ne puissions pas tous les ficher en pal[2] d'un seul coup.

Manaïl ne l'écoutait pas. Il s'était accroupi près des Nergalii sans vie et les dépouillait de leur robe noire déjà souillées par le sang qui s'écoulait en abondance de leurs plaies. Lorsqu'il eut terminé, il passa une des robes avec une grimace de dégoût. Puis il tendit l'autre à la gitane qui, comprenant ses intentions, la passa à son tour.

– Voilà, déclara le garçon, satisfait de l'effet général. De cette façon, nous ne serons que deux Nergalii qui conduisent un prisonnier.

– Brrr... Porter les hardes d'un de ces suppôts me donne la nausée, grimaça Ermeline en décollant la robe humide de ses cuisses.

---

1. Voyous.
2. Empaler.

Le garçon s'attarda aux deux cadavres maintenant nus qui gisaient dans une mare de sang. Il se pencha pour ramasser la torche échappée.

– J'ai l'impression qu'ils se rendaient monter la garde près de la porte par laquelle nous sommes entrés, remarqua-t-il, un peu dépité. Ça n'augure rien de bon.

– Tu crois qu'ils savent que tu as survécu ? demanda Ermeline.

– Peut-être sont-ils seulement prudents, répondit-il sans conviction.

– Ils ne l'étaient pas plus tôt ce soir, nota l'Aztèque. Lorsque nous sommes arrivés en vue de la cité interdite, il n'y avait aucune sentinelle. Quelque chose a changé depuis.

Manaïl remonta le capuchon sur sa tête et Ermeline l'imita. Ainsi déguisés, ils se sentirent un peu moins vulnérables. Ils glissèrent leur arme dans les plis de leur robe et suspendirent l'épée d'obsidienne au poignet gauche de l'Aztèque. Puis ils lui ramenèrent le bras derrière le dos, comme s'ils le lui tordaient. Ils se positionnèrent de manière à dissimuler l'arme du guerrier. Encadrant leur prisonnier fictif, ils se remirent en route dans le couloir en prenant soin de garder la tête penchée afin que leur visage reste caché.

Après quelques minutes, ils atteignirent enfin l'escalier recherché et le gravirent. L'étage auquel ils parvinrent était faiblement éclairé par quelques torches fichées aux murs, ce qui leur permit d'abandonner la leur, que le garçon éteignit en en pressant l'extrémité contre le mur. Ils s'immobilisèrent, aux aguets, examinant les deux extrémités du long corridor et tendant l'oreille, mais ils n'aperçurent personne.

Faisant toujours semblant de tenir Chicahuac par les bras, ils prirent à droite. Ils avaient presque atteint la jonction d'un autre couloir quand un homme encapuchonné tourna le coin. Aussitôt, l'Élu et la gitane baissèrent la tête, ajustèrent leur capuchon et gardèrent un pas lent et mesuré. Le cœur battant, ils croisèrent le Nergali, la main prête à empoigner leur épée. À leur grand soulagement, l'homme passa sans rien dire, les mains enfilées dans ses larges manches, et poursuivit son chemin d'un pas pressé sans même paraître remarquer leur présence.

Ermeline laissa échapper un profond soupir. Ils allaient tourner le coin vers la gauche lorsqu'une voix retentit derrière eux et se répercuta sur les murs de pierre.

– Hé ! Vous autres !

Manaïl se crispa et s'immobilisa. Ils étaient démasqués. L'adorateur de Nergal allait sans doute donner l'alerte. Il posa subrepticement la main sur le manche de sa rapière et vit que, derrière son dos, Chicahuac avait empoigné solidement son arme. Le garçon se retourna et resta immobile sans dire un mot.

– Vous allez dans la mauvaise direction, dit le Nergali en indiquant la droite. Les prisonniers, c'est de ce côté. Je ne peux pas vous blâmer. Ce maudit temple est un vrai labyrinthe.

– Tu as bien raison, mon frère, dit Manaïl d'une voix qu'il espérait sûre.

– Vous avez besoin d'aide ?

– Non. Ça ira. Merci.

– Très bien.

Le Nergali tourna les talons. Le souffle court, l'Élu s'empressa de conduire Ermeline et Chicahuac dans la direction indiquée.

Ce couloir était différent. Les murs étaient percés de portes situées à égale distance les unes des autres, chacune surmontée d'un linteau massif qui permettait de supporter une partie du poids de la structure de pierre.

– Tu sens toujours quelque chose ? s'enquit la gitane.

– La douleur est encore là, mais pas plus intense que tout à l'heure. Pour l'instant, la marque de YHWH la contient. Les fragments doivent se trouver plus haut.

Leur progrès fut interrompu par un cri à peine audible. Ermeline s'arrêta net, interdite, et étira le cou.

– Cornebouc... On aurait dit un enfançon qui pleurait...

Le cri retentit à nouveau, au loin, suivi de celui d'une femme et d'un misérable couinement de terreur.

– Tu as entendu ?

– Il est sans doute gardé pour le prochain sacrifice, expliqua Chicahuac.

– Sacrifier un bébé…, cracha la gitane.

– Les nourrissons sont des offrandes très appréciées des dieux.

– Ces sauvages sont aussi fous que les Nergalii, grommela la jeune fille.

– Allons voir.

Ermeline lui attrapa le bras.

– Occupe-toi plutôt des fragments.

Le visage de l'Élu se durcit.

– Et laisser les Nergalii sacrifier d'autres innocents ? J'ai déjà trop de morts sur la conscience. Par Ishtar, ceux-là vivront.

Ils encadrèrent Chicahuac en s'assurant qu'il tenait fermement son arme derrière son dos, empoignèrent la leur sous les plis de leur robe et franchirent une porte sur leur droite.

La pièce était remplie de cages de bois dont la plupart étaient vides. En tout, six prisonniers, hommes, femmes et enfants, dans des états variables de nudité, gisaient dans leurs excréments. La puanteur était indescriptible. Tous étaient maigres à faire peur et avaient le même air hébété, brisé. Il leur fallut plusieurs secondes pour réagir à l'arrivée des nouveaux venus encapuchonnés. De petits gémissements de bêtes effrayées s'élevèrent et chaque prisonnier se recroquevilla le plus loin possible dans la cage où il était enfermé. Certains tremblaient de tous leurs membres pendant que des larmes roulaient sur leurs joues alors que d'autres se contentaient d'attendre avec une attitude résignée. Dans une des cages,

Manaïl vit une flaque se former sous un homme qui urinait de terreur.

La captive qui se trouvait la plus près de l'Élu serrait un nourrisson contre elle, le visage contorsionné par le désespoir, en hochant convulsivement la tête. Le bébé hurlait et elle le protégeait de son mieux de ses bras pour empêcher un Nergali de le frapper avec le bout d'une perche en bois qu'il avait glissée entre deux barreaux.

– Fais taire cette bestiole, tu m'entends? gronda une voix féminine. J'en ai assez de l'entendre brailler! S'il pleure encore, je le donnerai aux jaguars!

Manaïl sentit son sang bouillir dans ses veines. Tel un automate, il s'approcha de l'adoratrice de Nergal et lui tapa sur l'épaule. La femme sursauta, se retourna et crut apercevoir un de ses frères.

– Que veux-tu ? demanda-t-elle en se détendant.

Pour toute réponse, l'Élu lui écrasa son poing dans la figure. Avec une satisfaction sauvage, il sentit le nez de la Nergali s'enfoncer sous ses jointures et ne put s'empêcher de sourire en la voyant se tordre par terre, les mains sur son appendice sanglant. Il empoigna sa rapière et l'appuya sur la gorge de la femme, qui se figea et porta sur lui un regard d'incompréhension.

Manaïl rabattit alors son capuchon et prit un plaisir sadique à voir l'expression de surprise de la Nergali lorsqu'elle reconnut le visage dur et haineux qui se tenait au-dessus d'elle. Ce fut l'image qu'elle emporta en enfer après que l'acier de Tolède se fut enfoncé dans sa chair et ait tranché ses voies respiratoires.

Abandonnant sa victime, le garçon se dirigea vers les cages. La mère du nourrisson le fixait, les yeux exorbités, les lèvres tremblantes de terreur, les joues mouillées de larmes, sans comprendre ce qui venait de se dérouler devant elle.

– Non..., gémit-elle. Je t'en supplie, *tlacatecolotl*[1]. Pas mon enfant...

Chicahuac s'approcha d'elle à son tour.

– Ces *teules* ne sont pas comme les autres, lui chuchota-t-il. Ils ne vous veulent aucun mal.

Déjà, Manaïl et Ermeline ouvraient les cages, libérant les prisonniers stupéfaits. Lorsqu'ils furent tous sortis, ils restèrent blottis les uns contre les autres, attendant la suite. Le garçon se retourna vers Chicahuac.

– Tu en as déjà trop fait pour moi, lui dit-il. Je n'ai pas pu sauver ta main, mais je peux encore préserver ta vie. Mène-les vers la sortie. À moins que les Nergalii se soient déjà aperçus que deux des leurs manquent à l'appel, ils pourront s'enfuir sans être vus. Et toi, tu pourras retourner à Tenochtitlán.

– Mais toi, *teule* ? Je t'ai promis mon aide.

1. En nahuatl : diable.

– Sans toi, je ne serais jamais parvenu jusqu'ici. Maintenant, je dois poursuivre seul avec Ermeline. Aide-moi une dernière fois en leur évitant d'être sacrifiés. Je sais que je peux compter sur toi.

Chicahuac réfléchit quelques instants et finit par acquiescer de la tête.

– Si c'est ce que tu souhaites. Bonne chance, dit-il en levant son épée vers son front. Que les dieux te protègent, toi et *nenepilli*.

– Allez, répliqua l'Élu. Ne perds pas de temps.

Sans plus attendre, Chicahuac et les prisonniers disparurent sans bruit, abandonnant Manaïl et la gitane parmi les cages vides.

– J'espère qu'ils s'en tireront, dit Ermeline, encore ébranlée par l'horrible spectacle de leur misère.

– Chicahuac saura les mener vers la sécurité. Maintenant, occupons-nous des fragments. Nous avons encore quelques heures avant que le jour se lève.

À leur tour, ils reprirent le couloir à la recherche d'un escalier qui les mènerait vers les Nergalii.

PRÈS DU BUT

Chaque nouvel étage gravi confirmait cruellement à Manaïl qu'il approchait du but. Il avait eu du mal à monter les dernières marches du troisième et dernier escalier tant la douleur s'était intensifiée. Des élancements lui parcouraient le corps et il avait l'impression que sa poitrine allait exploser tant les fragments qui s'y trouvaient s'agitaient, attirés par la proximité des autres. La peau s'y étirait dans tous les sens, comme si un démon avait voulu en surgir. Une seule fois, il avait ressenti cette douleur avec une telle intensité : lorsque les cinq fragments avaient été regroupés, dans le *kan* de Londres.

Ermeline dut le soutenir pour l'aider. Lorsqu'ils parvinrent à l'étage, il s'appuya le dos au mur et se laissa lentement glisser jusqu'au plancher en grimaçant, la marque de YHWH fiévreusement appuyé sur le fragment, des sueurs froides formant des rigoles sur ses joues et sa nuque. Il ferma les yeux. La jeune fille jeta un coup d'œil dans toutes les directions, mais personne ne se manifesta.

– Ça ira ? demanda-t-elle, inquiète, après un moment.

– Oui..., haleta le garçon. C'est déjà mieux... C'est ma faute... J'aurais dû garder la marque sur ma poitrine en tout temps... J'ai été imprudent.

– Ça fait vraiment très mal ?

– Plus que jamais... On dirait que la douleur s'est insinuée dans mes os et que je brûle de l'intérieur... J'ai mal partout. Les fragments sont tout proches.

Comme les autres, le couloir était éclairé par quelques torches. Sur le mur extérieur, par des ouvertures trop minces pour être qualifiées de fenêtres, les premiers rayons violacés et bleutés du soleil paraîtraient bientôt.

Aidé par la gitane, Manaïl se remit debout. Il appuya l'arrière de sa tête contre la pierre froide et inspira à quelques reprises pour tenter de chasser ce qui restait d'élancements. Il sentait ses jambes qui tremblaient encore un peu sous lui, mais, grâce à la mystérieuse magie de Hanokh, la douleur s'était atténuée et devenait tolérable.

– On y va ? s'enquit Ermeline.

Le garçon hocha la tête et son regard retrouva une partie dc son éclat. Il jeta un coup d'œil préoccupé vers les ouvertures.

– Hâtons-nous pendant qu'ils dorment. Continuons de monter.

– Les Nergalii ne doivent plus être très loin.

– Tu ne prévois tout de même pas foncer tête baissée sur deux dizaines de ces chiures de vipère ? Tu es en piteux état, je te rappelle… Et nous ne sommes que deux.

– Un seul d'entre eux m'intéresse. Là où est Mathupolazzar se trouvent aussi les fragments. Si je peux arriver à le prendre par surprise, je lui ferai son affaire. Il n'est courageux que lorsqu'il est bien entouré. Autrement, il pleurniche comme un lâche à la première menace, cracha l'Élu en se rappelant les suppliques que lui avait adressées le grand prêtre de Nergal lorsqu'il avait fait irruption dans le temple pour reprendre le fragment que lui avait arraché Arianath. Si tout se passe bien, nous serons repartis avant que les autres ne s'éveillent.

Ils arpentèrent le corridor sur la pointe des pieds. Malgré la protection que lui offrait la marque de YHWH, l'Élu devait faire appel à toutes ses ressources pour résister à la douleur qui reprenait le dessus à mesure qu'il avançait. Dans les pires moments, des points multicolores scintillaient devant ses yeux et il craignait de perdre conscience.

Ils tournèrent un coin, puis un autre et un autre encore. Cet étage était un véritable écheveau de corridors dont les Aztèques étaient sans conteste les rois et maîtres. Soudain, un couloir différent des autres s'ouvrit devant eux. Les deux côtés étaient parsemés d'ouvertures basses qui avaient sans doute été munies de portes en bois voilà longtemps, si on en jugeait pas les restes de ferrures qui étaient encore accrochés çà et là. De toute évidence, elles donnaient sur d'autres pièces. De chaque côté d'une de ces ouvertures, deux Nergalii aux larges épaules et à la musculature impressionnante montaient la garde armés d'une lance à pointe de bronze.

Au même moment, un nouvel élancement fit grimacer Manaïl qui serra les dents jusqu'à faire saillir les muscles de sa mâchoire. Il sentit la marque de YHWH qui dégageait toute l'énergie dont elle était pourvue et le malaise s'atténua une fois de plus.

– Nous y sommes…, murmura-t-il en résistant de son mieux à la douleur. Ces deux-là protègent certainement Mathupolazzar et les fragments.

– Cornebouc… Ils sont sur leurs gardes, alors…, fit Ermeline.

– On dirait.

Le garçon évalua rapidement la situation.

– Ils ne se méfieront pas de deux de leurs frères. Si nous arrivons à nous approcher suffisamment, nous pourrons nous débarrasser d'eux. Suis-moi.

L'Élu et la gitane glissèrent leur arme dans les plis de leur robe et ajustèrent leur capuchon.

Puis ils tournèrent le coin et s'avancèrent d'un pas ferme mais modéré vers les Nergalii.

La sentinelle la plus proche se redressa à la vue des nouveaux arrivants et prit une posture qui n'était guère accueillante.

– Nous devons voir Mathupolazzar, dit Manaïl d'une voix neutre.

– Le maître se repose, déclara l'autre d'un ton qui n'admettait aucune réplique. Il a ordonné qu'on ne le dérange pas. Revenez plus tard.

– C'est une urgence. Tandurah est arrivé, mentit le garçon.

Aussitôt, les deux gardes se détendirent sensiblement.

– Enfin ! s'exclama l'un d'eux.

– Attends ici, dit l'autre. Je vais vous annoncer.

L'homme fit demi-tour pour pénétrer dans la pièce qu'il gardait. Sans hésiter, Manaïl lui mit une main sur la bouche et lui enfonça son épée à la hauteur des reins. Le Nergali arqua le dos et laissa échapper un cri de douleur que le garçon étouffa en supportant le corps inerte pour le déposer sur le sol.

Pendant ce temps, Ermeline avait écrasé son genou entre les jambes de l'autre garde, dont le visage rougit à vue d'œil et prit une expression ahurie. La gitane en profita pour lui enfoncer son arme dans le ventre. Le Nergali tomba à genoux en essayant futilement d'empêcher la vie de s'écouler de la blessure béante et en émettant de faibles gargouillements.

L'Élu fit signe à sa compagne de faire le guet et, sans hésiter, se dirigea vers l'entrée de la pièce. La douleur dans sa poitrine atteignait son comble et un élancement plus puissant que tous ceux qu'il avait ressentis jusqu'alors le figea brièvement sur place. Il retint son souffle et attendit qu'il s'estompe. Il sentait monter en lui une haine féroce et sans borne qui le portait. Il avait atteint son but. Dans une minute, il aurait récupéré les fragments. Il quitterait ce *kan* et laisserait les Nergalii derrière lui pour toujours.

Dans la pénombre de la petite cellule, sur un lit de bois étroit recouvert d'une mince natte tressée, un homme était allongé sur le côté. Ses longs cheveux blancs traînaient sur ses épaules et cachaient en partie son visage. Sa main droite était amputée de quatre doigts. Mathupolazzar.

Malgré lui, l'Élu sentit ses lèvres se retrousser en un rictus d'anticipation. Il s'était retrouvé prisonnier dans un univers de violence et de cruauté. On l'avait menacé, pourchassé, blessé et tué, et on était même allé jusqu'à torturer Ermeline. Il avait fait des gestes qui lui avaient répugné et qui le marqueraient jusqu'à son dernier souffle. Mais cette fois, il prendrait plaisir à ouvrir la gorge de ce monstre. Tout ceci n'était que le juste retour des choses.

Titubant sous la douleur dans sa poitrine, il franchit la distance qui le séparait du grand prêtre de Nergal et se pencha sur lui, son épée en avant. Chaque seconde lui semblait plus longue que tout ce qu'il avait vécu durant le reste de sa vie.

La maudite vipère humaine dormait comme un loir. Même dans le sommeil, une moue dédaigneuse ornait son visage. Autour de son cou était suspendue une pochette de cuir fermée par une lanière. Son contenu parut s'agiter imperceptiblement à l'approche de l'Élu, dont la poitrine se remit à tressaillir douloureusement. Les fragments... Ils étaient là. Il le savait. Il avait réussi.

Manaïl aurait voulu réveiller le grand prêtre pour voir son expression lorsqu'il réaliserait qu'il avait échoué et que la vie le quittait. Il aurait voulu lui cracher au visage et s'assurer que son sourire victorieux soit l'ultime souvenir qu'emporterait en enfer ce dépravé. Il aurait voulu planter sa tête sur un pieu et assembler devant ses yeux sans vie le talisman, comme il le lui avait promis. Mais il devait se maîtriser. Seuls importaient les fragments.

Il approcha la pointe de sa rapière de la gorge de Mathupolazzar en sentant déjà jaillir en lui le plaisir qui l'envahirait lorsqu'il sentirait le métal pénétrer la chair.

Au même moment, une sensation familière l'assaillit. Autour de lui, l'air sembla s'épaissir et se brouiller. Ses mouvements lui parurent plus lourds. Puis tout cessa. Autour de lui régnait un silence surnaturel. Sidéré, le garçon comprit que le temps s'était arrêté. Et il n'avait rien à voir avec le phénomène.

La pointe de l'épée sur la gorge, Mathupolazzar ouvrit brusquement les yeux et son visage fut éclairé par un sourire carnassier.

– Bienvenue, Élu d'Ishtar. Je t'attendais.

LA FIN DE LA QUÊTE

D'un geste vif qui contrastait avec son âge et son corps émacié, Mathupolazzar écarta la lame de sa gorge. Au même moment, six Nergalii firent irruption dans la cellule et projetèrent Manaïl au sol. Pendant que certains le retenaient, un autre lui arracha son arme. Il essaya de résister de toutes ses forces, mais en fut quitte pour un violent coup de genou dans l'abdomen, ce qui lui coupa le souffle. Une avalanche de poings et de pieds s'abattit sur lui et des étincelles explosèrent devant ses yeux. Il sentit sa lèvre supérieure se fendre et du sang s'en écouler. Son œil gauche fut enfoncé et se ferma. Ses parties intimes furent sauvagement écrasées et la souffrance le paralysa.

– Assez ! s'écria Mathupolazzar. Ne le tuez pas ! Ce plaisir me revient.

Lorsque la tornade cessa, le garçon gisait sur le sol, meurtri et à demi conscient, luttant pour que l'air se rende à ses poumons.

Des mains lui empoignèrent solidement les bras et il fut remis sur pied. Ses jambes flageolantes refusaient de le porter. On dut le soutenir. Lorsqu'il résista un peu, un violent coup dans les reins le fit vaciller et, par pur orgueil, il ravala un gémissement de souffrance. Puis on le saisit par les cheveux et on lui releva brusquement la tête. Amer et vaincu, il ouvrit son seul œil encore valide, sachant déjà ce qu'il allait voir.

Mathupolazzar se tenait à quelques pas de lui, l'air triomphant. Le prêtre de Nergal s'approcha et lui passa les doigts de la main gauche sous le menton pour le forcer à le regarder. Il souriait à pleines dents et ricana un instant. Sans prévenir, il lui administra une solide claque du revers de la main. Du sang se mit à couler du nez du garçon.

– Ainsi, tu as déjoué la petite surprise que je t'avais préparée à Éridou, Élu, dit le grand prêtre d'un ton amusé. Décidément, tu ne me rends pas la vie facile. Mais au bout du compte, tous tes efforts n'auront servi à rien.

Moqueur, Mathupolazzar hocha la tête et claqua la langue.

– Tsk, tsk, tsk... Tant de risques pour finalement me rapporter les deux derniers fragments comme un petit chien docile... Que dirait Ishtar si Elle te voyait ? La bonne déesse serait bien déçue, j'en ai peur...

Sonné, Manaïl ne savait que dire. Son regard haineux semblait amuser le grand prêtre, qui le dévisagea un instant avant de tourner brusquement la tête vers ses acolytes. Dans son esprit confus, il saisissait qu'il était tombé dans un piège.

– Finissons-en. Enlevez-lui cette robe dont il est indigne.

Comprenant ce qui allait se produire, l'Élu se débattit avec ce qu'il lui restait de force. Il ramena la tête vers l'arrière et sentit un nez qui craquait sous le choc. Puis il planta ses dents dans l'avant-bras qui passait sur son épaule et mordit sauvagement. Un nouveau coup dans les reins lui fit plier les jambes et son visage fut écrasé par un genou. L'impact lui déchaussa quelques dents. Un poing s'abattit ensuite sur son oreille gauche et il tomba à genoux, incapable de se relever.

Il sentit qu'on l'empoignait et qu'on lui retirait brutalement sa robe. Puis on le retourna sur le dos contre la pierre froide. Ses bras et ses jambes furent maintenus en place par des Nergalii qui y posaient tout leur poids.

Debout devant lui, Mathupolazzar tenait une dague de bronze. Derrière le prêtre, il put apercevoir Ermeline, toujours figée en place, mais maintenant désarmée.

– Ne t'en fais pas pour elle, ricana son ennemi. Elle mourra bientôt. Mais je vais d'abord m'assurer que tu ne nous poseras plus de problèmes.

Le grand prêtre s'accroupit et s'assit à cheval sur la poitrine du garçon. Sans hésiter, et avec une satisfaction évidente, il inséra la lame de son arme dans le col de la tunique aztèque, la tailla jusqu'au nombril et l'écarta jusqu'aux épaules de Manaïl.

– Ah ! La marque des Ténèbres ! s'exclama-t-il en feignant la terreur. *L'Élu se lèvera, rassemblera le talisman et le détruira. Fils d'Uanna, il sera mi-homme, mi-poisson. Fils d'Ishtar, il reniera sa mère. Fils d'un homme, d'une femme et d'un Mage, il sera sans parents. Fils de la Lumière, il portera la marque des Ténèbres. Fils du Bien, il combattra le Mal par le Mal.* Pour quelqu'un qui fait l'objet d'une si ronflante prophétie, te voilà bien piteux !

Dans un geste désespéré, Manaïl se défit de l'étreinte de l'homme qui retenait son bras gauche et tenta d'attraper le grand prêtre. Celui-ci saisit sa main dans son élan et y enfonça la dague. Pendant que l'Élu hurlait de douleur, de nouveau retenu, Mathupolazzar, un rictus sadique aux lèvres, tourna son arme dans la plaie à quelques reprises. Puis il la dégagea et leva des yeux menaçants vers son disciple.

– Tiens-le bien !

Il reporta son attention sur Manaïl, lui fit un clin d'œil narquois et sourit. Sans plus de cérémonie, il posa la lame sur une des pointes du pentagramme inversé qui contenait un fragment et appuya. Manaïl se mordit la lèvre inférieure pour ne pas crier lorsque la chair s'ouvrit et qu'une chaleur mouillée se répandit sur sa poitrine.

Avec une exquise lenteur, le prêtre se mit à tailler la peau autour du petit triangle de métal. Lorsqu'il eut terminé, il saisit le morceau de chair qu'il avait découpé avec la pointe de la lame et, d'un coup du poignet, le fit voler dans les airs. Puis il recommença le même manège pour libérer le second fragment. Bientôt, la poitrine du garçon fut luisante de sang.

– Puisses-tu pourrir en enfer, fils de chienne ! cracha l'Élu entre deux souffles saccadés.

– Oh, mais j'en ai bien l'intention, mon enfant ! rétorqua Mathupolazzar. Qu'est-ce que le Nouvel Ordre sinon le règne du dieu des Enfers ?

Il posa la dague sur le sol près de Manaïl et, avec un ravissement pervers, enfonça les doigts dans les blessures béantes qu'il avait ouvertes. Triomphant, il en ressortit tour à tour les deux fragments ensanglantés et les présenta à la vue de ses acolytes. Ceux qui ne tenaient pas Manaïl s'agenouillèrent.

– Gloire à Nergal ! s'écrièrent tous les disciples à l'unisson.

Manaïl ferma les yeux et, malgré tous ses efforts, laissa s'échapper des larmes d'amertume qui roulèrent de ses paupières et vinrent se mêler au sang et à la sueur sur son visage.

Tout était fini.

Il sentit à peine le choc qui le plongea dans la nuit.

LE SECRET DU CENTRE

Manaïl était dans le temple du Temps. L'endroit créé par les Anciens, où il avait jadis été initié, avait retrouvé son aspect originel. Il était assis sur le sol près de l'autel sur lequel reposait la dépouille intacte de maître Ashurat, telle qu'il l'avait déposée. Il se sentait misérable. Le visage dans les mains, il pleurait à chaudes larmes, les épaules secouées par des sanglots qui semblaient provenir du fond de son âme. Il avait lamentablement échoué. Il avait perdu les fragments. Tant d'efforts gâchés. Tant de vies inutilement brisées. Toute sa quête n'avait été que futilité.

À l'extérieur du temple, le Nouvel Ordre était sans doute déjà en place, les Nergalii régnant en maître sur un monde nouveau aux kan *remodelés. Manaïl lui-même n'existait encore que parce qu'il se trouvait hors du temps. Le frère Enguerrand, Charlie Dickens, le duc de Sussex, Angélique, Toussaint Perrault, La Centaine… Tous ceux auxquels il s'était attaché avaient vu leur* kan *effacé et n'avaient jamais existé... Ils ne vivaient que dans sa mémoire. Ermeline, elle, avait certainement survécu au bouleversement. Nergal n'était pas du genre à ne pas réclamer son dû. Elle était sans doute près de lui, à subir les éternels tourments qu'il lui infligerait. Tout cela parce que l'Élu d'Ishtar n'avait pas été à la hauteur.*

– Ne pleure pas, mon enfant, fit une voix d'une douceur infinie près de lui.

Le garçon leva vers Ishtar un visage défait aux yeux bouffis.

– Déesse..., sanglota-t-il. Mathupolazzar a les fragments. Tout est terminé.

Manaïl aurait voulu enfouir son visage contre la divine poitrine et pleurer jusqu'à ce que l'univers lui-même ne soit plus. Mais sa honte l'en empêchait. Au fond, c'était lui qui avait eu raison: Ishtar avait fait erreur. Il n'était que « le poisson » de Babylone.

La déesse posa une main sur son épaule et la serra avec un mélange de fermeté et de tendresse.

– Après tout ce que nous avons vécu ensemble, ta foi est-elle encore si fragile? demanda-t-Elle. Tout n'est pas fini.

– Mais vous l'avez dit vous-même. Je vis grâce à Nergal et vous ne pouvez plus m'aider.

– Tu n'as plus besoin de moi, Élu.

La silhouette du frère Enguerrand se matérialisa près d'Ishtar. Le commandeur avait le visage cramoisi de colère et tendait vers lui un index accusateur.

*– *Modicæ fidei ! De tenebris et caligine oculi cæcorum videbunt[1] ! *s'écria-t-il. Secoue-toi, Ventre-Dieu !*

Le templier se dissipa et un vieil homme amaigri, au dos voûté par les ans, qui était visiblement aux portes de la mort, se substitua à lui. Manaïl reconnut Naska-ât.

– Combien de fois dois-je te le répéter, Élu ? gronda-t-il d'une voix tremblante. Tu cherches sans comprendre ! Tu crois tout savoir, mais le cœur de ta quête, tu ne le vois pas !

– J'ai retrouvé le bracelet que vous m'aviez laissé, se justifia le garçon. Et le disque de pierre, aussi. J'ai vu le kan *qu'il indiquait. J'ai bien tenté de suivre la voie du serpent... Mais je n'ai pas compris. Et maintenant... Maintenant...*

Incapable de poursuivre, il ferma les yeux et les sanglots le reprirent. Il sentit deux mains se poser sur ses joues et des pouces essuyer ses larmes. La déesse lui releva le visage et posa sur lui un regard rempli d'intensité.

– Rappelle-toi, cher enfant : toute la connaissance est au centre, martela-t-elle. Tu es tout près du but. Ouvre les yeux et tu verras. Et n'oublie pas que chaque kan *existe sans toi. Les Nergalii ne sont pas tes seuls obstacles.*

1. En latin : Homme de peu de foi. Délivrés de l'obscurité et des ténèbres, les yeux des aveugles verront.

– Mais pourquoi me parlez-vous tous en paraboles ? explosa Manaïl. Si vous savez quelque chose qui puisse m'aider, dites-le clairement, pour une fois !

Ishtar et Naska-ât disparurent. Là où ils s'étaient trouvés, sur le plancher de pierre, un cercle de feu brûlait avec, en son centre, un point.

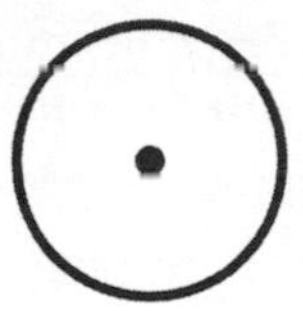

Manaïl cherchait encore à comprendre lorsqu'il entendit des voix autour de lui. Il leva les yeux et constata qu'il était à nouveau seul dans les ruines du temple du Temps.

Autour de l'Élu, des éclats de rire, des discussions réjouies et détendues se mêlaient dans une ambiance de célébration. Le garçon secoua laborieusement la tête et des éclairs lui traversèrent le crâne. Il essaya d'ouvrir les yeux, mais n'y parvint pas. Ses paupières enflées et collées par le sang séché refusaient de lui obéir. Une douleur lancinante traversait ses épaules et il ne sentait plus ses bras.

– Er… Ermeline…, bredouilla-t-il d'une voix faible, ses lèvres fendues se déchirant de plus belle.

Les voix se turent subitement puis un grand rire collectif retentit. Des pas s'approchèrent et une trombe d'eau l'atteignit en plein visage. Toussant et cherchant son souffle, il releva la tête et, cette fois, réussit à ouvrir l'œil droit juste assez pour apercevoir un Nergali devant lui, un récipient de bois vide entre les mains.

– Alors ? Tu as bien dormi ? fit la voix faussement mielleuse de Mathupolazzar, tout près. Tu te sens mieux, cher petit ?

Manaïl ne répondit pas. De son œil valide, il parcourut la pièce où il se trouvait et, sur sa gauche, il repéra ce qu'il cherchait. Ermeline. Elle n'était plus figée près de l'entrée. Le temps avait donc repris son cours. On lui avait retiré la robe de Nergali pour la laisser en tunique. Ses poignets étaient retenus par deux bracelets de métal reliés au mur de pierre par des chaînes. Les jambes à demi repliées, elle pendait lourdement, inconsciente, le menton appuyé sur la poitrine, le visage masqué par ses cheveux. Le cœur du garçon se serra. L'avait-on maltraitée ? Était-elle même en vie ?

– Ermeline ! s'écria-t-il avec plus de vigueur.

Un gémissement incohérent monta de la gitane, mais elle ne bougea. Sans réfléchir, le garçon voulut se diriger vers elle, mais son élan fut brutalement arrêté. Ses épaules faillirent se disloquer sous le choc et il ne put retenir un grognement de souffrance. Il comprit alors qu'il était pareillement enchaîné.

– Comme c'est émouvant..., roucoula Mathupolazzar. Ce brave jeune homme vient d'échouer dans une quête plus importante que tout et la première chose à laquelle il pense en revenant à lui est de voler au secours de sa tendre amie... Je crois que je vais pleurer.

Manaïl avala et sa gorge sèche le fit atrocement souffrir. Peu à peu, ses esprits lui revenaient. La quête... Les fragments... La marque de YHWH, déchiquetée par Mathupolazzar, mais dont il pouvait déjà sentir la chaleur bénéfique dans son poing fermé à mesure que la vie y revenait, indomptable. Il pencha la tête et avisa sa poitrine, pantois. Elle était couverte de sang séché et deux profondes entailles grossières, de forme vaguement triangulaire suintaient encore abondamment.

Un homme entra dans la pièce et s'approcha du grand prêtre, qui parut ravi de le voir. Malgré l'enflure, Manaïl sentit ses yeux s'écarquiller. Le visage, dénué de nez et de lèvres, était une caricature humaine. Ses longs cheveux maculés de sang séché laissaient entrevoir les deux ouvertures qui se trouvaient là où les oreilles avaient été tranchées. Une odeur âcre et repoussante exsudait de lui. L'homme avait revêtu une robe à capuchon, mais il n'y avait aucun doute possible. Ixtelolotl.

Satisfait de l'effet qu'avait produit l'entrée du prêtre de Huitzilopotchli, Mathupolazzar sourit.

– Si je ne m'abuse, tu connais déjà notre frère, minauda-t-il avec un geste désinvolte.

Des rires étouffés se firent entendre alors que le grand prêtre s'approchait tout près de lui pour lui faire face.

– Comme tu vois, poursuivit-il en souriant, il n'a pas ménagé les sacrifices pour se fondre parmi les habitants de ce *kan*. Le hasard a voulu que les prêtres de Huitzilopotchli s'automutilent. Il a suffi de lui retirer quelques morceaux pour qu'il passe pour un des leurs. D'ailleurs, je m'en confesse : j'ai pris un certain plaisir à trancher ainsi tout ce qui dépassait de son visage.

Mathupolazzar posa la main sur l'épaule d'Ixtelolotl, qui rayonna de plaisir d'être ainsi l'objet de son approbation publique. Son visage fut traversé par un horrible substitut de sourire.

– Ixtelolotl a été notre éclaireur dans ce *kan*. Il a quitté Éridou quelques semaines avant nous et a passé plus de dix ans à Tenochtitlán à nous attendre. Lorsque nous sommes finalement arrivés, nous l'avons averti que Tandurah et Amadi-nîn nous suivraient bientôt avec les deux fragments manquants. Sa tâche était de les guider jusqu'à nous. Puis nous sommes venus nous installer ici pour attendre en paix. Mais tu as vu clair dans notre piège et les choses ne se sont pas produites comme prévu.

Malgré ses lèvres blessées, Manaïl lui cracha au visage.

– En ce moment même, tes Nergalii pourrissent dans ton temple, fils de truie ! lança-t-il.

Mathupolazzar essuya le crachat de sa joue avec indifférence.

– Et après ? Tu crois que cela m'attriste ? Leur sacrifice était nécessaire. Lorsque le Nouvel Ordre sera instauré, tous les Nergalii que tu as tués seront glorifiés.

Il secoua la pochette à son cou.

– Ce qui importe, c'est que les fragments soient tous ici, poursuivit-il en fourrant le bout de son index dans une des blessures du garçon. Tu as perdu, Élu. Et nous avons gagné !

Manaïl serra les dents pour ne pas crier quand la plaie encore fraîche se remit à saigner. Il aurait voulu pouvoir écraser la gorge de cette vipère de ses mains nues et voir son visage s'empourprer et sa langue sortir de sa bouche pendant qu'il expirait. Mais les chaînes l'en empêchaient.

Ce fut Ixtelolotl qui prit la parole.

– J'avais senti la fluctuation du temps et j'attendais le retour de mes frères. Lorsque je t'ai aperçu sortant du sanctuaire de Huitzilopotchli, j'ai compris à qui j'avais affaire et j'ai su qu'ils ne reviendraient pas. Je me suis arrangé pour te pousser dans les mains de mon maître. Comme je savais qu'une rébellion se préparait, il suffisait de charger un guerrier fiable de vous faire sortir de la cité, ta compagne et toi. Montezuma avait dû te parler des *teules* étranges qui parcouraient son pays. Je me doutais que tu filerais droit ici...

Ixtelolotl posa sur lui un regard amusé avant de poursuivre.

– En passant, tu seras intéressé de savoir que les prisonniers que tu as si noblement libérés sont tous morts... Nous les attendions à la sortie. Même le bébé a été massacré... Avec une seule main, le pauvre Chicahuac n'a pas pu y changer grand-chose... En ce moment même, sa tête gît à côté de son corps.

Manaïl laissa retomber sa tête, assommé par le désespoir. Le courageux guerrier aztèque, qui avait mis ses armes au service de l'Élu sans même comprendre la nature de sa quête, qui l'avait guidé jusque-là sans égard aux risques, venait de payer de sa vie pour sa loyauté et son sens de l'honneur.

Mathupolazzar s'approcha et fit signe à un de ses fidèles qui apporta une petite table ronde qu'il posa près de l'Élu. Le garçon releva la tête et y aperçut le disque de pierre qu'il avait ramené du temple de Quetzalcóatl. Une ardoise et un morceau de craie s'y trouvaient aussi. Sans rien dire, le grand prêtre retira de son cou la pochette en cuir, l'ouvrit et la retourna. Dans un tintement métallique, les cinq fragments du talisman de Nergal se retrouvèrent sur la table. Dès qu'ils furent à l'air libre, la pièce devint distinctement plus sombre et les flammes des torches vacillèrent avant de se stabiliser. Dépité, le garçon constata que, pour la première fois, la proximité des fragments ne lui causait aucune douleur. Paradoxalement, il souhaita de tout son être pouvoir ressentir encore la sensation qu'il avait tant haïe.

Il sut que le grand prêtre allait pousser la cruauté jusqu'à assembler sous ses yeux le talisman de Nergal. Il voulait lui faire sentir son échec jusqu'au dernier supplice et savourer son humiliation.

L'Élu avait toujours présumé que la réouverture du portail se déroulerait dans le *kan* d'Éridou, là où le talisman avait été brisé et où la quête avait pris naissance. Il avait eu tort. C'était à Teotihuacan, cinq mille ans plus tard, que le Nouvel Ordre serait instauré. Dans quelques secondes, le passage entre l'univers de Nergal et celui-ci serait accessible. Le dieu des Enfers et de la Destruction, de la Maladie et de la Guerre y poserait le pied. Les *kan* qui suivaient cesseraient d'être. Et Ermeline serait donnée en pâture à toutes les perversions du nouveau dieu.

Du bout des doigts, comme un enfant jouant aux blocs, Mathupolazzar fit glisser les fragments sur la surface de la table et les disposa en forme de pentagramme inversé. Il sembla admirer son travail avant de froncer subtilement les sourcils, en apparence contrarié. Puis l'expression s'effaça de son visage.

Manaïl grimaça, anticipant l'amalgame d'éclairs et de tonnerre qui accompagnerait assurément l'ouverture du portail et la fin des *kan*. D'une minute à l'autre, Nergal lui-même ferait son apparition. On lui réservait sans doute la mise à mort de l'Élu. Le dieu maudit poserait sur lui ses yeux jaunes aux pupilles félines et son sourire triomphant laisserait paraître ses canines pointues sur sa lèvre inférieure. Peut-être lui ouvrirait-il la gorge ou le ventre avec ses ongles acérés ? Peut-être lui crèverait-il les yeux ? Ou peut-être serait-il assez cruel pour lui laisser la vie – une vie de souffrance, d'amertume et d'esclavage. Une éternité de torture.

Mais la fin ne vint pas. Les fragments reposaient, inertes, sur la table et, dans la pièce, rien ne changea. Tout était tranquille. Stupéfait, Manaïl essayait de comprendre.

Les mains dans les manches de sa robe, Mathupolazzar le dévisageait.

– Alors ? le pressa-t-il après un moment en arquant le sourcil. Tu me le dis ?

L'Élu le toisa, médusé, et ne répondit rien. De quoi Mathupolazzar pouvait-il bien parler ? Que voulait-il savoir ?

Le grand prêtre écarta ses longs cheveux de son visage, laissa échapper un soupir d'impatience et hocha la tête avec lassitude.

– Bon… Je vois que tu es décidé à me rendre les choses difficiles jusqu'à la fin. Alors laisse-moi t'expliquer ce qui va se passer si tu refuses de collaborer.

Le prêtre se déplaça vers Ermeline, toujours inconsciente, et lui releva la tête en lui tenant délicatement le menton.

– Elle est si jolie, déclara-t-il presque pour lui-même en admirant le visage endormi de la gitane. Elle me rappelle Arianath. Tu te souviens d'Arianath, je suppose ? Après tout, tu es celui qui l'a tuée, la pauvre enfant. Elle était belle, elle aussi…

Il laissa retomber la tête d'Ermeline et revint vers le garçon. Il prit la craie de sa main gauche et, avec une certaine maladresse, dessina un pentagramme sur l'ardoise.

Il relia ensuite les cinq pointes et l'étoile se retrouva incluse dans un pentagone dont il utilisa les faces pour dessiner cinq nouveaux triangles qui formèrent un pentagramme inversé. Il l'enferma à son tour dans un nouveau pentagone et répéta l'opération. Le dessin, d'une étrange beauté, était simple dans sa complexité. Chaque pentagone se prolongeait dans un pentagramme enfermé dans un pentagone, et ainsi de suite.

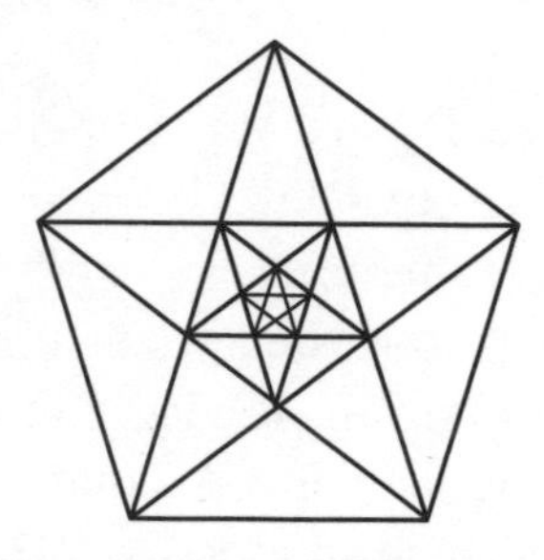

Lorsqu'il fut satisfait, le grand prêtre posa la craie sur la table, saisit l'ardoise et la brandit sous le nez de l'Élu.

– Je pourrais poursuivre ainsi pour l'éternité. Le talisman de Nergal est la porte vers le temps infini, mais il en est aussi la représentation. Mais cela, tu le sais aussi bien que moi.

Il posa son index au centre de la figure géométrique, sur le premier des pentagones.

– Tu n'ignores pas non plus que cette ordure de Naska-ât n'a confié que les pointes à ses disciples. Le centre, il l'a gardé pour lui. Et toi, tu sais où il l'a dissimulé.

Le centre ? Mais de quoi parlait-il donc ? Manaïl tenta de ne pas faire paraître sa perplexité. Le prêtre de Nergal continua.

– Alors si tu veux éviter à ta précieuse amie des tourments aussi désagréables qu'inutiles, et peut-être même lui sauver la vie, tu serais bien avisé de me le révéler tout de suite. De toute façon, tu le feras tôt ou tard.

Mathupolazzar tourna la tête vers Ermeline.

– Je doute que tu puisses endurer longtemps que quelqu'un d'autre souffre à ta place.

Ébranlé, Manaïl ne l'entendait plus. Un tourbillon d'idées l'étourdissait. Le talisman de Nergal était composé de *six* parties... Personne ne le lui avait jamais dit. Même en récupérant les cinq fragments, il n'aurait rien accompli du tout. Tout aurait encore été à faire. Tout *était* encore à faire. *Tu crois tout savoir mais le cœur de ta quête, tu ne le vois pas. Ce que tu trouveras ne te servira à rien si tu n'ouvres pas les yeux*, lui avait répété Naska-ât dans ses rêves. Et Ashurat aussi avait tenté de le prévenir. *Même si tu arrives à t'emparer des cinq fragments, tu n'auras pas touché le cœur de ta quête.* Ishtar avait également insisté... *Tu es tout près du but. Ouvre les yeux et tu verras.*

Personne n'avait jamais affirmé qu'il n'y avait que cinq fragments. Il l'avait toujours pensé parce que c'était ce qu'on lui avait enseigné. Le fait qu'Ashurat ne le lui ait pas directement révélé prouvait que les Mages eux-mêmes l'ignoraient ou alors qu'ils étaient tenus de n'en point parler. La vérité avait été le fardeau d'un seul homme : Naska-ât. Et le vieux prêtre d'Ishtar lui avait indiqué la voie à suivre pour retrouver le centre. En laissant pour lui le disque sous le temple de Quetzalcóatl, il lui avait indiqué le *kan* où il se trouvait.

Comment avait-il pu être si aveugle ? Jamais il ne s'était même arrêté à réfléchir à la forme du talisman. S'il l'avait fait, il aurait tout de suite réalisé que les cinq pointes ne s'amarraient à rien. C'était si simple qu'il eut envie de pleurer. Depuis le début, on lui avait fait rechercher cinq fragments en espérant que lorsqu'il les posséderait tous, il comprendrait tout naturellement que le centre manquait encore. *Toute la connaissance est au centre*, lui avait-on répété à satiété. Au centre… Le centre du serpent, où Naska-ât avait déposé le disque de pierre, mais aussi le cœur du talisman lui-même… Le message du vieux maître avait plusieurs sens, comme tous ceux qu'on lui avait adressés. Et voilà que la vérité lui éclatait au visage alors qu'il était enchaîné à un mur, impuissant, et que la mort était son seul espoir.

Le grand prêtre de Nergal, lui, avait connu dès le début l'existence du centre mais, clairement, il ignorait où le trouver.

Manaïl regretta amèrement d'avoir enfin compris le chemin vers le centre. L'ignorance eût été infiniment préférable. Car en supposant qu'il connaissait la vérité, son ennemi avait tout à fait raison. Il ne reculerait devant rien pour lui en arracher le secret.

– Bien ! s'exclama Mathupolazzar en posant l'ardoise sur la table. Puisqu'il en est ainsi, nous allons devoir te motiver un peu.

Il tendit la main et un Nergali s'empressa d'y déposer la dague de bronze souillée de sang coagulé. Le sang de l'Élu. Au même moment, une disciple s'approcha de la gitane et lui administra quelques gifles pour la réveiller. Mathupolazzar se leva et se dirigea vers elle.

LE DILEMME DE L'ÉLU

« Étron[1] ! fit la voix tremblante d'indignation d'Ermeline. Barbare ! Monstre ! »

Comme les autres, Manaïl sursauta et porta son regard vers la gitane, soulagé de constater qu'elle avait repris conscience. Le visage déformé par la furie, elle se débattait contre ses chaînes et étirait le cou vers Mathupolazzar, donnant l'impression qu'elle aurait aimé lui déchirer la gorge avec ses dents.

– Démon ! Animal ! poursuivit-elle. Garol[2] ! Cornebouc ! J'espère que l'enfer des prêtres existe pour que toi et tes affidés y brûliez pour l'éternité ! Chiure de rat ! Tas de merde ! Bâtard !

La Nergali la gifla de plus belle. La gitane secoua la tête, étourdie, et lui sourit, une lueur sauvage dans ses yeux bicolores.

– C'est tout ce dont tu es capable ? continua-t-elle. Poltronne ! Détache-moi si tu l'oses.

1. Matière fécale.
2. Loup-garou.

Je te montrerai comment on s'occupe des femmelettes de ton espèce ! Puterelle !

Le visage de la femme se crispa et une autre claque, plus violente encore que la précédente, projeta la tête de la gitane vers l'arrière, heurtant brutalement le mur. Ermeline émit un grognement et s'évanouit de nouveau.

– Elle a du caractère, cette furie, remarqua Mathupolazzar, amusé et admiratif. Et du vocabulaire, aussi. Elle résistera longtemps à la torture... Tu es certain que tu ne préfères pas parler tout de suite ? Le spectacle sera long et pénible, je le crains. Aussi bien éviter tout ce gâchis, non ?

Le regard éperdu de l'Élu allait de la gitane au prêtre. Il ne doutait pas que Mathupolazzar mettrait sa menace à exécution. Il l'avait déjà fait une fois. Les images du corps mutilé et sans vie d'Ermeline dans la maison de la veuve Fezeret à Ville-Marie lui revinrent à l'esprit. Son adversaire était amoral et dénué de scrupules. La vie n'avait aucune valeur à ses yeux, pas même celle de ses propres Nergalii. Il ne vivait que pour le Nouvel Ordre.

Jamais le garçon ne s'était senti aussi déchiré. Que devait-il faire ? Ishtar avait eu raison. Contre toute attente, la quête était encore possible. Mais elle ne tenait qu'à un fil. S'il voulait conserver une chance de la poursuivre, il devait à tout prix préserver le peu qu'il savait et le tribut à verser pour y parvenir était abominable : il devait abandonner Ermeline aux mains de ce monstre dépravé. Il serait condamné à être le témoin des souffrances obscènes de celle qu'il avait appris à aimer. Et Ishtar ne pouvait plus lui venir en aide…

La quête valait-elle ce prix ? La déesse n'allait sûrement pas exiger autant de lui ? Même Elle n'en avait pas le droit… Et s'il révélait à Mathupolazzar ce qu'il savait, le grand prêtre épargnerait-il la gitane ? Non, évidemment. Lorsqu'il détiendrait l'information qu'il cherchait, il la tuerait sans arrière-pensée et y prendrait un plaisir pervers. En lui indiquant le chemin vers le centre, il ne gagnerait rien et hâterait la fin des *kan*.

La conclusion était inéluctable : que Manaïl résiste ou qu'il cède, Ermeline était déjà perdue. Il ne pourrait pas la sauver. Un poids oppressant sur la poitrine, sa gorge serrée par un sanglot, il se rappela la promesse que sa compagne lui avait arrachée avant de quitter le temple de Quetzalcóatl. *Si jamais tu échoues, promets-moi que tu me tueras*, l'avait-elle imploré. À contrecœur, il avait donné sa parole. En y consentant, Manaïl s'était imaginé que cette mort, si elle devenait nécessaire, viendrait de sa main à lui, qu'elle serait brève et sans souffrance. Qu'elle lui éviterait de tomber dans les griffes de Nergal. Et maintenant que le moment était venu de respecter son terrible engagement, il était impuissant. En ne révélant pas le secret du centre, il la sauverait du pacte conclu avec Nergal, qui serait bien pire encore que les tortures imaginées par Mathupolazzar. Mais elle souffrirait tant...

Aux abois, il observait le grand prêtre, qui sembla sentir son déchirement et lui retourna un sourire cynique.

– Alors ?

Tout son corps tremblant de peine et d'une violence sans exutoire, Manaïl entendit, la mort dans l'âme, ses lèvres formuler la réponse odieuse qui condamnait la gitane tout en lui permettant de respecter sa promesse.

– Fils de chienne... Je... Je... Je ne sais pas de quoi tu parles, sanglota-t-il. Tu as... les cinq fragments... Je... ne sais rien de plus. Si tu la touches, je te jure que je te ferai subir des tortures mille fois pire que les siennes.

Mathupolazzar s'esclaffa.

– Mais oui ! Tu assembleras le talisman devant ma tête fichée sur un pieu ! Tu me l'as déjà fait savoir. Mais tu n'es plus en position de menacer, mon garçon. Alors, tu te décides ? C'est ta dernière chance...

Soufflant entre ses dents serrées comme une bête enragée, les muscles du cou saillant sous l'effort, l'Élu resta muet.

– Bien. Nous pouvons commencer, dit le grand prêtre.

Dans une dégoûtante parodie d'affection, il tapota délicatement le visage d'Ermeline pour la réveiller.

– Bonjour, ma toute petite..., susurra-t-il. Toi et moi allons nous amuser un peu... Tu veux bien ?

Avant que la gitane ait complètement repris ses sens, il lui appuya la dague sur l'intérieur du poignet et fendit la chair en surface. Il ferma les yeux, proche de l'extase, et fit descendre avec sensualité la lame le long de son bras jusqu'à l'aisselle, fendant la peau pour y tracer un sillon sanglant. Ermeline releva la tête et sortit de sa torpeur. Les yeux exorbités, elle demeura un moment silencieuse, comme stupéfaite, puis poussa un terrible hurlement. Par réflexe, elle remonta un pied vers l'entrejambe de Mathupolazzar, qui évita de justesse le coup par un petit pas de côté. La gitane l'atteignit à la cuisse sans le blesser.

Elle se mit ensuite à se débattre comme une enragée, chaque mouvement empirant les saignements de sa blessure. Un Nergali lui immobilisa l'autre bras et Mathupolazzar lui fit subir le même martyre. La tunique de la gitane fut bientôt imbibée de sang. Puis on lui empoigna les cheveux et on lui appuya la tête contre le mur. Dans une obscène contrefaçon de caresse, le grand prêtre fit glisser la lame sur le côté de son visage, de la tempe jusqu'au menton, et y laissa une profonde coupure. Il répéta le même manège de l'autre côté, tel un artiste préoccupé par une ignoble symétrie. D'un coup sec, il enfonça l'arme à travers la joue de la gitane et poussa. La pointe étira la peau de l'autre joue et finit par la transpercer.

Mathupolazzar retira langoureusement la dague. Folle de douleur, Ermeline hurlait comme une bête blessée en secouant la tête. Manaïl pouvait apercevoir des larmes qui se mêlaient au sang.

Le tortionnaire avisa la main droite de sa victime. Il la pressa contre le mur, paume vers l'extérieur, saisit le petit doigt et posa la lame à sa base. Il appuya, grognant sous l'effort, et brandit l'auriculaire entre ses doigts, triomphant et amusé. Puis il le lança sur le sol et saisit l'annulaire. Les cris d'Ermeline remplirent la pièce.

– Incube[1] ! Satyre ! hurla-t-elle. Esforceur[2] ! Que le diable t'emporte, verrat !

Le grand prêtre interrompit son odieux labeur, ricana un peu et se retourna vers l'Élu, une lueur de lubricité dans les yeux.

– Cette petite furie me doit bien quelques doigts. Tu veux que j'arrête ? Il n'en tient qu'à toi...

À la frontière de la conscience, la gitane fixa encore l'Élu. Son regard rempli de larmes se posa sur sa main gauche. Ses yeux prirent soudain une lueur d'intensité et de détermination.

– *Il combattra... le Mal... par le Mal...*, haleta-t-elle en posant un regard insistant sur

1. Démon de sexe masculin.
2. Violeur.

sa main gauche, dont le sang avait maculé tout son avant-bras avant de se tarir.

Mathupolazzar empoigna le second doigt et en approcha la dague. Manaïl tourna la tête pour ne pas voir. Un moment plus tard, un nouveau cri retentit, vite suivi par un étrange silence. Ermeline avait perdu conscience. Dans la pièce, les Nergalii s'esclaffèrent.

Incapable d'en supporter davantage, le garçon, toujours tremblant, allait céder et révéler ce qu'il savait à Mathupolazzar. Le bracelet de bronze couvert de mystérieux symboles, laissé pour lui par Naska-ât et auquel le Nergali ne semblait pas s'intéresser... Le disque sous le temple de Quetzalcóatl et le *kan* vers lequel il menait. Rien ne justifiait de laisser sa compagne souffrir ainsi. S'il abandonnait la quête, peut-être que le grand prêtre ferait preuve de compassion et achèverait-il la gitane sans la faire souffrir davantage ?

Puis il releva brusquement la tête, interdit. *Il combattra le Mal par le Mal*, venait de lui dire Ermeline. Pourquoi avait-elle senti le besoin de citer la prophétie des Anciens au beau milieu de cette torture ?

L'esprit de Manaïl se mit à tourner à une vitesse folle, examinant les événements vécus avec la gitane depuis le *kan* de Paris, fouillant ses souvenirs et ses connaissances. Soudain, il comprit. Il n'était pas sans ressources, bien au contraire. L'arme la plus puissante qui fût se trouvait à sa portée. Il lui suffisait de la saisir.

Et il ne pouvait imaginer qu'une seule façon de le faire.

Il se concentra de toutes ses forces pour *empêcher* la marque de YHWH de se reconstituer entièrement dans sa main. Il ne devait pas guérir. Il devait saigner, beaucoup et vite. Dans sa paume, il sentit la mystérieuse énergie qui hésitait. La chaleur bénéfique s'atténua puis son flot se renversa. Le flot de sang reprit de plus belle. Le liquide chaud et visqueux baigna bientôt son poignet et son bras.

Frénétiquement, malgré sa faiblesse croissante, Manaïl profita de la fascination des Nergalii devant les souffrances de la gitane pour replier le pouce vers sa paume, réduisant au maximum le diamètre de sa main. Il se mit à faire tourner son poignet sur lui-même dans le bracelet de fer qui le retenait prisonnier. Puis, utilisant son propre sang comme lubrifiant, il tira vers le bas. La douleur était presque insoutenable et lui faisait tourner la tête, mais il persévéra. Lentement, sa main glissa dans l'anneau de métal. Elle était presque libre lorsque l'os de son pouce se coinça contre le métal et lui bloqua le passage. Il serra les dents et tira de toutes ses forces. Il sentit la chair se déchirer, les tendons lâcher et l'articulation se disloquer. Il se mordit les lèvres, ravala un cri et dégagea sa main.

Sans hésiter, des larmes mouillant ses joues malgré lui, il posa sa main ravagée et déformée sur la table près de lui. Sur les fragments du talisman de Nergal que Mathupolazzar y avait laissés.

LE MAL PAR LE MAL

Il sentit la plaie dans sa main s'écarter telle une paire de lèvres avides et envelopper un des fragments. La peau meurtrie et sanglante se referma sur le triangle de métal. Une énergie sombre et intense prit naissance dans la marque de YHWH. Manaïl frissonna de dégoût en reconnaissant la sensation qu'il avait éprouvée dans le *kan* de Ville-Marie, lorsqu'une bête terrifiante les avait attaqués, Ermeline et lui. Il sentit une ombre s'insinuer dans les recoins les plus secrets de son âme et la remplir d'une haine délectable. *Il combattra le Mal par le Mal*... Le Mal lui avait redonné la vie et il se décuplait maintenant dans sa main gauche, plus puissant que la première fois.

Le fragment vibra en lui et il vit les quatre autres, sur la table, qui bougeaient. Son pouce se remit en place avec un craquement sec et ses tendons se reformèrent. Son visage tuméfié prit une expression funeste et son regard se fit plus clair qu'il ne l'avait jamais été. Sans qu'il s'en rende compte, sa lèvre supérieure remonta sur ses dents comme celle d'une bête féroce et son souffle s'approfondit.

Toujours enchaîné au mur par le poignet droit, l'Élu reporta son attention vers Ermeline. Mathupolazzar s'apprêtait à lui amputer le majeur. Il leva la main gauche, la marque de YHWH pointée vers l'extérieur. Une chaleur s'y forma et en émana. Devant lui, une masse sombre apparut, ses volutes menaçantes se mouvant dans l'espace tels les nuages d'une terrible tempête. Manaïl éprouvait une fascination malsaine pour le phénomène et n'arrivait pas à en détourner les yeux. À l'intérieur se trouvait un vide primordial, une nuit sans fin, une absence de lumière et de matière qui semblait chercher à consumer tout ce qui était. Et cette chose était en lui…

La masse grandit et parut absorber la luminosité des premières torches qu'elle atteignit. Un lourd silence enveloppa la pièce.

Intrigué par la soudaine tranquillité ambiante, Mathupolazzar se retourna. À la vue du phénomène, il demeura interloqué puis son visage se révulsa de terreur. Oubliant la gitane et le sort qu'il allait lui faire subir, il laissa tomber la dague et recula de quelques pas, les mains devant lui.

– Par Nergal…, murmura-t-il. Que… Qu'est-ce que c'est ?

Ixtelolotl dégaina une dague et se précipita vers l'Élu, décidé à le mettre hors d'état de nuire. Dès qu'il entra en contact avec l'ombre, il s'arrêta net, privé de toute énergie. Il ouvrit tout grand la bouche. Sa langue en sortit et ses yeux s'exorbitèrent. Il émit un gargouillement, tomba à genoux et porta les mains à sa gorge, le regard suppliant et rempli d'incompréhension. Autour de lui, l'ombre sembla gagner en densité et l'enveloppa comme un essaim d'abeilles. Pris de panique, l'homme tenta de se relever, mais en fut incapable. Ses intestins et sa vessie se vidèrent sur le sol. Dans la pénombre surnaturelle, son corps se desséchait à mesure que la vie s'en échappait. Il se flétrissait et n'eut bientôt plus que la peau sur les os. Lorsqu'il s'écroula face contre terre, sa carcasse fumante semblait avoir été consumée de l'intérieur. Tout s'était déroulé en quelques secondes.

On aurait dit que l'ombre malfaisante avait une volonté propre. Toujours affamée, elle se gonfla et ses volutes s'animèrent d'une énergie nouvelle. Elle abandonna sa victime et se déplaça en direction des autres Nergalii, paralysés d'effroi. Quelques-uns secouèrent leur torpeur et tentèrent de s'enfuir, mais tous finirent par être enveloppés. Le phénomène semblait grandir en proportion du nombre de victimes dont il se nourrissait. La nuit remplit la pièce, masquant la lumière des quelques torches qui brûlaient encore.

La main toujours tendue devant lui, Manaïl avait à peine conscience des événements qui se déroulaient. Il se sentait consumé par la haine et le plaisir pervers qu'il éprouvait à voir la vie des adorateurs de Nergal prendre fin sous ses yeux. Il avait l'écœurante sensation d'y être physiquement lié. Il était si pénétré par le Mal qu'il remarqua à peine qu'Ermeline allait elle aussi être enveloppée par la nuit. Lorsqu'il s'en aperçut, il dut faire un immense effort de volonté pour se rappeler que la gitane devait vivre, que c'était pour cette seule raison qu'il avait accepté ainsi le Mal en lui.

L'Élu se concentra de toutes ses forces. L'ombre ne devait pas atteindre sa compagne. Il peina pour maintenir son ascendant sur la pénombre. Sa main trembla sous l'effort et il lui fallut quelques moments pour réaliser que le grognement guttural qu'il entendait sortait de sa propre gorge.

Les volutes tourbillonnantes étaient tout près de la gitane et allaient l'enlacer lorsqu'elles s'immobilisèrent enfin. Inconsciente, Ermeline ne se rendait compte de rien. À l'intérieur de la nuit, les gémissements des Nergalii s'étaient tus. Comme fumée dans le vent, le phénomène, rassasié, pâlit et s'éclaircit puis se dissipa. La lumière reprit ses droits.

Manaïl tomba à genoux, épuisé. Le bras gauche pendant vers le sol, la tête lourde, un filet de salive lui coulant des lèvres et le souffle court, il s'accrochait désespérément à la conscience.

Lorsqu'il en fut capable, il releva la tête et scruta la pièce. Le sol était jonché de robes d'où dépassaient des membres à la peau desséchée. Les Nergalii, informes et méconnaissables dans la mort, avaient été détruits par le Mal qu'ils avaient adoré. Manaïl déglutit. Était-ce possible ? Avait-il vaincu ? Les adorateurs de Nergal étaient-ils anéantis ? *Il détruira le Mal par le Mal...* La prophétie avait-elle eu raison ? Tout était-il enfin terminé ? Il n'osait y croire.

Fouillant la salle, Manaïl vit scintiller une clé autour du cou de l'une des dépouilles, près de la porte. Il étira son bras libre aussi loin qu'il le put et, la chaîne tendue lui tirant cruellement la chair du poignet, toucha du bout des doigts la robe de la Nergali. Il grogna de douleur et tira encore un peu plus. Ses doigts se refermèrent sur le tissu. Il tira le cadavre vers lui et constata qu'il ne pesait presque rien. Toute substance vitale semblait en avoir été extraite.

Passant la main sous la robe, frémissant au contact de la peau parcheminée et encore chaude, il s'empara de la clé. Il déverrouilla le bracelet qui le retenait et, dès qu'il fut libre, se précipita en titubant auprès d'Ermeline. Il la débarrassa frénétiquement de ses entraves et l'attrapa lorsqu'elle s'effondra dans ses bras comme un pantin désarticulé. Il l'étendit doucement sur le sol et, désemparé, examina ses affreuses blessures. Mathupolazzar l'avait dévisagée et mutilée. Elle était d'une extrême pâleur et perdait beaucoup de sang. Mais elle était vivante.

Il allait appliquer sur elle la marque de YHWH, mais interrompit son geste. Le Mal était désormais la seule chose qui pût se dégager de lui. S'il touchait la gitane, il causerait sa mort. Il repéra la dague que le grand prêtre avait laissé tomber sur le sol et, abandonnant temporairement Ermeline, l'empoigna. Le sang de la gitane y luisait encore. Il l'enfonça avec détermination dans le creux de sa main gauche et, indifférent à la douleur, enfouit la pointe sous le fragment pour l'en retirer d'un coup sec. Le triangle de métal chut sur le sol sans qu'il ne s'en préoccupe. La quête n'avait plus d'importance. Toutes ses pensées étaient concentrées sur sa compagne.

Anxieux, il posa la marque encore sanglante de YHWH sur la poitrine d'Ermeline et ferma les yeux, priant Ishtar avec toute l'ardeur qu'il possédait afin qu'elle lui laissât la vie. Pendant ce qui lui parut une éternité, rien ne se produisit. La marque était désespérément inerte et il craignit que la magie de Hanokh l'ait quitté pour de bon. Chaque seconde était pareille à un millénaire rempli d'une terrible anxiété. Puis, à mesure que sa propre chair se refermait et que l'étoile de David reprenait la forme que lui avait donnée le magicien de Jérusalem, il sentit une chaleur familière se former dans le creux de sa main, d'abord embryonnaire puis de plus en plus intense et glorieuse. Avec une infinie reconnaissance, il laissa s'écouler à grands flots l'énergie retrouvée, fertile et bénéfique, et ressentit la vie qui s'insinuait dans le corps meurtri et affaibli de la gitane. Lorsqu'il ouvrit les yeux, il vit les plaies se refermer et les chairs se reformer. Bientôt, le visage et les bras mutilés de la gitane ne portèrent plus que de fines cicatrices rose pâle à peine visibles qui finirent par disparaître. Soulagé, il retira la main.

Il resta longtemps assis, luttant pour ne pas s'effondrer de fatigue, refusant de quitter des yeux la jeune fille. Une voix le tira de son demi-sommeil, à la fois tendre et remplie de reproches.

– Menteur… Tu avais promis…, dit faiblement la gitane. Tu n'aurais pas dû… Je suis perdue de toute façon…

Le garçon ferma les yeux et rendit grâce à Ishtar avec toute la ferveur dont il était capable. Que la gitane soit encore à ses côtés tenait presque du miracle. La déesse lui offrait une autre chance de la tirer des griffes de Nergal. Le sacrifice qu'il avait enduré en acceptant le Mal en lui pâlissait à côté de celui qu'avait consenti Ermeline en s'offrant tout entière pour qu'il vive. Il versa sans honte une larme de soulagement en souriant à sa compagne.

– Je sais, dit-il, riant et pleurant à la fois. Et je n'ai jamais été aussi heureux de manquer à ma parole. Si Nergal veut réclamer sa dette, il devra d'abord me passer sur le corps.

La gitane se blottit contre lui et le serra très fort.

– C'est ce qui me fait peur…, murmura-t-elle avant de s'endormir.

LE LANGAGE DU MAÎTRE

Ermeline dormit longtemps. À l'extérieur du temple de Teotihuacan, le soleil eut le temps de compléter sa course quotidienne dans le ciel et de se coucher sans que Manaïl ne quitte sa position, caressant de temps à autre les cheveux crasseux et croûtés de la gitane comme s'il s'agissait de la chose la plus précieuse qui fût. Des heures durant, il avait posé la marque de YHWH sur ses plaies, les guérissant une à une. Il ne s'était occupé des siennes que lorsqu'il s'était trouvé satisfait de l'état de sa compagne. Quand elle ouvrit enfin les yeux, le soleil se levait à nouveau.

Pendant un peu plus d'une heure, elle resta assise dans le coin de la pièce, à l'écart des cadavres qui jonchaient le sol. Déjà, son visage semblait avoir retrouvé un peu de couleurs dans la lumière des torches qui achevaient de se consumer.

Assis par terre près de la petite table, Manaïl avait regroupé les cinq fragments du talisman.

Répugnant à les porter en lui, il avait repoussé le plus longtemps possible ce qu'il savait inévitable, mais le moment était venu. La gitane prenait du mieux et, bientôt, il leur faudrait repartir. La quête devait être achevée.

Résigné, sa tunique souillée posée près de lui, le menton sur la poitrine, il appuya la dague sur sa poitrine nue. Serrant les dents, il traça une entaille dans chaque pointe du pentagramme inversé que Noroboam l'Araméen y avait tracé. Depuis ce premier contact avec les Nergalii, dans sa Babylone natale, il avait l'impression d'avoir vécu dix vies, chacune plus amère que la précédente. Pourtant, après tant de déceptions et de souffrances, et malgré tous ces gestes qu'il regretterait jusqu'à sa mort, il avait le sentiment que, pour la première fois, la fin était à sa portée. Il ne restait qu'à retrouver le mystérieux centre et le talisman serait enfin entier. Puis, s'il découvrait comment le détruire, peut-être parviendrait-il à sauver Ermeline.

Ouvrant ses plaies avec les doigts d'une main, il y enfouit les fragments un à un, laissant chaque fois la marque de YHWH sceller les blessures. Lorsqu'il eut terminé la sinistre opération, il jeta la dague sur le sol et soupira, livide et tremblant.

De son coin, la gitane l'observait, l'air peiné.

– Tu as mal ? demanda-t-elle d'une voix peu assurée.

Manaïl secoua la tête en affichant un air surpris.

– Non… Pas du tout. Maintenant que les fragments sont réunis, ils se tiennent tranquilles.

Puis, forçant un sourire, il ajouta :

– Tu sais, sans toi, tout serait fini.

– Ce n'est rien, répondit-elle. Ton bras gauche était couvert de sang. Quand j'ai compris que cette ordure t'avait entaillé la main, je me suis rappelé l'effet que le fragment avait eu sur la marque, quand nous sommes entrés dans le *kan* de Ville-Marie. Je me suis dit que…

Elle hésita et posa sur lui un regard plein de commisération.

– Ça a dû être terrible…

Le garçon grimaça.

– Je ne veux plus jamais éprouver cette sensation. Tu ne peux pas imaginer à quel point le Mal est… séduisant. Tuer, faire souffrir… Tout est si facile. Si… délectable.

Il jeta un coup d'œil sur les carcasses déformées des Nergalii, emmêlées sur le sol. Il ressentit un plaisir pervers à l'idée que Mathupolazzar s'y trouvait, réduit à presque rien, comme les autres. Son seul regret était de ne pas avoir pu lui imposer les souffrances qu'il méritait tant. Mais si la justice existait, les dieux se chargeraient de lui.

– C'était nécessaire.

– Ils sont tous morts ?

– Je l'espère.

– J'ai peine à y croire. Tous ces mécréants qui se retrouvent enfin en enfer.

– Je… Je suis désolé. Pour tes doigts…, balbutia Manaïl, contrit.

Ermeline s'égara dans ses pensées en examinant sa main droite, amputée de l'annulaire et de l'auriculaire. Songeuse, elle ouvrit et ferma le poing à quelques reprises.

– Moi aussi…, soupira-t-elle. Mais au moins, cette ordure de Mathupolazzar a payé de sa vie. M'est avis que l'échange est équitable.

Le garçon baissa les yeux, soudain penaud.

– Ermeline ?

– Quoi ?

– Tu… Tu sais que… avant que tu me suggères d'utiliser un des fragments, je… j'avais décidé de… de te laisser mourir.

– Je l'imagine, oui. Mais console-toi. Mathupolazzar m'aurait achevée de toute façon.

– Je n'ai rien dit pour t'aider. Rien tenté. Je ne me suis jamais senti si déchiré… J'ai eu si… honte.

– Ho ! J'espère bien ! dit la gitane en forçant un sourire que Manaïl lui retourna, soulagé.

Il se releva.

– Tu peux marcher ?

– Oui. Ça ira. Que fait-on maintenant ?

– Nous devons partir dans un autre *kan*. Je t'expliquerai. Mais avant, j'ai quelque chose à faire.

Il récupéra le disque de Naska-ât, qui traînait sur le sol, ramassa la dague et tendit la main à la gitane pour l'aider à se relever. Ensemble, Manaïl supportant Ermeline par la taille, ils quittèrent la pièce sans se retourner, laissant la mort derrière eux pour se diriger vers la lumière.

✦

À l'extérieur de la grande pyramide, le soleil brillait depuis longtemps et les aveugla momentanément. Dans la lumière du jour, la cité interdite dans laquelle ils déambulaient, seuls, semblait avoir perdu son aura menaçante et n'était plus qu'un amas de vieilles pierres polies par le temps et à demi recouvertes de végétation.

Manaïl ruisselait de sueur. Il ne lui avait pas fallu beaucoup de temps pour retrouver le cadavre décapité de Chicahuac parmi les cadavres des prisonniers, abandonnés pêle-mêle à la sortie de la pyramide. Le garçon avait réuni la tête et le corps, puis les avait portés jusqu'au temple de Quetzalcóatl. Même masculin, ce dieu était l'incarnation d'Ishtar dans ce *kan* et c'est à lui qu'il confierait celui qui avait été marqué à sa naissance. Tant bien que mal, Ermeline l'avait suivi sans se plaindre en portant les deux torches éteintes prises avant de partir ainsi que l'épée du guerrier, retrouvée entre les dépouilles des Nergalii.

Une fois arrivé à destination, le garçon avait déposé son fardeau sur le sol, à l'ombre du temple, puis s'était mis à ramasser des pierres détachées des ruines qu'il avait rapportées une à une pour le recouvrir et former une butte. Satisfait, il avait planté l'arme de l'Aztèque au sommet. Maintenant, son corps gisait sous les pierres, près de son dieu, sa dépouille protégée de l'ignominie des charognards. Manaïl espérait qu'ainsi, son âme trouverait le repos éternel. C'était peu, mais la dignité était le seul présent qu'il était en mesure de lui offrir en échange de son sacrifice. Par pure grandeur d'âme, et sur la simple foi d'une marque en forme d'étoile, cet homme simple et droit avait donné sa vie pour une cause dont il ignorait presque tout. Il avait suivi la destinée qu'il savait sienne sans douter ni faiblir. Il méritait que ceux qui viendraient un jour dans la cité interdite sachent qu'à cet endroit reposait Chicahuac, courageux guerrier aztèque.

Manaïl prit ensuite la dague et pratiqua une légère entaille dans le creux de sa main droite. Il serra le poing au-dessus de la sépulture jusqu'à ce que quelques gouttes de sang s'écoulent entre ses doigts et tombent sur la sépulture improvisée, puis ferma les yeux pour se remémorer une prière des morts, entendue dans son enfance à Babylone. Il leva le visage vers le ciel.

– Chicahuac ! clama-t-il. Entends ma voix et trouve la paix ! J'ai prononcé ton nom, je l'ai fait entendre d'Ishtar. Qu'Elle te reconnaisse et te guide vers le Royaume d'En-Bas !

Ermeline et lui se recueillirent un instant. Lorsqu'ils eurent terminé, il tira le disque de sa ceinture, le posa à même le sol et s'assit.

D'un ton mesuré, il expliqua à sa compagne ce qu'il avait appris de la bouche même de Mathupolazzar : il existait un sixième fragment, indispensable pour compléter le talisman.

– Et je crois que ce disque m'indique dans quel *kan* il se trouve, termina-t-il. Naska-ât et son bracelet me serviront d'ancrage.

La gitane promena sur le disque un regard dur.

– Cornebouc... Ces gens t'ont utilisé depuis le début, cracha-t-elle. Tu n'avais aucune valeur à leurs yeux ! Tu n'étais qu'un pion sur un damier !

– Que veux-tu dire ? Maître Ashurat a été bon pour moi. Il...

– Ton Ashurat t'a envoyé à l'abattoir, oui ! Ne vois-tu pas ce que les Mages d'Ishtar ont fait ? Depuis le début, seul Naska-ât savait où était le centre. Ainsi, si l'un des Mages était découvert par un Nergali, il ne pouvait pas révéler ce qu'il ne savait pas. Cela valait aussi pour toi. Tu n'étais pas censé en connaître l'existence avant d'avoir rassemblé les fragments ! Même torturé à mort, tu n'aurais pas pu trahir un secret dont tu ignorais jusqu'à l'existence. Et c'est finalement ton ennemi qui te l'a révélé. Quelle abjecte ironie !

Manaïl sourit tristement.

– Ils ont bien fait, dit-il d'une voix résignée. Ils se sont assurés que même si l'Élu échouait, une partie du secret demeurerait cachée. J'ai toujours su que la quête avait plus de valeur que ma propre vie. Ce que je n'admets pas, c'est que la tienne se soit retrouvée en jeu.

Irritée, Ermeline croisa les bras sur sa poitrine, mais n'ajouta rien. Son regard était rivé sur le disque. L'Élu se leva et lui tendit la main.

– Il est temps de partir, soupira-t-il.

– Attends ! s'exclama la gitane.

– Quoi ?

– Là, sur le pourtour du disque. Tu as remarqué cette petite croix ? Elle est similaire à celle qui se trouve à l'intérieur du bracelet.

Le garçon se rassit et regarda de plus près. Effectivement, sur la tranche du disque se trouvait une minuscule croix. Il ne l'avait pas aperçue dans le noir de la chambre souterraine et n'avait guère porté attention aux détails du disque depuis. Dubitatif, il retira le bracelet de son poignet pour mieux comparer. Les deux croix pattées étaient presque identiques.

– J'aurais dû la voir bien avant, pesta Manaïl, mécontent.

Saisissant le disque d'une seule main, il l'examina. Sans trop réfléchir, il appuya sur la croix. Un petit déclic se fit entendre et l'objet se sépara en deux. Sidéré, l'Élu regarda les deux moitiés rouler sur le sol. Sur la face intérieure de l'une d'elles se trouvaient des signes.

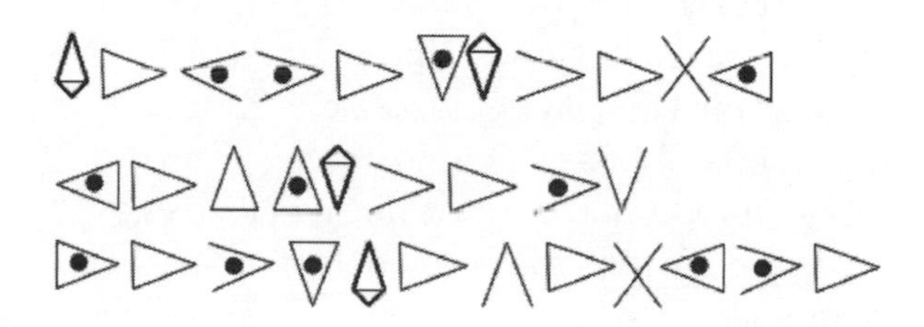

– C'est l'écriture de ce *kan* ? suggéra Ermeline.

Manaïl laissa son regard errer sur les signes en les effleurant des doigts. Ils étaient gravés si légèrement qu'il sentait à peine leur relief. Pensif, il fit la moue puis se redressa.

– Non..., répondit-il. C'est celle de Naska-ât.

Il approcha son bracelet et l'inclina vers le soleil pour mieux voir les symboles gravés sur la face intérieure. Il lui indiqua la croix pattée.

– Ces lettres sont celles de ton *kan*, remarqua-t-il.

– Nous le savons déjà.

– Mais observe la façon dont elles sont disposées autour des pattes de la croix. Et tu vois comme certaines lignes ont été tracées pour avoir l'air plus épaisses que d'autres ? Et ces points disposés çà et là ?

– Tu crois que ça veut dire quelque chose ?

Ermeline plissa les yeux et le nez de concentration.

– Attends… Mais bien sûr ! s'exclama-t-elle en relevant la tête. C'est un code et la clé se trouve sur ce bracelet !

Elle indiqua la croix pattée du bout de l'index.

– Tous les signes qui sont gravés sur le disque se trouvent sur la croix du bracelet. Regarde. Les lignes épaisses forment des triangles et des losanges. Et il y a des points, aussi. Tout y est.

– Et près de chaque pointe de la croix se trouvent les lettres de ton *kan*. Forcément chaque lettre correspond à un signe ! compléta Manaïl.

– Et au *kan* de Jérusalem, et à ceux de Londres, de Ville-Marie et de Montréal. Hormis celui de Babylone, *tous* les *kan* que tu as visités utilisaient cette écriture.

– Naska-ât avait accès au temple du Temps…, dit Manaïl en réfléchissant à voix haute. Et il possédait une bague. Il lui aura suffi de traverser une à une toutes les portes et de visiter les *kan* pour constater par où j'allais passer, puis de s'en inspirer pour formuler son message.

– Il aura eu recours à une écriture avec laquelle tu devais devenir familier… Il te croyait moins bête que tu ne l'es, alors, puisque tu ne sais toujours pas lire. Maintenant, tais-toi, tu veux ? Je dois réfléchir.

La gitane s'installa confortablement par terre, les jambes croisées, le bracelet dans sa main gauche, le morceau du disque devant elle. Elle jeta un coup d'œil sur les signes, puis sur le bijou, puis encore sur les signes.

– Si cette pointe représente le A, celui-ci serait le B, et ainsi de suite…, murmura-t-elle.

Avec son index droit, elle se mit à tracer des lettres dans le sable. À maintes reprises, elle examina ce qu'elle avait écrit et secoua la tête pour tout effacer en maugréant et recommencer autrement.

– Du charabia. Il suffit de découvrir par quel symbole commencer. Ce sera peut-être long, mais j'y arriverai. C'est inévitable.

Au bout d'un long et laborieux travail qui dura près de trois heures, pendant lequel Manaïl marcha de long en large en se mordant la langue pour ne pas parler, la gitane se donna une grande claque sur le front.

– Bien sûr ! s'écria-t-elle. Je suis bête à manger du foin ! Le « x » central est la clé ! S'il correspond au N, tout fonctionne ! J'aurais dû y penser plus tôt.

Elle se remit frénétiquement au travail. Après quelques minutes, elle posa le bracelet et se redressa.

– Voilà ! s'écria-t-elle en se frottant les mains de satisfaction. Il suffisait d'identifier le symbole de la première lettre et le reste coulait de source ! Le code va de gauche à droite, une lettre à la fois !

Dans le sable, elle avait tracé des dessins et des lettres, suivie d'un très long mot.

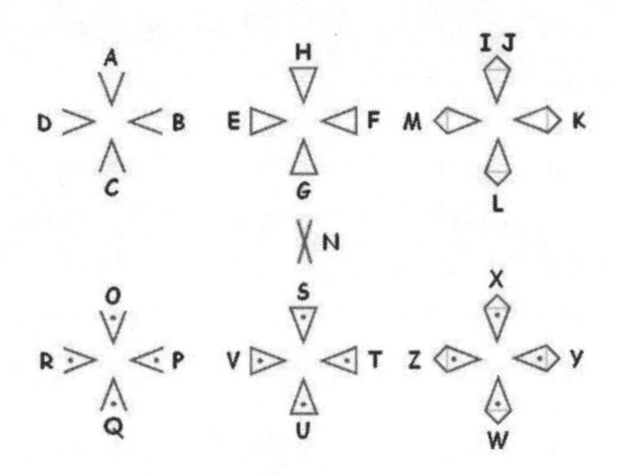

LEPRESIDENTTEGUIDERAVERSLECENTRE

– Alors ? s'enquit anxieusement l'Élu.

– C'est du français, déclara Ermeline, un peu surprise.

– Pourquoi Naska-ât n'aurait-il pas su que tu parlerais cette langue ? Les Anciens avaient bien prévu ton existence… Que dit le message ?

– « Le président te guidera vers le centre. »

– C'est tout ?

– J'en ai bien peur…

– Tu sais ce que c'est, un président ?

– Non…

Manaïl saisit le bracelet de bronze, le repassa à son bras et le caressa pensivement. L'objet était porteur des clés laissées pour lui par Naska-ât, dont personne, pas même les cinq Mages qu'il avait formés, n'avait eu connaissance. Il lui avait livré son message, si obscur fût-il. Le vieux prêtre d'Ishtar lui était venu en aide. Il devait lui faire confiance.

– Le message nous confirme au moins que le centre se trouve dans le *kan* où nous devons nous rendre, déclara-t-il d'un ton résolu. Cela me suffit. Maître Naska-ât avait sans doute ses raisons de rester si obscur. Nous comprendrons sûrement le reste bientôt. Viens. Il est temps.

Il lui tendit la main et ferma les yeux. Ensemble, Manaïl et Ermeline cessèrent d'exister dans le *kan* de Tenochtitlán, où Aztèques et Espagnols continuaient à combattre pour établir leur domination sur l'empire.

LA PRÉMONITION DE LINCOLN

Washington, en l'an 1865 de notre ère

Debout devant la fenêtre du bureau présidentiel, Abraham Lincoln était au bord de l'épuisement. Il luttait contre le sommeil qui alourdissait ses membres, lui causait des étourdissements et rendait toute concentration difficile. Les reflux acides de son estomac l'avaient laissé incapable d'avaler la moindre bouchée depuis la veille et la migraine qui l'assaillait le faisait grimacer. Il dormait mal depuis si longtemps...

Pourtant, le président des États-Unis d'Amérique avait toutes les raisons de se réjouir. La veille, la nouvelle tant espérée lui était parvenue. Le général des États confédérés du Sud, Robert E. Lee, avait rendu les armes devant Ulysses Grant, général de l'Union. Après six cent dix-sept mille morts et de terribles dommages matériels, la guerre de Sécession tirait à sa fin. Au Sud, la population mourait littéralement de faim. Mais, enfin, le pays qui depuis quatre ans était déchiré en deux, serait bientôt en paix. Les États confédérés, qui s'étaient opposés avec tant de férocité à l'abolition de l'esclavage et qui avaient fini par faire sécession, reviendraient au bercail.

Toute la ville de Washington était en liesse. De sa fenêtre, il pouvait entendre les cris de joie et les chants de célébration. Les rues étaient noires de fêtards qui dansaient à qui mieux mieux et, dans les tavernes bondées, les réjouissances allaient bon train. Le soir même, on prévoyait des feux d'artifice spectaculaires. Malgré cela, Lincoln était maussade. Plus que personne, il avait conscience de l'immense travail qui l'attendait pour éteindre les rancœurs tenaces dans la population et unifier à nouveau la nation divisée. L'économie était en ruine. Même pour celui que l'on surnommait « Honest Abe », la tâche s'annonçait colossale. Peut-être même insurmontable. L'animosité entre les Sudistes et les Yankees serait tenace. La haine personnelle que lui vouaient les confédérés se révélerait encore plus farouche maintenant qu'ils avaient perdu, il n'en doutait pas. Depuis le début du conflit, il avait été l'objet de plusieurs complots d'enlèvement et de meurtre, auxquels il n'avait échappé que par la grâce divine. Pour cette raison, depuis quelque temps, John F. Parker, un agent de la Police métropolitaine, ne le quittait plus.

Malgré cela, Lincoln ne se préoccupait guère de sa sécurité personnelle. Les curieux allaient et venaient librement dans la maison présidentielle, prélevant au passage des morceaux de tenture et de papier peint comme souvenir, au point où la demeure menaçait d'avoir bientôt l'air d'un taudis. Mais il fallait satisfaire le peuple, surtout en ces temps difficiles. Et si Lincoln devait mourir en fonction, il le ferait sans hésiter. Il avait fait le serment de servir la nation et continuerait à le faire sans égard aux conséquences.

De toute façon, hormis la reconstruction des États-Unis, il n'avait guère de raison de vivre. Voilà quinze ans, la vie lui avait enlevé son fils Edward. Puis, deux ans auparavant, Willie était mort de la fièvre typhoïde. Depuis, plus rien n'était pareil. Son épouse, Mary, était devenue taciturne et renfermée. Ses deux autres fils encore vivants, Robert et Thomas, se ressentaient de l'atmosphère familiale.

Lincoln soupira. Peut-être ce mandat s'achèverait-il plus vite que prévu. Quelques jours plus tôt, un rêve l'avait profondément troublé et il n'arrivait pas à l'oublier. Il s'assit à son bureau, ouvrit son journal personnel et se mit à le noter, comme il le faisait pour tout ce qui lui semblait important.

Voilà environ dix jours, j'allai au lit très tard. J'avais attendu des messages du front. Je ne pouvais avoir été couché depuis très longtemps lorsque, épuisé, je sombrai dans un lourd sommeil. Je me mis aussitôt à rêver. Je me sentais saisi d'une tranquillité proche de la mort. Soudain, j'entendis des sanglots, comme si nombre de gens pleuraient. Je quittai mon lit et descendis au rez-de-chaussée. Là, le silence était meublé des mêmes pleurs, mais l'endroit était vide. J'allai d'une pièce à l'autre sans trouver âme qui vive, quoique mon chemin fût parsemé de cris de détresse. Chacune des pièces était illuminée ; chaque objet m'était familier. Mais où se trouvaient tous ces gens qui se lamentaient comme si leur cœur allait éclater ? J'étais intrigué et alarmé. Qu'est-ce que cela signifiait ? Déterminé à découvrir la cause d'une situation si mystérieuse et troublante, je continuai jusqu'à la Chambre Est, où j'entrai. Là, je fis face à une insoutenable surprise. Devant moi se trouvait un catafalque sur lequel reposait un corps habillé de vêtements funèbres. Autour, des soldats montaient la garde ; et il se trouvait une foule qui regardait tristement vers le corps, dont le visage était couvert. Tous pleuraient piteusement. « Qui donc est mort à la maison présidentielle ? », m'enquis-je auprès d'un des soldats. « Le président, répondit-il, on l'a assassiné. » Le cri de détresse qui monta de la foule me tira de mon rêve. Je ne pus me rendormir cette nuit-là. Et quoiqu'il ne s'agisse que d'un rêve, je me trouve depuis étrangement préoccupé.

Était-ce un rêve prémonitoire ? Un confédéré incapable d'accepter la défaite allait-il bientôt l'assassiner ? La mort rôdait-elle autour de lui ? Était-ce la lame froide de sa faux qu'il sentait parfois sur sa nuque, tard le soir ? Il haussa les épaules avec insouciance. Si la mort désirait le prendre, qu'elle vienne. Elle était la bienvenue.

Il venait de poser sa plume lorsqu'on frappa discrètement à la porte.

– Oui ? Qu'est-ce que c'est ? demanda-t-il en essayant de ne pas laisser transparaître la lassitude qui l'accablait.

La porte s'ouvrit et Charles Forbes, son secrétaire particulier, passa la tête dans l'entrebâillement.

– Le secrétaire d'État Seward est là pour votre rendez-vous de dix heures, annonça-t-il. Dois-je le faire entrer ?

Compétent et dévoué, Seward était indispensable à la reconstruction du pays et désirait discuter des termes de reddition que le Nord allait imposer au Sud. Lincoln avait presque oublié qu'ils devaient se voir.

– Donnez-moi cinq minutes, Charles.

– Bien, monsieur, dit Forbes avant de se retirer.

Lincoln avait besoin de ce délai pour chasser ses sombres pensées. Il devait se remettre en état de gérer la nation. Il balaya le bureau des yeux et, comme cela arrivait si souvent, s'arrêta au coffre-fort sur pieds qui se trouvait dans le coin de la pièce. Construit de plusieurs épaisseurs d'acier trempé, cet objet était imprenable. Même la dynamite n'en viendrait pas à bout, l'avait-on assuré. Il était aussi la source de ses plus grands tourments.

Seul le président en possédait la combinaison, qu'il devait transmettre à son successeur ainsi que le contenu qu'il protégeait. C'est ce qu'avait fait James Buchanan lorsqu'il avait quitté les lieux. Dans ce coffre-fort se trouvaient des documents ultrasecrets d'une importance telle qu'ils étaient destinés au seul regard du commandant en chef en exercice. Lincoln les avait tous lus. Sauf un.

Jamais il n'avait ouvert l'enveloppe qui portait un sceau formé d'une équerre et d'un compas.

Sur l'enveloppe se trouvait un mot écrit par une main légendaire. Il l'avait si souvent lu qu'il le connaissait par cœur.

À toi, mon frère, qui occupe la fonction qui fut la mienne,

S'il advient que quelqu'un se présente à toi au nom d'Ishtar et te cite correctement les deuxième, quatrième et sixième phrases de ce texte, remets-lui cette enveloppe.

L'ÉLU SE LÈVERA, RASSEMBLERA LE TALISMAN ET LE DÉTRUIRA. FILS D'UANNA, IL SERA MI-HOMME, MI-POISSON. FILS D'ISHTAR, IL RENIERA SA MÈRE. FILS D'UN HOMME, D'UNE FEMME ET D'UN MAGE, IL SERA SANS PARENTS. FILS DE LA LUMIÈRE, IL PORTERA LA MARQUE DES TÉNÈBRES. FILS DU BIEN, IL COMBATTRA LE MAL PAR LE MAL.

S'il ne se présente pas durant ton mandat, confie ce devoir à ton successeur.

Que le Très-Haut te garde, mon frère.

George Washington, MM

Lincoln accordait au symbole maçonnique le respect qui lui était dû. Il témoignait de la gravité du contenu de cette enveloppe. Comme plusieurs de ses prédécesseurs, le seizième président américain était franc-maçon. Il avait été initié à la loge Tyrian de Springfield en 1860, peu après avoir remporté la nomination présidentielle pour le Parti républicain. Il avait gardé la chose confidentielle, de peur de s'attirer l'animosité de ceux qui craignaient l'influence des loges maçonniques. Mais, contrairement à son illustre prédécesseur, il n'avait jamais été maître d'une loge et ne comprenait rien au texte cryptique de l'enveloppe. Néanmoins, il s'y fiait entièrement. Washington ne l'avait pas écrit pour rien.

Il soupira avec impatience en se reprochant de perdre son temps avec de pareils mystères alors que la nation était à rebâtir. Depuis George Washington, quatorze présidents s'étaient succédé sans que cette mystérieuse enveloppe ne fût ouverte. Dans quelques années, il la transmettrait à son successeur et mourrait lui aussi sans en connaître le secret.

On refrappa à la porte. Lincoln se leva, sa grandeur et sa maigreur accentuant l'apparence voûtée de son dos. Il ajusta sa veste et lissa ses cheveux foncés un peu rebelles ainsi que la barbe finement taillée qui lui ornait les joues et le menton. Il ne pouvait rien contre les rides qui creusaient son visage grave ou ses traits tirés par la fatigue et les soucis. Il était le président des États-Unis d'Amérique et le devoir l'appelait.

– Entrez, finit-il par dire.

Forbes apparut dans la porte.

– Le secrétaire d'État Seward, monsieur le président, annonça-t-il.

Lincoln tendit la main à l'homme aux cheveux blancs et à l'air un peu timoré qui s'approchait de lui, une pile de dossiers sous le bras.

– Alors, cher William, soupira le président, par où commence-t-on la reconstruction d'un pays ?

✦

Seul dans sa chambre d'une pension de Washington, John Wilkes Booth rageait en avalant whisky par-dessus whisky. Grand acteur dont les critiques avaient unanimement chanté les louanges, il n'était pas monté sur les planches depuis des mois, même si son public le réclamait à grands cris. Son jeu intense, sa voix de stentor, son magnétisme manquaient à la foule. Mais il n'avait plus le goût ni l'énergie de se donner en spectacle. Il avait tout perdu dans de mauvais investissements. Malgré son succès, il se retrouvait sans le sou.

Ses convictions politiques s'étaient peu à peu transformées en obsession et, à mesure que celle-ci grandissait, il s'y était entièrement consacré, planifiant méticuleusement le coup d'éclat qui serait l'apothéose de sa carrière. Son nom serait à jamais gravé en lettres de feu dans l'histoire des États-Unis.

Depuis le déclenchement de la guerre de Sécession, Booth avait été un chaud partisan des confédérés. Sudiste jusqu'à la moelle, il avait été impliqué dans un complot visant à kidnapper le président Lincoln et à s'en servir comme monnaie d'échange pour obtenir la libération de soldats sudistes. Le projet avait échoué, mais sa conviction était demeurée intacte.

Comme tous les partisans du Sud, il venait d'apprendre la reddition du général Lee. Sous peu, si rien n'était fait, la défaite des confédérés serait consommée. Le rêve serait anéanti. Ce traître de Lincoln s'empresserait d'abolir l'esclavage, c'est-à-dire d'émanciper les nègres et d'en faire des citoyens à part entière, avec le droit de vote ! C'était impensable. Obscène. Pour nombre de propriétaires de plantations des États du Sud, la fin de l'esclavage signifierait la ruine pure et simple.

La cause sudiste méritait une dernière chance. Et John Wilkes Booth serait celui qui la lui donnerait. Il le ferait seul en sachant fort bien que ses chances de survie seraient minces. Il se mit à rédiger deux lettres : l'une à sa mère et l'autre au journal local. Les deux seraient confiées à des gens fiables et envoyées dès qu'il aurait agi.

Il se versa un autre verre de whisky et s'assit à une petite table. Il relut ses notes une dernière fois puis les jeta à la poubelle. Il craqua une allumette et y mit le feu. Il ne devait en rester aucune trace.

LA LUMIÈRE DES CIEUX

Ils venaient à peine de se matérialiser dans un nouveau *kan* lorsque l'Élu s'effondra lourdement sur le sol. Une fois de plus, son corps semblait avoir été vidé de sa dernière étincelle d'énergie.

Des voix étouffées traversèrent le voile épais de sa conscience.

– Ils ont de longs cheveux noirs qui leur descendent jusqu'aux chevilles, dit une femme ; leur peau a la couleur du cuivre, et ils sont armés de... de... De quoi, déjà, monsieur Vernon ?

– De tomahawks, répondit un homme.

La pression de la main de la gitane sur son épaule lui sembla lointaine et la voix qui l'accompagnait, anxieuse et impatiente à la fois.

– Le moment est mal choisi pour un de tes moments de torpeur, chuchota Ermeline, tendue, en le secouant. On nous cherche. Lève-toi, cornebouc !

Malgré l'urgence dans l'appel de sa compagne, Manaïl resta prostré sur le sol, le corps aussi lourd que toutes les briques du temple d'Ishtar. Il n'éprouvait nullement le désir d'obéir à l'imprécation de la gitane et en aurait été bien incapable même s'il l'avait souhaité.

Anxieuse, Ermeline chercha une cachette.

L'endroit était désert. Il faisait sombre et l'air poussiéreux avait une odeur de renfermé et de moisissure. Autour d'eux, des caisses étaient empilées pêle-mêle, certaines ouvertes, d'autres non. Le long des murs à la peinture pelée, des tringles de métal ployaient sous le poids des centaines de vêtements qui y étaient suspendus. Par terre s'étalait une quantité étonnante de bottes, de tous les styles et de toutes les tailles, alignées par paires. Sur des tablettes, une variété de couvre-chefs étaient posés les uns par-dessus les autres. Un lourd rideau de velours d'un rouge rappelant celui du vin semblait séparer la pièce en deux.

La gitane soupira de frustration et empoigna le garçon par les épaules de sa tunique. Grognant sous l'effort, elle le tira derrière des caisses.

Dans l'esprit trouble de l'Élu, les questions s'entremêlaient. On les cherchait ? Comment était-ce possible ? Il avait vu les Nergalii dans le temple de Teotihuacan, étendus sur le sol, réduits en un amas de peau et d'os. Il avait cru les avoir tous détruits. En restait-il d'autres qui se seraient lancés à sa recherche ? D'une main hésitante dans laquelle l'énergie revenait goutte à goutte, il tâta les cinq fragments enchâssés dans sa poitrine. Ils étaient toujours là.

– Oui, c'est ça, déclara la femme. Et il vaut mieux être prudente, mademoiselle Georgina, ou il prendra ce tomahawk et vous scalpera !

Sentant qu'Ermeline avait cessé de le traîner, il ouvrit les yeux et tenta de relever la tête, mais l'effort se révéla au-dessus de ses forces. Il aperçut le visage de la gitane au-dessus de lui, l'index sur les lèvres.

– Chut..., murmura-t-elle.

De l'autre côté de l'épaisse tenture, des pas s'approchaient.

– Quelqu'un, trouvez quelque chose pour la couvrir, ordonna un autre homme ; une chaudière d'eau ; non, non, pas ça, elle est déjà assez pâle. Georgina... Ne craignez rien... Dundreary est près là ; il vous protégera.

Au prix d'un grand effort de volonté, le garçon parvint à s'asseoir et secoua la tête pour en chasser la brume. Prenant appui sur une des caisses, il se remit debout. Ses jambes tremblaient sous son poids et menaçaient à tout instant de céder. Sa vision s'obscurcit un instant et des points multicolores dansèrent brièvement devant ses yeux. Son visage était livide et mouillé d'une sueur froide. Il aperçut une planche qui avait été détachée du couvercle d'une des caisses et l'empoigna sans se faire d'illusion. Il était faible comme un bébé naissant. Même avec cette arme de fortune, si on les découvrait, il ne serait pas en mesure d'offrir la moindre opposition aux Nergalii. Du coin de l'œil, il vit qu'Ermeline tenait le cordon de son médaillon entre ses doigts.

Le garçon s'apprêtait à bondir avec le peu d'énergie dont il disposait dans l'espoir de prendre ses adversaires par surprise lorsqu'il sentit la main de la gitane lui serrer l'avant-bras.

– Attends un peu..., chuchota-t-elle en étirant le cou, perplexe. Quelque chose cloche...

– N'ayez crainte, Georgina, dit la femme de l'autre côté du rideau. Il ne vous fera rien tant que Dundreary sera près de vous. À lui seul, il pourrait prendre les trois scalps !

Les pas cessèrent et un lourd silence s'installa. Tendue, Ermeline fronça les sourcils.

– Trois ? Ils cherchent trois personnes..., fit-elle pour elle-même.

Un grand éclat de rire éclata soudain et traversa le rideau, faisant sursauter Manaïl. Puis des applaudissements nourris retentirent. Cela n'avait aucun sens. De l'autre côté, une foule nombreuse semblait s'amuser. Les pas reprirent et s'éloignèrent. Ils furent suivis de voix.

– Au revoir, Dundreary, dit la femme en pleurant. Je ne vous reverrai jamais dans toute votre gloire.

– Ne pleurez pas, Miss Florence, répliqua l'homme. J'attends ce monsieur Tommy Hawk de pied ferme !

La gitane sourit et laissa échapper un long soupir en secouant la tête, amusée.

– Ce n'est que du théâtre..., ajouta-t-elle pour rassurer Manaïl.

– Du quoi ?

– Du théâtre. De l'autre côté du rideau, des saltimbanques jouent une comédie devant une foule. J'en ai souvent vu sur le parvis de la cathédrale Notre-Dame. Tu peux lâcher ton bout de bois. Personne ne nous cherche.

Faisant confiance à la gitane, Manaïl obéit, soulagé, et se laissa glisser sur le sol. Appuyé contre la caisse, il sentait les rigoles de sueur qui coulaient dans son dos. Les yeux fermés, il inspira lentement et sentit que, déjà, la terrible fatigue qui suivait les déplacements d'un *kan* à l'autre le quittait. Pour la deuxième fois, le Mal qui lui avait redonné vie faisait son œuvre plus vite que le Bien. Il ne savait pas s'il devait s'en réjouir ou le déplorer, mais tant que sa quête se poursuivait, cela représentait un avantage certain.

Ermeline avisa sa tunique aztèque maculée de sang séché puis celle de son compagnon, qui n'était pas en meilleur état. Elle jeta un coup d'œil vers les costumes.

– Changeons de vêtements au plus vite. Peu importe à quelle époque nous sommes, les gens vont nous prendre pour des fous dangereux. Tu te sens mieux ?

– Oui... Ça ira.

Derrière le rideau, la pièce se poursuivait. L'Élu et la gitane allaient sortir de leur cachette lorsqu'une femme vêtue d'une longue robe à dentelles traversa les coulisses et se planta près du rideau, attendant d'entrer en scène. Après quelques instants, elle disparut et sa voix se joignit à celle des autres comédiens.

— S'scusez-moi, m'dame. V'là le gentilhomme qui dit qu'il est attendu[1].

Ermeline patienta un peu pour s'assurer qu'aucun autre acteur ne revenait dans les coulisses puis se releva. Elle tendit la main à Manaïl qui l'accepta avec reconnaissance et s'en servit pour se remettre debout. Ils se dirigèrent vers les costumes et y fouillèrent pour en trouver qui étaient à leur taille. La gitane choisit une robe brune sans fioritures, au col étroit et à la taille haute. Elle allait retirer sa tunique lorsqu'elle s'interrompit.

— Regarde ailleurs, paillard, rouspéta-t-elle.

— J'ai autre chose à faire, figure-toi, maugréa le garçon, pressé d'enfiler un pantalon gris.

Peuh ! Que tu dis !

Quelques minutes plus tard, le garçon et la gitane étaient transformés. La robe donnait à Ermeline un air sévère qui était accentué par le fait qu'elle avait ramené ses longs cheveux souillés sur sa nuque et les avait hâtivement attachés en chignon. Elle grimaçait en se tortillant les pieds, enfermés dans des bottillons de

1. Tom Taylor, *Our American Cousin*, acte 1.

cuir verni noir au bout pointu et au talon fin dont les lacets sanglaient ses jambes jusqu'à mi-mollet.

– Ces chaussures sont bien étroites... Cornebouc, les femmes de ce *kan* doivent toutes avoir les pieds rabougris. Comment vais-je marcher ?

Manaïl, lui, achevait de boutonner une veste noire passée par-dessus une chemise blanche qu'il portait sans cravate. Ses bottes de cuir brunes lui montaient sous les genoux.

– Fichons le camp d'ici, dit-il.

Il achevait à peine sa phrase lorsque de nouveaux applaudissements explosèrent dans la salle. Le rideau s'écarta et les comédiens apparurent.

– Laura ! Tu es merrrrrrrveilleuuuuse, ma chère, s'exclama sur un ton doucereux un des acteurs avec une galanterie affectée.

– Mais je suis *toujours* merveilleuse, cher Harry, roucoula-t-elle avec un sourire satisfait. C'est pour ça que le nom Laura Keene est au sommet de l'affiche et pas le tien !

– Allons, allons, les enfants ! s'exclama un petit homme efféminé en frappant ses mains ensemble. Cessons de nous piquer les uns les autres. Changement de costume ! Nous n'avons que deux minutes avant l'acte deux ! Le public en délire nous attend !

Vexé, Harry Hawk allait rétorquer quelque chose de méchant à sa partenaire lorsqu'il aperçut les deux jeunes étrangers et s'immobilisa.

– Mais… Qui êtes-vous ? Que faites-vous là, vous autres ?

– Ils nous volent des costumes ! s'indigna l'autre homme.

Sans hésiter, l'Élu saisit la main de la gitane et l'entraîna vers le fond de la pièce, où se trouvait une porte.

– Arrêtez-les ! s'écria le comédien en agitant les bras dans tous les sens. Au voleur ! Police !

Manaïl poussa la porte d'un coup sec et se retrouva sur une petite galerie qui donnait dans une ruelle sombre. Ermeline dans son sillage, il dévala les marches.

Ils n'avaient fait que quelques pas lorsque le garçon entra en collision avec quelque chose de chaud et de massif. Un hennissement contrarié perça la nuit et il se retrouva sur le derrière, étourdi. Un homme surgit d'une écurie toute proche et hésita.

– Arrêtez-les ! répéta le comédien en émergeant du théâtre. Ils nous ont chapardé nos costumes !

L'homme secoua sa torpeur, contourna le cheval attaché dans la ruelle et s'élança vers Manaïl qui se relevait. Il allait l'atteindre lorsque la gitane étendit la jambe et le fit trébucher. Emporté par son élan, il vola dans les airs, passa par-dessus sa cible et s'écrasa dans un tas d'excréments encore fumant que la bête venait de lâcher.

Profitant de la confusion, l'Élu se remit debout et entraîna Ermeline dans la ruelle sombre. Derrière eux, les pas des comédiens enragés se rapprochaient. Ils tournèrent le coin et se retrouvèrent dans une rue où, malgré l'heure tardive, une foule compacte festoyait. Hommes et femmes buvaient avec enthousiasme.

Ils se tapirent contre la demeure la plus proche, essoufflés. Ermeline fouilla dans le corsage de sa nouvelle robe et, malgré le col qui lui serrait le cou, parvint à extraire son médaillon. Lorsque leurs poursuivants furent tout près, elle surgit, le pendentif brandi au bout du bras.

– Regardez le joli médaillon, articula-t-elle en essayant de dominer l'essoufflement dans sa voix. Voyez comme il est beau… Comme il se balance…

Le garçon d'écurie et les comédiens ralentirent le pas puis s'arrêtèrent, les bras ballants.

– Vous vous sentez fatigués…, poursuivit-elle. Vos paupières sont lourdes… Si lourdes… Vous dormez…

Les membres du groupe fermèrent aussitôt les yeux.

– Lorsque je claquerai des doigts, vous n'aurez plus aucune envie de nous donner la chasse. Vous aurez oublié vos costumes et vous retournerez à vos activités.

Tous ânonnèrent leur assentiment. La gitane claqua des doigts et les cinq paires de paupières s'ouvrirent en sursaut. Sans rien dire, tous tournèrent docilement les talons et retraitèrent dans la ruelle sombre.

Ermeline se retourna vers Manaïl et sourit à pleines dents.

– Et voilà ! Heureusement que je suis là pour te protéger !

L'Élu ronchonna pour la forme. Ils poursuivirent leur chemin et, essayant de se repérer, empruntèrent une rue transversale. Ils aboutirent bientôt devant le théâtre, où une foule s'était massée. Sur la façade, une affiche annonçait *Our American Cousin* mettant en vedette Laura Keene.

Au même moment, une violente explosion retentit, suivie d'éclairs aveuglants.

✦

Manaïl saisit Ermeline par les épaules et la projeta par terre pour la couvrir de son corps. Étendus sur le sol humide, ils furent secoués par une autre explosion puis une autre encore. Des éclairs multicolores illuminèrent la nuit, suivis des exclamations de la foule autour d'eux. Puis le phénomène cessa.

Incrédule, le garçon, toujours allongé sur la gitane, leva les yeux. Au même instant, les explosions reprirent. À chaque nouveau coup de tonnerre, le ciel s'illuminait de lumières jaunes, rouges, vertes, bleues et blanches formant d'éphémères étoiles qui allaient mourir vers le sol en gracieuses cascades.

Un homme se tenait près d'eux, une bouteille à la main. Il dévisagea le garçon d'un air amusé en titubant légèrement.

– T'es un peureux ou t'aimes pas les feux d'artifice ? demanda-t-il d'une voix empâtée où perçait une menace voilée. T'as pas le goût de fêter la victoire ? Tu serais pas un sudiste, par hasard ?

– J'ai… j'ai trébuché, expliqua Manaïl, sous lequel Ermeline commençait à se tortiller en grommelant.

L'homme sembla soupeser un moment la justesse de la réponse puis un sourire éclaira son visage.

– Ha ! Maudit whisky ! Moi aussi, quand j'ai pris un verre de trop, je me retrouve parfois sur le cul.

L'homme lui tendit la main et l'aida à se relever. Lorsque ce fut fait, il lui tendit sa bouteille.

– Tiens ! Prends une gorgée. C'est fête ce soir !

– Euh… Non merci… Je…

– Allez. Bois, je te dis.

Espérant se défaire de l'importun, le garçon accepta l'offre à contrecœur et avala une grande gorgée du liquide brunâtre. Une sensation de brûlure lui déchira aussitôt le gosier et descendit jusque dans son estomac. À mesure que le feu l'envahissait, ses yeux se remplirent de larmes. Il tenta d'inspirer et se mit à tousser comme un pestiféré en rendant la bouteille. Le fêtard lui administra une bonne claque dans le dos en s'esclaffant.

– C'est une boisson pour homme, ça, mon garçon !

Il leva la bouteille.

– Vive l'Union ! s'écria-t-il. Vive le président !

Manaïl se figea. Cet homme avait prononcé le mot qui semblait être la clé du message de Naska-ât. Le président...

– Euh... Oui. Vive l'Union, se contenta-t-il de répéter dans un enthousiasme feint.

– Bonne soirée ! Et prends soin de cette petite. Elle est bien mignonne.

L'homme lui fit un clin d'œil entendu puis s'éloigna en titubant vers un groupe d'hommes et de femmes qui riaient à gorge déployée en admirant les feux d'artifice. Soulagé, l'Élu avisa Ermeline qui se relevait en maugréant.

– Cornebouc ! Regarde ma robe... Elle est couverte de boue. Tu aurais pu faire attention.

D'un geste impatient, elle balaya la saleté qui la maculait à la hauteur des genoux et du ventre. Ses efforts ne donnèrent que des résultats mitigés et elle finit par abandonner.

– J'ai déjà l'air d'une souillarde, lâcha-t-elle, dépitée, en refaisant son chignon poisseux.

La frustration lui faisant oublier sa pudeur habituelle, elle releva sa robe au-dessus du mollet et pointa le pied vers le sol. Inconsciente de la grâce toute féminine de son geste, elle se mit à rouspéter de plus belle en desserrant le lacet de son bottillon.

– Cette chaussure me coupe les sangs. Un vrai instrument de torture !

Embarrassé, Manaïl aurait voulu détacher son regard de sa compagne, mais n'y parvenait pas. Il se sentait rougir dans le noir. Pendant qu'Ermeline terminait l'ajustement, un homme visiblement éméché s'approcha d'elle, un sourire niais sur le visage et une lueur lubrique dans les yeux. L'air résolu, il se planta devant elle en fouillant dans la poche de son pantalon sale et usé dont l'avant était recouvert par un ventre immense.

– C'est combien, ma jolie ? articula-t-il avec difficulté.

Incrédule, Ermeline laissa retomber sa robe, se redressa et toisa l'intrus avec colère.

– Pardon ? demanda-t-elle d'une voix à peine audible et chargée de menace.

– C'est combien pour un petit tour dans la ruelle ? Une belle fille comme toi ne doit pas être donnée, mais j'ai de l'argent.

Le visage de la gitane s'empourpra d'indignation.

– Cornebouc..., gronda-t-elle.

Sans prévenir, elle prit un élan et balança une spectaculaire gifle au visage du gêneur, dont la casquette vola dans les airs et atterrit dans une flaque d'eau boueuse. L'homme recula de trois pas en se tenant la joue, l'air médusé, puis se reprit et s'avança vers elle en brandissant un poing massif, un rictus lui déformant la bouche.

– Petite salope… Je vais te faire voir, moi, comment on traite une traînée…

Manaïl allait s'élancer sur lui, certain de pouvoir en venir à bout sans trop de difficulté dans l'état où il était, lorsque Ermeline, le feu dans les yeux, lui remonta un genou entre les jambes. L'homme plia en deux et s'écroula à genoux. La gitane appuya son pied sur son épaule et le poussa doucement sur le sol, où il s'affaissa lourdement.

– Cochon ! cracha-t-elle. Vicieux ! Paillard ! Ça t'apprendra à me prendre pour une puterelle, espèce de vieux bouc !

Pour toute réponse, l'homme émit un pitoyable gémissement en enveloppant tendrement son entrejambe de ses mains. Redevenue souriante, la gitane enjamba sa victime avec une grâce toute théâtrale et tendit une main galante à son compagnon.

– Nous avons un centre à retrouver, si je ne m'abuse ?

Manaïl s'esclaffa et accepta la main qui lui était offerte. Ils se mêlèrent aux milliers de fêtards et disparurent dans les rues en liesse de Washington.

✦

Dans la foule, le vacarme causé par les feux d'artifice et les cris de joie firent en sorte que l'Élu et la gitane ne purent échanger un seul mot. Main dans la main, ils se glissèrent entre les gens tassés les uns contre les autres, craignant à tout moment d'être séparés par les mouvements de foule.

Ils finirent par trouver une ruelle un peu à l'écart et s'y glissèrent, soulagés d'être enfin loin du tumulte. Ils s'assirent sur une touffe d'herbe clairsemée et s'adossèrent à une étable en mauvais état dans laquelle un cheval s'ébrouait de temps à autre. Une brume froide était suspendue dans l'air et l'humidité de la nuit qui traversait leurs vêtements les faisait frissonner. Ils se serrèrent l'un contre l'autre.

– Brrr..., fit Ermeline. Pour bien faire, nous aurions aussi dû voler des manteaux...

Après un long moment de silence, elle reprit.

– Dans la rue, l'homme qui t'a donné à boire a dit « Vive le président ».

– *Le président te guidera vers le centre*, récita Manaïl.

– Tu avais remarqué ? Alors pourquoi ne lui as-tu pas demandé qui était ce président ?

– Je ne sais pas... Il était soûl et semblait... belliqueux. Il m'a demandé si j'étais un sudiste, comme s'il soupçonnait que je puisse être un ennemi. J'ai préféré rester discret. Je me suis dit que si j'ignorais quelque chose que je devais savoir, cet homme pouvait me causer des problèmes.

– Tu as sans doute raison. Soyons prudents. Mais tout de même... ça nous aurait facilité les choses.

– Au moins, nous savons qu'il existe bel et bien quelqu'un nommé « président » dans ce *kan*... C'est toujours ça de gagné. Nous finirons par découvrir de qui il s'agit. Si on le célèbre, c'est qu'il est important, non ? Il doit être très connu. Demain, nous essaierons de nous renseigner.

Après un instant de silence, la gitane questionna :

– Tu crois qu'il y a encore des Nergalii à tes trousses ?

Manaïl hésita longuement en faisant la moue.

– Je ne sais pas... Tous ceux qui se trouvaient dans le temple sont morts, j'en suis certain. Mais peut-être qu'ils n'y étaient pas tous. Comment savoir ?

– Il vaut mieux rester sur nos gardes, alors.

– Il vaut *toujours* mieux...

La gitane bâilla et se frotta le visage.

– Je suis vannée... Tu te rappelles de la dernière fois que nous avons bien dormi ?

– Dans la forêt, avec Chicahuac.

– Ça fait longtemps...

– Repose-toi un peu. Je vais monter la garde. Lorsque tu te réveilleras, je prendrai mon tour.

Ermeline sourit, enserra affectueusement la taille de l'Élu avec ses bras, posa sa tête sur son épaule et soupira d'aise. Quelques secondes plus tard, elle avait sombré dans un profond sommeil et ronflait doucement. Malgré sa fatigue, Manaïl savourait ce moment de tendresse et sentait en même temps une peur intense l'envahir jusqu'à lui serrer la poitrine comme un étau. Le moment fatidique approchait où la vie de la gitane serait en jeu. En tâtant distraitement les cinq fragments inertes enchâssés dans sa poitrine, il se demanda comment il pouvait prétendre faire le poids contre un dieu. Certes, il ne manquait pas de courage, mais, l'instant venu, aurait-il la force de la sauver? Saurait-il même comment faire? Il l'ignorait, mais le souhaitait de toutes ses forces. La dernière chose qu'il désirait était de devoir respecter la terrible promesse qu'il avait faite.

Il passa le reste de la nuit à ressasser la situation dans tous les sens, à la recherche d'une option qu'il n'avait pas envisagée, sans succès. À maintes reprises, il invoqua l'aide d'Ishtar. Le seul choix qui s'offrait à lui était d'une abominable cruauté : il devait tuer Nergal ou Ermeline. Une fois déjà, face à Mathupolazzar, il avait été confronté à ce dilemme et la décision l'avait presque rendu fou de douleur. S'il devait le refaire, il n'était pas du tout certain qu'il pourrait y survivre.

Cette nuit-là, Manaïl dormit très peu.

✦

La gitane s'éveilla avec le jour. La première chose qu'elle vit en ouvrant les yeux fut le sourire un peu embarrassé de son compagnon dont le bras lui enveloppait les épaules. Elle se redressa et s'étira langoureusement avant de tenter d'ajuster ses cheveux avec ses doigts pendant que Manaïl essayait de ramener le sang dans son membre engourdi.

Elle avisa un baril qui servait à recueillir l'eau de pluie non loin de là, le long d'une bâtisse. Se levant d'un trait, elle s'y dirigca d'un pas décidé et y plongea la tête, puis la ressortit et se mit à frictionner vigoureusement ses cheveux avant de les rincer.

– Voilà ! s'exclama-t-elle en essorant sa chevelure trempée avec ses mains. Ce n'est pas encore très propre mais ça ira. Fais-en autant. Tu devrais voir de quoi tu as l'air...

Manaïl se leva et l'imita sans se faire prier, l'eau fraîche le ravivant un peu.

– Tu ne m'as pas réveillée, coquin, lui reprocha la gitane avec fort peu de fermeté pendant qu'il secouait la tête pour sécher sa crinière. Tu avais promis.

– Tu avais besoin de repos.

– Et toi donc !

– Ça ira. Ne t'en fais pas pour moi.

– Tu as l'air préoccupé.

– Ce n'est rien...

– Tu penses à ce qui arrivera... après, c'est ça ?

Manaïl ne répondit pas. La gitane s'agenouilla devant lui, prit ses mains dans les siennes et leva vers lui un regard rempli de tendresse.

– Mon pauvre ami... Rien ne sert de t'inquiéter ainsi pour moi. Ce pacte, je l'ai conclu en toute connaissance de cause, comme Abidda et ma mère l'auraient fait. Si je le dois, je l'honorerai. Mais commençons par retrouver ce maudit centre, tu veux ? Nous verrons ensuite. Je te fais confiance.

– C'est bien ce qui me fait peur... J'aimerais pouvoir me faire confiance, moi aussi.

Ermeline se pencha vers l'avant et posa sur ses lèvres un doux baiser qui le laissa pantois et troublé.

– Si jamais je... je ne peux pas rester avec toi... après, souviens-toi que j'aurais souhaité le faire, Martin Deville. De tout mon cœur.

Comme si elle se trouvait soudain gênée par le geste qu'elle venait de faire, elle se remit brusquement debout, lissa nerveusement sa robe et fit un chignon avec ses cheveux encore mouillés.

– Bon ! Et maintenant, au travail !

Le garçon fit un sourire triste et se leva à son tour. Sa compagne avait raison. L'inquiétude ne faisait que le paralyser. Mieux valait agir et espérer qu'en temps et lieu, les événements lui révéleraient la solution qu'il espérait tant. Ishtar était la déesse de l'Amour. Elle pardonnerait certainement à Ermeline de l'avoir reniée et veillerait sur eux.

Ils quittèrent la ruelle et émergèrent dans une rue presque déserte éclairée par le soleil levant. Les détritus de la fête jonchaient le sol qu'ils avaient foulé la veille. De toute évidence, c'était le printemps dans ce *kan*. Les quelques arbres qui bordaient les rues montraient déjà leurs premiers bourgeons. Malgré l'heure matinale, l'humidité commençait à s'installer et une odeur de marais vaguement nauséabonde imprégnait l'air.

Ils marchèrent un peu au hasard et parvinrent bientôt devant le théâtre qu'ils avaient fui en trombe la nuit précédente. Vu de jour, le bâtiment de brique à trois étages avait quelque chose de majestueux. Avec son entrée décorée de cinq arches élancées, ses nombreuses fenêtres et son fronton triangulaire, il rappelait un temple à l'Élu. Devant était posé un panneau de bois sur lequel on annonçait le programme de l'établissement pour la prochaine soirée.

Le voisinage du théâtre était bigarré. De chaque côté du bâtiment se trouvaient des maisons à plusieurs étages et des édifices plus bas, tous plus ou moins délabrés. Le long des rues en terre battue parsemées de flaques d'eau, quelques carrioles étaient stationnées çà et là, les chevaux qui les tiraient attachés aux rares arbres.

Ils passèrent très vite devant le théâtre, de peur d'être reconnus par les comédiens qui les avaient poursuivis. Un peu plus loin, une alléchante odeur de nourriture leur parvint.

– Cornebouc, Ce que j'ai faim ! s'exclama la gitane en ravalant la salive qui remplissait sa bouche. Je mangerais un de ces chevaux, tiens !

– Tu as *toujours* faim, grommela le garçon, sans que cela modère l'enthousiasme de sa compagne.

Des gens faisaient la file devant une petite bâtisse. Les hommes étaient sales et vêtus d'uniformes en mauvais état. Mal rasés, l'air abattu, plusieurs d'entre eux étaient blessés. Certains étaient appuyés sur une béquille de fortune et d'autres avaient un bras en écharpe ou un pansement sur la tête. Quelques-uns avaient même été amputés d'un membre. Des femmes à l'air hagard se mêlaient à eux et avaient fort à faire pour combattre les mains baladeuses des moins mal en point. Tous semblaient attendre patiemment quelque chose.

Tout à coup, une porte s'ouvrit et une petite dame rondelette portant un tablier blanc et un chapeau de dentelle en sortit. Les mains sur des hanches amples et rondes, elle toisa la file et sourit.

– À la soupe ! cria-t-elle d'une voix forte. À la soupe ! On fait la queue et on entre dans la discipline, messieurs dames ! Pas de bousculade ! Il y en aura pour tout le monde !

Satisfaite du calme qui régnait, la dame s'écarta pour céder le passage. Aussitôt, les premiers hommes s'engouffrèrent à l'intérieur.

– Tu as entendu ? Ils servent de la soupe là-dedans ! déclara la gitane avec ravissement. Viens !

Elle empoigna Manaïl par la manche, l'entraîna et le contraignit à prendre place au bout de la file. Il allait s'objecter lorsque les effluves atteignirent ses narines et provoquèrent un grondement profond dans son ventre. Après quelques minutes, les premiers entrés ressortirent de l'édifice. La file avança et les deux compagnons se retrouvèrent bientôt à l'intérieur.

La grande salle était entièrement occupée par de longues tables bordées de bancs. Un peu partout, des hommes et des femmes armés de cuillères de bois avalaient goulûment ce qui se trouvait dans l'écuelle en étain qui était posée devant eux. À l'extrémité de la pièce, un homme vêtu de noir, le dos raide et l'air sévère, lisait d'une voix geignarde un livre posé sur un lutrin.

– Jésus dit à ses disciples : « Je vous le dis en vérité, un riche entrera difficilement dans le royaume des cieux. Je vous le dis encore, il est plus facile à un chameau de passer par le trou d'une aiguille qu'à un riche d'entrer dans le royaume de Dieu[1]. »

Autour de lui, les mangeurs l'écoutaient distraitement, concentrés sur leur repas. Ermeline suivit les autres vers un long comptoir où la dame au tablier puisait la soupe avec une louche dans un immense chaudron et remplissait les écuelles qu'elle tendait à tour de rôle à ceux qui se présentaient.

– Tu vois ? clama Ermeline avec enthousiasme en fourrant son coude dans les côtes de Manaïl. Elle donne à manger ! Je te l'avais dit !

La gitane attrapa une des écuelles empilées à l'extrémité du comptoir, prit une cuillère, se

1. Évangile selon Matthieu 19,24.

dirigea vers la dame et lui tendit le récipient avec son sourire le plus radieux. La bienfaitrice le lui rendit, y versa un bouillon fumant rempli de légumes et lui remit un petit morceau de pain dur.

– Voilà, ma belle enfant.

– Merci, madame !

– De rien. N'oublie pas : « L'Éternel est mon berger : je ne manquerai de rien[1]. » Remercie Dieu pour ce qu'Il te donne.

Manaïl reçut la même portion et, ensemble, ils trouvèrent deux places à une table au fond de la pièce. À la gauche de la gitane se trouvait une femme à l'air usé qui dormait presque, le nez dans son plat.

– Bonjour ! fit Ermeline.

– Chut..., murmura une autre femme dont l'haleine empestait l'alcool. Faut écouter le prêcheur... Ils nous nourrissent seulement pour avoir une chance de faire de nous de bons chrétiens. Et ils ne sont déjà pas très patients avec les putes comme nous...

– Nous ? ! s'insurgea la gitane.

Manaïl lui posa la main sur l'avant-bras pour prévenir toute nouvelle explosion de colère.

– Laisse..., chuchota-t-il.

– Cornebouc... J'ai l'air d'une grue ou quoi ?

– Tu voulais manger ? Mange.

Ils s'exécutèrent en silence au son des imprécations du prêcheur. Lorsque les lectures furent

1. Psaume 23,1.

terminées, l'homme referma son livre et jeta sur l'assistance un regard autoritaire et brillant de ferveur à travers ses épaisses lunettes.

– Maintenant, mes frères et sœurs, rendons grâce à Dieu pour la victoire de l'Union sur les confédérés.

Aussitôt, tous posèrent leur cuillère sur la table, joignirent les mains et penchèrent la tête. Pour ne pas être remarqués, l'Élu et la gitane firent de même.

– Dieu tout-puissant, poursuivit le prêcheur, nous te remercions pour la nourriture que tu nous donnes. Nous te sommes reconnaissants d'avoir bien voulu faire descendre des cieux ta lumière afin que cesse le règne de Satan, de la haine et de la mort. Nous te demandons d'étendre ta bénédiction sur le président Lincoln. Inspire-le pour qu'il fasse de notre grande nation un lieu de paix où règne le respect pour tous. Et rappelle-nous sans cesse que tous les hommes, qu'ils soient blancs ou nègres, sont frères. *Amen*.

– *Amen*, répéta l'assistance sans enthousiasme.

Manaïl et Ermeline levèrent brusquement la tête en même temps et se dévisagèrent, l'air entendu. Le président Lincoln. L'homme mystérieux désigné par Naska-ât avait maintenant un nom.

Le garçon attrapa son voisin par la manche et lui fit presque renverser la dernière cuillérée qu'il allait porter à sa bouche.

– Hé ! s'écria l'homme, la barbe maculée de potage. Fais attention ! C'est mon seul repas de la journée, ça !

– Je suis désolé. Vous pouvez avoir mon reste si vous avez encore faim. J'ai terminé.

L'individu ne se fit pas prier. Il s'empara de l'écuelle du garçon et y plongea sa cuillère. Manaïl profita de l'occasion.

– Où puis-je trouver ce président Lincoln ? s'enquit-il.

– Lincoln ? Mais... À la maison présidentielle, tiens...

– Où se trouve-t-elle, cette maison ?

– Facile. T'as qu'à prendre E Street sur la gauche en sortant d'ici. Tu y seras en dix minutes. Mais tout le monde sait ça... D'où tu sors, toi ? Tu serais pas un sudiste, des fois ?

– Merci !

Le garçon et la gitane se levèrent brusquement et se dirigèrent tout droit vers la sortie.

– Ton bol ! lui intima la prostituée derrière eux. Faut le rapporter ! Sinon, ils ne te donneront plus rien !

Ils ne firent pas attention à l'avertissement. Si tout allait bien, ils n'auraient plus à manger dans ce *kan*.

Une fois à l'extérieur, ils prirent sur la gauche et se dirigèrent vers cette maison que tout le monde semblait connaître. Tout le monde sauf eux.

34

LE PRÉSIDENT

Dans sa chambre de la maison présidentielle, Abraham Lincoln pestait devant son miroir en essayant sans grand succès de nouer sa cravate. Pour lui, l'habillement était sans importance et sa réputation d'être négligé était pleinement méritée. Il oubliait trop souvent de tailler sa barbe et avait abandonné depuis longtemps tout effort pour dompter ses cheveux rebelles. À quoi bon ? Avec ses yeux creux, son nez massif qui tirait sur la gauche, ses rides profondes qui trahissaient ses soucis, ses grandes oreilles décollées, ses bras trop longs, son corps maigre et son dos voûté, il était tout sauf beau et il en était tout à fait conscient. Seule sa brave Mary avait vu en lui, jadis, quelque charme.

Toutefois, aujourd'hui, il devait faire un effort. Il allait s'adresser à ses concitoyens. La nation attendait de son président qu'il lui confirme que le cauchemar était terminé, qu'un avenir prometteur s'ouvrait devant elle et que, désormais, tout irait bien. Lincoln doutait que les choses puissent être si simples, mais le peuple souhaitait l'entendre.

Il s'emporta contre le nœud papillon qui résistait obstinément à ses longs doigts malhabiles et haussa les épaules devant le résultat mitigé de ses efforts.

– Forbes ? appela-t-il.

Comme par magie, le secrétaire particulier se matérialisa dans l'embrasure de la porte.

– Monsieur le président ?

– Où est mon discours ? Je croyais l'avoir mis dans ma poche, mais il n'y est pas.

– Ici, monsieur, fit Forbes en récupérant sur une petite table en coin deux feuilles couvertes d'une écriture serrée.

– Ah, merci. Vous pouvez dire au Cabinet que je suis prêt. Dans quelques minutes, je serai sur le parvis. Il y a beaucoup de gens ?

– Le terrain est noir de monde, monsieur.

– Tant mieux.

Le secrétaire allait se retirer lorsque Lincoln l'arrêta.

– Oh, Forbes ?

– Oui, monsieur ?

– Faites savoir à la direction du Ford's Theatre que j'assisterai à la représentation de ce soir. On y joue *Our American Cousin*, je crois. Une bonne comédie me fera du bien. Et puis, comme tout le monde est heureux, il faut bien que le président ait l'air de s'amuser, lui aussi.

– Très bien, monsieur. Ce sera tout ?

– Non. Pouvez-vous m'aider avec ce fichu nœud ? Il me rendra fou.

– Bien entendu, monsieur.

Forbes tendit les feuilles à son patron et, pendant qu'il les révisait, ajusta le nœud papillon d'une main experte. En quelques secondes, Abraham Lincoln fut prêt à paraître devant le peuple.

✦

Contrairement à ce qu'ils craignaient, l'Élu et la gitane n'eurent pas à chercher la maison présidentielle. Ils y furent littéralement conduits par la foule. À mesure qu'ils avançaient dans la rue indiquée, les gens se faisaient de plus en plus nombreux. Ils formèrent bientôt une masse compacte qui se dirigeait dans la même direction. Happés malgré eux, Manaïl et Ermeline furent entraînés vers un vaste terrain méticuleusement agrémenté d'arbres et d'arbustes au centre duquel trônait la statue de bronze d'un homme montée sur des blocs de marbre. Au fond s'élevait un somptueux édifice de deux étages d'un blanc immaculé, parsemé de hautes fenêtres et au tympan triangulaire supporté par quatre colonnes aux volutes gracieuses. Le toit plat était bordé d'une petite balustrade et deux cheminées en dépassaient.

Ils jouèrent des coudes et, faisant fi des remontrances impatientes qu'on leur lançait, parvinrent à s'approcher du premier rang. Sous le fronton de la maison présidentielle se trouvait une grande porte surmontée d'une arche en demi-cercle vitrée qui donnait sur un porche ceinturé par une clôture basse en métal. Lorsqu'elle s'ouvrit, la foule se calma. Tout autour, les visages tournés vers le portique de l'édifice, trahissaient une expectative qui frisait l'avidité.

Un homme d'une grandeur et d'une maigreur peu commune apparut. Aussitôt, des clameurs éclatèrent. Alors qu'il s'avançait jusqu'aux marches, un autre individu sortit subrepticement et resta près de la porte, sa main posée sur la crosse du revolver qu'il portait à la ceinture, ses yeux scrutant froidement la foule.

– Vive le président ! scanda-t-on avec enthousiasme. Vive Honest Abe !

Visiblement mal à l'aise, l'homme leva une longue main osseuse pour demander le silence et, après de longs élans enthousiastes de l'assistance, l'obtint enfin. Manaïl l'observa. Il était vêtu d'un costume noir qui lui donnait un air sévère. Le col de sa chemise blanche semblait l'importuner au plus haut point et il y insérait sans cesse un doigt pour l'étirer. Il avait les oreilles décollées, une barbe sans moustache et était d'une laideur remarquable. Mais ses petits yeux sombres, enfouis sous d'épais sourcils en broussaille et entourés de rides, dégageaient à la fois une autorité naturelle, une lassitude mal dissimulée et une grande sagesse. Ses traits tirés trahissaient la fatigue qui l'écrasait. Lincoln. Cet homme était-il bien « le président » ? Celui auquel Naska-ât avait confié la tâche de le guider vers le centre ?

L'homme laissa échapper un long soupir résigné, sortit des papiers de la poche intérieure de sa veste et les déplia. Puis il se racla la gorge et, d'une voix étonnamment puissante pour un corps si frêle, s'adressa à la foule.

– Chers concitoyens, je me tiens devant vous ce matin non pas triste, mais le cœur rempli d'allégresse. La reddition des dernières troupes sudistes me permettent d'espérer une paix rapide et juste dont vos manifestations de joie me confirment qu'elle est désirée. Au cœur de nos célébrations, toutefois, gardons-nous d'oublier Celui de qui nous viennent toutes les bénédictions. Souvenons-nous aussi de ceux qui ont rendu cette paix possible. Rendons honneur et hommage à nos braves soldats, dont plusieurs ont payé de leur vie le bonheur qui est aujourd'hui le nôtre.

La foule applaudit longuement. Lincoln poursuivit en détaillant comment il entendait reconstruire la grande et fraternelle union d'États qui formait la nation. Lorsqu'il eut terminé, la foule exulta et l'acclama. Gêné par un tel torrent d'affection, il resta planté quelques minutes sur le portique en triturant ses feuilles, saluant de la tête et des mains. Puis il fit demi-tour et rentra dans la maison présidentielle, son accompagnateur sur ses pas.

La foule commença à se disperser.

– Je dois lui parler, déclara Manaïl, anxieux, le regard rivé sur la porte qui venait de se refermer.

Il saisit le bras d'Ermeline et, d'un pas décidé, l'entraîna vers le portique. Personne ne remarqua le jeune couple qui entrait dans l'édifice.

Ils refermèrent derrière eux et aperçurent, à l'autre extrémité du hall aux murs couverts de papier peint et décoré de meubles d'acajou et de draperies, le président qui s'éloignait d'un pas pressé en discutant avec l'homme qui l'avait accompagné sur le portique. Cet homme détenait la dernière clé de la quête. L'Élu n'avait pas le luxe d'attendre. Il devait à tout prix lui parler. Sans réfléchir, il s'élança.

– Monsieur le président ! s'écria-t-il, sa voix se perdant dans l'écho de la pièce. Attendez !

Lincoln et son garde du corps se retournèrent. Sur le visage du grand homme maigre, Manaïl crut percevoir une expression d'effroi, mais n'en tint pas compte.

– Parker ? fit Lincoln en reculant d'un pas pour se placer derrière l'autre.

John F. Parker était un agent expérimenté de la Police métropolitaine de Washington. Court et costaud, la chevelure clairsemée, la moustache fine et cirée, il ne craignait pas la bagarre, comme le prouvaient les nombreuses cicatrices sur son visage et son nez plusieurs fois cassé. Il savait aussi garder la tête froide. Instinctivement, le policier dégaina son revolver, un Colt Army à six coups dont il appréciait la fiabilité et l'équilibre, et le pointa en direction des intrus. En une fraction de seconde, il évalua le danger. Le garçon qui fonçait vers le président avait seize ou dix-sept ans tout au plus et ne semblait guère adroit. La fille qui l'accompagnait, du même âge, était restée en retrait. Parker constata qu'aucun des deux n'était armé. Sans doute des curieux qui désiraient toucher Lincoln, un peu comme on le fait des reliques d'un saint, ou arracher un morceau de papier peint de la maison présidentielle pour le conserver en souvenir. Il abaissa son arme. Comme les apparences étaient parfois trompeuses, il continua de servir d'écran au président.

– Halte !

Manaïl n'écouta pas l'avertissement et poursuivit sur son élan. Derrière l'homme qui s'était interposé entre eux, Lincoln recula de quelques pas de plus. Le garçon tenta de contourner le colosse, mais se heurta à un bras aussi ferme que de la picrre et fut arrêté net.

– Du calme, mon garçon, dit le garde du corps. Le président ne désire pas être importuné. Ta copine et toi devez retourner chez vous.

L'Élu se mit à se débattre.

– Monsieur le président ! Je dois vous parler ! C'est urgent !

Parker se renfrogna. Le garçon se démenait comme un diable. Il ne semblait pas tout à fait équilibré et les fous étaient imprévisibles.

Il s'agissait peut-être de quelque chose de plus qu'un simple importun. La situation devenait soudain plus sérieuse qu'il ne l'avait d'abord estimé. Mieux valait être prudent. Le président avait de nombreux ennemis et plusieurs confédérés rêvaient de l'assassiner pour relancer le conflit.

Le policier glissa son avant-bras autour du cou de Manaïl et serra. De l'autre, il appuya le canon de son revolver sur sa tempe.

– Je t'ai dit de te calmer, fit-il, la mâchoire crispée, en entraînant l'Élu vers la sortie. Tu vas foutre le camp tout de suite.

– Tu vas le lâcher, espèce de brute ? s'exclama Ermeline en s'élançant vers celui qui agressait son compagnon.

Parker la vit arriver du coin de l'œil et ses réflexes prirent le dessus. Son revolver traversa l'air et la percuta directement sur la mâchoire. Un craquement sec retentit. Un éclair de douleur explosa dans la tête de la gitane qui s'effondra aussitôt sur le sol, inconsciente. Voyant Ermeline ainsi assommée, Manaïl se mit à se débattre de plus belle et parvint à s'arracher partiellement de l'emprise du garde du corps. Il enfonça son coude dans son estomac. Parker grogna légèrement, mais en fut à peine affecté. Les muscles de son abdomen étaient fermes comme du fer. Il saisit le poignet du garçon, le tordit violemment et força Manaïl à s'agenouiller.

Le bras ramené entre les omoplates, une douleur vive lui déchirant les muscles de l'épaule, l'Élu ne pouvait bouger. Il releva la tête et fixa Lincoln.

– Je dois vous parler..., gémit-il, les dents serrées et les lèvres retroussées en une grimace de souffrance.

Pâle, les lèvres pincées, le président demeura impassible.

– Vous devez... m'aider! insista l'Élu. On me l'a assuré! Vous êtes... le président. Vous devez... me guider vers... le centre.

Malgré sa posture précaire, il se remit à lutter pour se libérer. Parker resserra son emprise sur son poignet et quelque chose céda dans l'épaule du garçon. Un craquement fut suivi par une douleur aveuglante de blancheur qui lui emplit la tête. Mais même l'épaule démise, il persévéra. La fin de sa quête était à portée de main. Il devait faire comprendre à Lincoln qui il était.

Devant l'insistance du garçon, Parker prit une décision. Ce jeune homme était manifestement dérangé et le seul fait de l'immobiliser ne suffirait pas à le calmer. Au contraire, il semblait de plus en plus enragé. Il leva son revolver et, se fiant à son expérience, l'abattit avec juste ce qu'il fallait de force.

Quelque chose frappa la base du crâne de Manaïl et la douleur se dissipa. Il sentit le plancher froid qui heurtait sa joue. Tout autour, la nuit se refermait lentement sur lui.

– Des sudistes, selon vous? demanda la voix un peu tremblante du président.

– Je vous avais prévenu, monsieur le président. Ils n'avaleront pas facilement la défaite. Vous devez être plus prudent.

– Sans doute, Parker. Sans doute. Mais je refuse de vivre dans la terreur.

– Qu'est-ce que je fais avec eux ?

– Pour le moment, faites-les incarcérer à la Old Capitol Prison. Qu'ils soient gardés en permanence jusqu'à ce qu'on puisse établir leur identité. Ensuite, nous verrons.

Manaïl lutta de toutes ses forces pour ne pas perdre conscience. Il tenta de se relever, mais ne sentait plus son corps.

– Par Ishtar…, murmura-t-il faiblement avant de céder à la nuit.

✦

John T. Ford était aux anges. Un messager de la maison présidentielle sortait de son établissement. Il venait de lui annoncer la présence du président et de la première dame à la représentation de ce soir. Les spectacles du Ford's Theatre se tenaient toujours à guichets fermés lorsque Lincoln daignait y assister. Il suffisait de répandre la nouvelle et la foule accourait, trop heureuse de remplir les coffres de l'établissement.

Ford se frotta les mains et s'empressa de rédiger une annonce. Un employé la livrerait aux journaux locaux puis à l'imprimerie la plus proche, qui produirait en vitesse un feuillet publicitaire qui serait distribué dans les rues. Ce soir, le tout Washington voudrait être dans son théâtre pour y côtoyer le héros de l'heure.

✦

Dans sa chambrette miteuse, John Wilkes Booth tenait une copie chiffonnée du *Daily National Intelligencer*. On y annonçait en grande pompe que le président Lincoln assisterait, le soir même, à la représentation de *Our American Cousin* au Ford's Theatre. L'acteur déchu secoua la tête avec dépit. Dans ses heures de gloire, alors que tout le pays l'adulait, il avait souvent joué dans cette pièce. Il avait fait rire son public, il l'avait fait pleurer. On l'avait applaudi à tout rompre. On l'avait célébré.

Mais tout cela n'était que vanité. Sa vie de comédien était derrière lui. Pourtant, ce soir, il émerveillerait son public comme jamais auparavant. Le nom de John Wilkes Booth serait écrit en grandes lettres au chapiteau de l'éternité.

Il sourit et jeta le journal au panier. Puis il se dirigea vers la petite table qui se trouvait devant la fenêtre. Il ouvrit l'étui en bois qui y était posé et en sortit un pistolet Derringer à un coup. Une arme modeste et de petit calibre, peu puissante, mais facile à dissimuler. De près, elle serait amplement efficace. Juste ce qu'il fallait pour ce qu'il avait en tête. Il se mit à la nettoyer consciencieusement. Il n'aurait qu'une seule chance et l'arme devait être en parfait état.

Dans quelques heures, pour la gloire des États confédérés, pour montrer que la guerre n'était pas encore terminée, que le Sud ne baissait pas les bras, il assassinerait le président Lincoln au vu et au su de tous.

✦

Dans son bureau, Lincoln attendait l'arrivée de Forbes, qu'il avait sonné. Le secrétaire particulier entra en silence, comme à son habitude, et se racla discrètement la gorge pour signifier sa présence.

– Forbes, faites préparer mon cheval, ordonna-t-il d'une voix inhabituellement cassante. Je dois sortir.

– Monsieur sort ? Je ferai avertir l'agent Parker dès qu'il sera de retour.

– Ce ne sera pas nécessaire. Je voyagerai seul.

– Mais… Après cette attaque, ne devriez-vous pas ?…

– Suffit, Forbes. Je veux mon cheval dans quinze minutes.

– Très bien, monsieur.

Forbes se retira. Lincoln retourna à la fenêtre, où il se perdit bientôt dans ses pensées.

OLD CAPITOL PRISON

Manaïl s'éveilla en sursaut et se redressa brusquement. Un puissant élancement lui traversa le crâne et de brillants éclairs lui firent refermer les yeux. Crispé pendant un long moment, incapable du moindre mouvement, il craignit de sentir remonter la soupe qu'il avait avalée quelques heures plus tôt, mais, à force d'inspirations profondes, son estomac cessa de faire des cabrioles. Des pulsations douloureuses lui emplissaient la tête. Il leva le bras pour tâter sa nuque et son épaule émit un craquement sec. Puis il la fit rouler à quelques reprises. Elle était douloureuse mais fonctionnelle. À l'arrière de sa tête, il trouva une bosse de la grosseur d'un œuf qui le fit grimacer dès qu'il y appliqua une pression. Le coup avait été solide, mais il n'avait rien de cassé. La marque de YHWH prendrait soin de ces blessures.

Désorienté, il s'attarda à retrouver ses repères. Il était assis sur une couchette en planches fixée à un mur de pierre et retenue par deux grosses chaînes placées aux extrémités. La seule fenêtre de la pièce, située au sommet d'un des murs, ne laissait filtrer qu'une faible lumière. Il détermina qu'elle était trop petite pour s'y glisser. De toute façon, elle était bloquée par des barreaux de métal qui avaient l'air solides. La porte, en bois épais, était renforcée par des bandes de métal rivetées et n'avait pas de poignée à l'intérieur. Une cellule. Ermeline et lui étaient en prison.

Ermeline… Ses idées se clarifièrent instantanément.

Anxieusement, l'Élu scruta la pièce, à la recherche de la gitane. Il l'aperçut dans le coin opposé, où la faible lumière ne se rendait pas. Dans l'ombre, elle était allongée sur le dos, tout à fait immobile, sur une couchette identique. Il se remémora le coup violent qu'elle avait encaissé en plein visage. L'angoisse lui serra le cœur.

Se levant d'un bond, il fit mine de courir vers elle, mais il s'affala de tout son long. Étourdi, il constata avec étonnement qu'une de ses chevilles était entravée par un lourd bracelet de fer relié par une chaîne à un encombrant boulet de métal. Il se remit debout avec prudence et, tirant son fardeau de son mieux, atteignit la gitane aussi vite qu'il le pouvait. En la voyant, il encaissa un choc tel que les jambes lui manquèrent et qu'il s'accroupit sans le vouloir.

Le visage de sa compagne était méconnaissable. L'enflure lui déformait la mâchoire et enveloppait tout le côté droit, étirant ses lèvres gonflées en une grimace grotesque. Son œil droit n'était plus qu'une fente. Même dans la pénombre, il était évident que la chair était bleuie et gorgée de sang. La seule raison pour laquelle on ne lui avait pas immobilisé les chevilles comme on l'avait fait pour lui était sans doute qu'on la croyait mourante.

Proche de la panique, Manaïl effleura le pauvre visage du bout des doigts. Dès qu'il toucha la mâchoire, il sentit un écœurant frottement d'os qui n'avait rien de naturel. La gitane gémit piteusement sans s'éveiller et le souffle qui s'échappa de sa gorge sembla rouler dans un liquide épais. Du sang écarlate s'écoula de la commissure de ses lèvres.

L'Élu tendit aussitôt la main gauche et, avec une douceur infinie, appliqua la marque de YHWH sur le faciès estropié. Il ferma les yeux et attendit que se manifeste la sensation à la fois dépaysante et réconfortante qui accompagnait le pouvoir du dieu de Hanokh. Bientôt la chaleur caractéristique naquit dans sa paume, grandit en intensité et en puissance, puis se diffusa à travers sa peau. Bienfaisante et réparatrice, elle pénétra dans celle d'Ermeline. Il sentit les chairs meurtries se régénérer et les os brisés se ressouder. La silhouette de la gitane brillait de la lumière de la Création elle-même, d'une indescriptible et infinie pureté.

Un grognement le tira de la sensation qui s'approchait de l'extase. Ermeline était revenue à elle et avait posé sur lui ses yeux vairons. Son visage avait perdu le plus gros de son enflure et sa peau avait retrouvé une teinte à peu près normale à défaut d'être saine. Elle remonta sa main amputée de l'annulaire et de l'auriculaire, la posa par-dessus la sienne, qui se trouvait toujours sur sa joue, et la serra tendrement. Elle tenta de sourire, mais grimaça.

– Cornebouc…, balbutia-t-elle, la langue épaisse. Ce rustre m'a bien mise à mal…

– Reste tranquille. Ça ira mieux bientôt.

– Pourquoi t'entêtes-tu ainsi à me faire vivre ? Tu oublies ta promesse.

– Au contraire. J'y pense sans cesse.

Résignée, la gitane soupira et ferma les yeux, s'abandonnant une fois de plus au pouvoir dont elle connaissait déjà l'étendue. Après de longues minutes pendant lesquelles seule la respiration profonde de Manaïl perçait le silence, le pouvoir de YHWH avait fait son œuvre.

– Voilà. C'est terminé, dit le garçon en essuyant la sueur qui perlait sur son front.

La gitane tâta anxieusement son visage, explorant la mâchoire qui avait été fracturée, ouvrant et fermant la bouche, cherchant des traces de l'enflure qui l'avait déformée.

– N'aie crainte, tu es aussi jolie qu'avant, ajouta l'Élu d'une voix où perçait la fatigue en admirant le visage redevenu intact.

– Vil galant, rétorqua Ermeline en lui serrant la main.

Elle s'assit et fut prise d'une quinte de toux. Pliée en deux, elle finit par cracher une glaire épaisse et sanguinolente. Elle reprit son souffle, le regarda et hésita un instant.

– Merci. Encore une fois…

Manaïl se releva et lui fit dos.

– Je… J'ai besoin de… de toi. Je ne sais pas ce que je ferais si…

– Si je mourais ? Il est peut-être temps de te faire à l'idée, mon pauvre ami.

Le garçon se retourna brusquement, la colère peinte sur le visage.

– Non ! Je te l'ai déjà dit !

– Et pourtant…

– Et pourtant rien !

Tel un lion en cage, il se mit à marcher de long en large dans la cellule, le dandinement imposé par le boulet lui donnant un air ridicule. Après les souffrances et la fatigue, c'était maintenant la peur qui lui triturait les entrailles et faisait remonter dans sa gorge un goût acide. Il ne pouvait pas perdre Ermeline. Vivre sans elle était dénué de sens. Et pourtant, elle semblait bel et bien perdue… À moins qu'il ne parvienne à la libérer de ce maudit pacte. Il inspira à quelques reprises pour se calmer. Il n'en était pas là. Il devait d'abord retrouver le centre. Ensuite, s'il réussissait, il verrait. Mais en prison, il était impuissant. Frustré, il ferma les poings si fort qu'ils en tremblèrent.

– Il faut sortir d'ici, affirma-t-il. Je ne peux rien accomplir si je reste enfermé.

La gitane se leva et testa ses jambes. Après quelques pas, elle en parut satisfaite.

– Il y a toujours mon médaillon, suggéra-t-elle. Si nous arrivions à convaincre quelqu'un d'ouvrir, je pourrais me charger de lui.

– Nous ne perdons rien à essayer...

Le garçon se dirigea vers la porte et se mit à la frapper de ses poings fermés, puis de son pied libre, produisant un vacarme de tonnerre.

– Hé ! Dehors ! Ouvrez ! Ma compagne se meurt ! Elle ne respire plus ! Ouvrez ! Vite ! Il lui faut un médecin !

Pendant un long moment, il ne se produisit rien. L'Élu reprit son souffle et allait recommencer son manège lorsque des pas retentirent de l'autre côté.

– Ta gueule, sale sudiste ! fit une voix rocailleuse. Si elle crève, tant mieux ! Quand j'ouvrirai cette porte, ce sera pour te mener à l'échafaud.

– Je ne suis pas un sudiste ! hurla Manaïl. Je ne sais même pas ce que c'est !

– Ouais, c'est ça... C'est ce qu'ils disent tous depuis qu'ils ont perdu la guerre. Silence ! Compris ?

Le garçon frappa la porte d'un ultime coup de pied rageur. Il se remit à clopiner avec impatience. Quelques minutes plus tard, un déclic l'arrêta. Une clé venait de tourner dans la serrure. Ermeline se leva d'un bond en extirpant son médaillon de son corsage et se pressa contre le mur, prête à prendre le gardien à revers lorsqu'il entrerait.

La porte s'ouvrit en grinçant.

– Vous... Vous êtes certain ?... demanda le gardien, hésitant, à l'extérieur. Ce garçon est dangereux...

– Je sais ce que je fais, merci, répondit une voix autoritaire et vaguement familière. Je frapperai trois coups lorsque j'aurai terminé.

– Bon... Comme vous voulez, monsieur. Mais je dois verrouiller derrière vous. Le règlement, vous comprenez... Appelez si... si vous avez besoin.

– Vous pouvez disposer, monsieur ?...

– Gordon. Ben Gordon, monsieur. À votre service, monsieur.

– Vous pouvez disposer, monsieur Gordon.

Une silhouette élancée et un peu voûtée pénétra dans la cellule. L'homme était coiffé d'un chapeau à large rebord qui, dans l'ombre, dissimulait entièrement son visage. La porte se referma lourdement et les pas du gardien s'éloignèrent de l'autre côté. L'inconnu avança au centre de la cellule et resta immobile. Il toisa longuement Manaïl sans prononcer le moindre mot. Puis il retira son chapeau et vrilla sur l'Élu de petits yeux sombres et intenses. Manaïl recula d'un pas, ébahi.

– Monsieur le président ! s'écria-t-il, submergé par une vague d'espoir. Vous êtes venu ! Vous devez m'aider !

Lincoln demeura de marbre et leva la main pour faire taire le garçon. Il semblait étudier celui qui lui faisait face.

– Tout à l'heure, finit-il par dire à brûle-pourpoint, juste avant de perdre conscience, qui as-tu invoqué ?

– Ishtar...

– C'est bien ce que je croyais avoir entendu.

Songeur, le président se frotta la barbe, une moue dubitative sur le visage.

– Bien... Si tu es celui que tu prétends, tu sauras compléter les phrases que je m'apprête à réciter. Sinon, tu as ma parole que tu pourriras dans cette cellule jusqu'à ta pendaison pour attentat contre le président des États-Unis d'Amérique. Suis-je clair ?

– Oui...

Lincoln ferma les ycux, baissa la tête un instant et se frotta la base du nez avec lassitude. Immobile, le garçon n'osait parler. Il attendit que son interlocuteur se décide.

– *L'Élu se lèvera, rassemblera le talisman et le détruira*, dit enfin Lincoln d'une voix caverneuse.

– *Fils d'Uanna, il sera mi-homme, mi-poisson*, renchérit Manaïl en remerciant intérieurement Ishtar.

– *Fils d'Ishtar, il reniera sa mère.*

– *Fils d'un homme, d'une femme et d'un Mage, il sera sans parents.*

– *Fils de la Lumière, il portera la marque des Ténèbres.*

– *Fils du Bien, il combattra le Mal par le Mal.*

Lincoln le dévisagea puis hocha la tête. Son visage, encore plus pâle qu'à l'habitude, était grave et ravagé par une profonde émotion. Dans la pénombre, ses lèvres semblaient trembler.

– Ainsi, c'était vrai..., murmura-t-il pour lui-même. Jamais je n'aurais cru.

Manaïl franchit la distance qui le séparait du président, se planta devant lui et le regarda droit dans les yeux.

– Naska-ât vous a chargé de me guider vers le centre.

– J'ignore de quoi tu parles, fit Lincoln, interdit. Je sais seulement que je devais remettre une enveloppe à celui qui connaîtrait les paroles que tu viens de prononcer. Je suppose que tu y trouveras ce que tu cherches. Elle a été cachetée par le premier président des États-Unis, George Washington. Depuis, tous ses successeurs en ont été les dépositaires. Je suis le seizième. Je n'aurais pas cru être le dernier...

Le garçon tendit la main.

– Donnez-la-moi. Le temps presse.

Lincoln secoua lentement la tête en jetant un coup d'œil furtif vers la porte.

– Pas ici, reprit-il à voix basse. Je devais d'abord m'assurer que tu étais bien celui que Washington annonçait. J'ai laissé l'enveloppe en sécurité dans le coffre-fort de mon bureau.

– Alors allons la récupérer et finissons-en ! s'écria Ermeline.

– Pas si vite. Après les événements de ce matin, Parker ne vous laissera jamais entrer dans la maison présidentielle. Il veille sur moi comme une poule sur ses poussins. Mais j'ai une solution.

Le président fouilla dans la poche intérieure de sa veste et en sortit deux morceaux de carton qu'il tendit au garçon après avoir de nouveau lorgné vers la porte.

– Voici deux billets pour la représentation de *Our American Cousin*, ce soir au Ford's Theatre. Mon épouse et moi serons dans la loge présidentielle. Je trouverai une excuse pour que Parker s'éloigne pendant une quinzaine de minutes au début du deuxième acte. Présente-toi et je te remettrai l'enveloppe.

– Entendu.

– Au cas où vous n'auriez pas remarqué, nous sommes prisonniers, nota la gitane en croisant les bras sur la poitrine avec impatience.

– Plus maintenant.

Lincoln coiffa son chapeau, se retourna et frappa trois coups secs sur la porte. Presque aussitôt, une clé grinça dans la serrure et on ouvrit. Un gringalet à l'air timoré, les vêtements froissés et la barbe mal rasée, se tenait de l'autre côté. Le président sortit.

– Libérez-les sur-le-champ, Gordon, ordonna-t-il sans s'arrêter. Je signerai l'ordre présidentiel et le ferai parvenir dans l'heure au directeur de la prison.

– B... Bien, monsieur, répondit le gardien, obséquieux, en dissimulant mal sa surprise. À vos ordres.

Lincoln disparut sans se retourner. Médusé, le gardien entra, choisit une clé, s'agenouilla et libéra la cheville de son prisonnier.

– Vous êtes libres, par ordre du président Lincoln, grommela-t-il en laissant errer sur la gitane un regard lourd de concupiscence.

Ermeline s'approcha avec un air de grande dame, dos droit et menton pointé, et se planta devant l'homme accroupi. Elle lui appliqua un pied sur l'épaule et l'envoya choir sur le derrière. Puis elle se racla la gorge et lui cracha au visage. Satisfaite, elle se dirigea vers la porte d'un pas décidé. Manaïl s'empressa de la suivre, laissant derrière lui le gardien abasourdi.

– Pourquoi as-tu fait ça? demanda-t-il, amusé.

– Cornebouc! Depuis que nous sommes entrés dans ce *kan*, on m'a traitée de puterelle, on m'a fracassé la gueule et on m'a emprisonnée comme la dernière des coquines. J'en ai assez! Trouvons ce maudit centre et partons d'ici.

La tête haute, elle traversa le sombre corridor, passa devant le comptoir où se tenait un autre gardien et sortit sans jamais hésiter.

Dans la cellule, le gardien s'empressa d'essuyer le crachat qui lui maculait la joue et sortit.

– J'ai à faire à l'extérieur, déclara-t-il à son collègue sans s'arrêter. Tu es en charge jusqu'à mon retour.

Parker lui avait ordonné de garder un œil sur ces deux sudistes et il savait toujours de quoi il parlait. Ordre présidentiel ou pas, c'est ce que ferait Ben Gordon. Il ne les perdrait pas de vue. S'il faisait bien son travail, peut-être Parker aurait-il un bon mot pour lui et le sortirait de cette maudite prison ? Peut-être serait-il affecté à la protection du président ?

Une fois dehors, il regarda à droite puis à gauche. Il aperçut les deux jeunes plus loin. Alors qu'il les observait, ils tournèrent un coin et disparurent. Il pressa le pas et les suivit.

L'ASSASSINAT

John Wilkes Booth ne ressentait aucune nervosité. Comme tout bon comédien, il avait maîtrisé le trac voilà longtemps. Au fond, qu'allait-il faire dans quelques heures sinon jouer le plus grand rôle de sa carrière ? Ce serait son moment de gloire et il entendait bien être étincelant. On se rappellerait de lui.

Pour la millième fois, il révisa mentalement son plan. Il laisserait son cheval dans la ruelle. Il en aurait besoin pour s'enfuir. Puis il entrerait par l'arrière, là où personne ne le verrait. Il traverserait le théâtre en passant sous la scène et ressortirait dans la ruelle, de l'autre côté. Il attendrait quelques heures au cabaret en buvant tranquillement un ou deux whiskys mais pas davantage. Il devait garder les idées claires. Au commencement du second acte, il entrerait dans le théâtre par la grande porte, comme n'importe quel spectateur. Il n'aurait pas besoin de billet. Tout le personnel du Ford's le connaissait et serait ravi de le revoir après des mois d'absence. On lui ouvrirait tout grand les portes et les bras sans se douter de rien. À l'intérieur, l'attention de l'assistance serait rivée sur la scène et personne ne ferait attention à lui. L'air de rien, il se dirigerait vers la loge présidentielle et il réglerait son cas au président une fois pour toutes.

Il se planta devant le miroir et s'examina avec vanité. Ce soir, il devait être encore plus beau qu'à l'habitude. Il prit une petite bouteille de pommade sur la commode, en versa quelques gouttes huileuses dans le creux de sa main et lissa longuement son élégante chevelure brune et ondulée. Puis il peigna la moustache soigneusement taillée qui lui couvrait à moitié la lèvre supérieure. Après avoir ajusté le col de sa chemise et son élégante cravate, il balaya les revers de sa veste et s'admira. Ça irait très bien.

Lorsqu'il fut prêt, il glissa son revolver dans la poche droite de son pantalon, puis inséra dans sa manche gauche un couteau à lame longue et fine. S'il ne parvenait pas à déjouer Parker, qui ne quittait pas Lincoln d'un pouce depuis quelque temps, il lui ouvrirait la gorge. Cela ne ferait que deux meurtres au lieu d'un. D'une façon ou d'une autre, le président allait mourir. Ainsi finissaient les tyrans.

Abraham Lincoln était revenu profondément ébranlé par les événements survenus dans la cellule de la Old Capitol Prison. Depuis, enfermé dans son bureau, il n'avait pas quitté le coffre-fort des yeux. Pensif, il avait attendu le moment d'en sortir la mystérieuse enveloppe.

Le lendemain de son élection, en 1861, James Buchanan, son prédécesseur, lui avait confié la combinaison secrète du coffre-fort et l'avait ouvert devant lui. Il lui avait présenté un à un les documents qui y étaient conservés, lui en expliquant la teneur et les conséquences potentielles sur la sécurité nationale. Il se trouvait là des secrets étonnants, qui transcendaient les rivalités partisanes et qui pouvaient mettre en péril la survie même du pays. Des choses qui ne devraient jamais être rendues publiques. Le dernier document que Buchanan lui avait remis, en lui précisant bien qu'elle ne devait pas être ouverte, était la mystérieuse enveloppe laissée par Washington.

Depuis, Lincoln avait souvent été tenté de désobéir, mais, par sens du devoir, il avait résisté à la curiosité. Il avait fini par se convaincre à moitié qu'il ne s'agissait que d'une légende un peu puérile. Et voilà maintenant qu'il était celui qui devait la remettre à son destinataire.

Il consulta la montre qu'il portait dans la poche de son gilet. L'heure du spectacle approchait. Il se leva, se dirigea vers le coffre-fort et s'accroupit. Il fit tourner la roulette vers la droite, puis vers la gauche et encore vers la droite, et la lourde porte de métal blindé s'ouvrit. L'enveloppe était au fond, sur le dessus d'une pile de documents. Elle se distinguait des autres, qui portaient le sceau présidentiel, par le symbole maçonnique qu'elle arborait dans le coin supérieur droit. Songeur, il la prit du bout des doigts, referma le coffre et la fit tourner entre ses mains. Puis il la glissa dans la poche intérieure de sa veste. Au bout du compte, il ne saurait jamais ce qu'elle contenait.

Trois coups discrets à la porte le firent sursauter. Il se releva en hâte en endurant les craquements de ses genoux usés.

– Entrez ! dit-il en constatant que sa voix tremblait un peu.

Forbes passa la tête dans l'embrasure.

– Votre carrosse est avancé et madame vous attend, monsieur. Malheureusement, la pièce débutera avant votre arrivée.

– C'est sans importance. Je serai là dans un instant.

Le secrétaire particulier se retira. Lincoln se dirigea vers la porte. Ce soir, il compléterait une tâche que lui avait laissée le plus grand de ses prédécesseurs soixante-treize ans auparavant.

Ne sachant où attendre après avoir quitté la prison, Ermeline et Manaïl avaient retrouvé le chemin vers le théâtre et s'y étaient dirigés. Ils s'étaient un peu débarbouillés dans une fontaine publique avant de s'installer dans un espace entre l'édifice et le cabaret voisin, juste assez large pour permettre à une personne d'y marcher. Là, ils patienteraient incognito jusqu'au moment de rejoindre le président, tel qu'entendu. Les deux billets dans sa poche, l'Élu tentait de maîtriser son anxiété et chaque minute lui paraissait une heure.

Dans la rue, non loin d'eux, un crieur public allait et venait, des panneaux publicitaires accrochés sur le dos et sur le ventre. D'une voix forte à l'enthousiasme forcé, il annonçait la représentation qui débuterait dans une demi-heure et, après avoir insisté sur le fait que le président Lincoln serait dans l'assistance, encourageait les passants à se procurer un billet pendant qu'il en restait.

Un petit homme en costume gris sévère, le nez chaussé d'épaisses lunettes, passa devant l'espace entre les bâtiments puis disparut. Quelques secondes après, il recula et se mit à observer le couple, un air étrange sur le visage. Il ne semblait guère menaçant, mais avait l'air louche et Manaïl s'en méfia aussitôt. Après avoir vérifié plusieurs fois autour de lui pour s'assurer que personne ne le voyait, l'inconnu se dirigea vers Ermeline, l'air timide et le pas hésitant.

– Pas un autre, grommela celle-ci en roulant les yeux.

L'homme venait d'arriver à la hauteur de la gitane. Il allait ouvrir la bouche lorsqu'elle retroussa les lèvres comme une bête féroce, le visage pourpre de rage.

– Avant de me demander « combien ? », réfléchis bien, cracha-t-elle au nouveau venu d'une voix tremblante de furie. Je te jure sur la tombe de ma pauvre mère défunte que si tu montres le moindre intérêt pour mon pucelage, je t'arracherai les génitoires et je te les ferai avaler toutes crues, misérable cochon.

Ermeline leva la main d'un geste brusque et fit mine de le gifler. L'homme recula d'un pas et blanchit notablement.

– Mes... mes excuses, madame, balbutia-t-il, terrifié. Je... je ne voulais surtout pas vous offenser. Je croyais que... que vous...

– Je sais ce que tu croyais, misérable petit dépravé. File avant que je m'aigrisse. Allez ! Ouste, ruffian !

D'une main tremblante, l'homme souleva légèrement son chapeau, tourna les talons et fit tout en son possible pour ne pas se mettre à courir en fuyant.

– Cornebouc ! J'en ai assez d'être prise pour une devergoigneuse[1]..., maugréa la gitane. Vraiment assez... Tu crois que c'est ma robe ? Peut-être qu'elle a quelque chose...

– Elle me semble tout à fait décente, fit Manaïl. J'ai vu plusieurs dames en porter de semblables.

– Alors c'est moi ?

– Mais non...

1. Dévergondée.

Tout à coup, une porte latérale s'ouvrit et un homme émergea du théâtre. D'une élégance raffinée, la chevelure ondulée méticuleusement gominée, la moustache lisse, il semblait aux aguets. Il scruta la ruelle et parut surpris de les apercevoir. Il n'hésita qu'une seconde avant de se reprendre, de refermer puis de se diriger vers eux.

– Pardonnez-moi, dit-il d'une voix profonde et mielleuse en s'écrasant contre le mur de brique pour passer malgré l'étroitesse du passage.

Manaïl et Ermeline l'imitèrent, rentrant le ventre pour maximiser l'espace. L'homme s'éloigna d'un pas pressé sans se retourner. L'Élu et la gitane le virent tourner le coin et entrer dans le cabaret.

✦

De l'autre côté de la rue, caché derrière une charrette, Ben Gordon observait patiemment le garçon et la fille qu'il avait été contraint de libérer quelques heures auparavant. À l'écart dans l'espace qui séparait le théâtre et le cabaret, ils semblaient attendre quelque chose. Le geôlier se félicitait d'avoir persévéré. Son instinct l'avait bien servi. Et puis, à strictement parler, il ne contrevenait pas aux ordres du président : il avait libéré ces deux sudistes, tel que demandé. Il les avait juste suivis par la suite.

Tout le monde était au courant que ce soir, Lincoln allait assister à la représentation.

La défaite avait laissé les confédérés amers et ils chercheraient certainement à frapper un dernier grand coup. Ce soir plus que jamais auparavant, la vie du président était en danger. Et voilà que ces deux-là semblaient attendre que le théâtre ouvre ses portes. Tout cela était bien suspect.

Lorsque la foule s'engouffra finalement dans le Ford's Theatre, Gordon fut étonné de constater que les deux étrangers n'avaient pas bougé. Il s'était attendu à ce qu'ils se mêlent au public pour pénétrer dans l'établissement. Il se demanda s'il s'était trompé, mais décida de continuer à écouter son instinct. Quelque chose de louche se tramait, il en était certain.

En rêvant aux remerciements qu'il recevrait de Lincoln pour avoir déjoué à lui seul un sombre complot, et à la promotion qui s'ensuivrait, il continua à faire le guet.

✦

Une assistance surexcitée avait pénétré dans l'établissement dès l'ouverture des portes. Une trentaine de minutes plus tard, un carrosse s'était arrêté devant le théâtre. Le portier s'était empressé et en avait laissé sortir le président et une femme un peu lourde, au visage empâté et maussade, qui était sans doute son épouse. Les deux étaient entrés.

Depuis, les rues étaient pratiquement désertes. Manaïl s'était informé auprès du portier pour savoir dans combien de temps débuterait le deuxième acte et avait attendu quelques minutes de plus.

Le moment était venu. Sous peu, le président lui révélerait l'emplacement du centre.

– Allons-y, dit-il, fébrile.

Il quitta sa cachette et se dirigea vers la rue, Ermeline derrière lui dans l'espace restreint entre les deux édifices. Lorsqu'il atteignit la rue, un homme entra en collision avec lui et les deux faillirent perdre l'équilibre. Le garçon se raidit, prêt à se défendre. Mais l'autre paraissait inoffensif. Il reconnut l'individu qui était sorti par la porte latérale du théâtre un peu plus tôt.

– Je vous demande pardon, laissa distraitement tomber l'homme en replaçant ses cheveux ondulés sans quitter des yeux la porte du théâtre.

– Ce n'est rien.

L'inconnu s'éloigna d'un pas pressé et fut accueilli par le portier, qui était visiblement ravi de le voir. Il discuta brièvement avec lui puis entra avec un sourire qui semblait un peu forcé.

Manaïl sortit les billets de sa poche et offrit son bras à Ermeline, qui l'accepta de bonne grâce. Ensemble, ils se dirigèrent vers le théâtre.

✦

Gordon se raidit. Les deux étrangers venaient d'entrer dans le théâtre. Ils avaient attendu que Lincoln arrive. Aucun doute, ils avaient de mauvaises intentions. Il n'y avait pas une minute à perdre.

Le policier quitta sa cachette et traversa la rue au pas de course.

✦

À l'intérieur, un préposé prit leurs billets, les vérifia puis leur céda le passage.

– C'est au balcon, les informa-t-il. Vous prenez à gauche et vous montez l'escalier. Sièges 24A et 24B. Mais vous êtes très en retard. Le deuxième acte débute.

– C'est dommage, en effet. Dites-moi, le président est bien présent ce soir ?

– Oh oui. C'est pour cette raison que la représentation est à guichets fermés. Amusez-vous bien.

– Merci.

La gitane et l'Élu gravirent l'escalier qui leur avait été indiqué. Une fois au balcon, ils ne se rendirent pas aux deux sièges libres qu'ils pouvaient apercevoir au milieu de l'assistance. Ils restèrent plutôt en retrait et observèrent le théâtre. En bas, sur la scène, les comédiens qui les avaient poursuivis s'agitaient à grand renfort de gestes dramatiques ponctués des rires de l'assistance.

Sur leur droite, ils repérèrent sans difficulté la loge de Lincoln. Il s'agissait de deux ouvertures oblongues drapées de rideaux ouverts. Sur le rebord, on avait disposé un drapeau bleu, blanc et rouge garni d'étoiles. Ermeline étira le cou.

– Il est là, dit-elle. Je le vois, assis en retrait. Avec un nez pareil, ce ne peut être que lui.

Ils longèrent le mur derrière la dernière rangée de sièges et se retrouvèrent de l'autre côté du théâtre. De là où ils se trouvaient, ils pouvaient voir la porte de la loge. Manaïl constata que le président avait tenu parole. En effet, la porte n'était pas gardée.

Manaïl allait s'y rendre lorsqu'il aperçut quelqu'un tapi dans l'ombre. Il plissa les yeux et l'observa. C'était l'homme de la ruelle. Celui qui était entré en collision avec lui. Il avait la main enfouie dans la poche de son pantalon et regardait obliquement des deux côtés du corridor. Puis il prit une grande inspiration et se dirigea vers la porte.

✦

Au sommet de l'escalier, Gordon, à bout de souffle, tenta de repérer les deux inconnus. Comme il n'avait pas de billet, il avait perdu un temps précieux à argumenter avec le portier. Il avait fini par le menacer d'arrestation pour qu'il le laisse entrer.

Il les identifia enfin et son cœur se serra. Ils étaient près de la loge présidentielle. Ils discutaient à voix basse. Le garçon avait l'air anxieux. Aucun doute, ils préparaient quelque chose. Un peu plus loin, un autre homme s'avançait subrepticement dans la même direction qu'eux. Un complice ? Et Parker ne semblait pas être là.

Gordon hâta le pas. Il devait sauver la vie du président.

✦

Confortablement assis dans la chaise berçante que le Ford's réservait à son usage exclusif, Lincoln ne pouvait s'empêcher de prendre plaisir à la pièce, malgré l'anxiété qui le tenaillait. À maintes reprises, il s'était esclaffé de bon cœur. Il avait été ravi de constater que, pour une fois, sa chère Mary, toujours si triste, riait elle aussi.

Un peu avant le début du second acte, comme il l'avait dit au jeune étranger, il avait appelé Parker et lui avait commandé de livrer un message qu'il avait pris soin de rédiger avant de quitter la maison présidentielle. Il s'agissait d'une directive insignifiante à l'intention de Forbes, qui aurait aisément pu attendre au lendemain. Le consciencieux policier avait semblé étonné de la requête. Il avait tenté de convaincre son patron qu'il valait mieux qu'il soit gardé en permanence, mais il avait fini par céder.

À regret, il avait quitté le théâtre en promettant de revenir le plus vite possible.

Quize minutes. C'était tout ce dont disposait le jeune étranger pour se présenter. Pour la centième fois peut-être, Lincoln tâta la lettre dans la poche de sa veste.

✦

Le moustachu aux cheveux ondulés posa délicatement la main sur la poignée de la porte. Avant de la tourner, il sortit un petit pistolet de sa poche et le soupesa.

Manaïl se crispa et réalisa ce qui allait se dérouler devant ses yeux. Cet homme allait assassiner le président. Avant qu'il ait pu lui remettre l'enveloppe. La voie du centre allait lui échapper.

Il s'élança à toutes jambes vers l'inconnu, Ermeline derrière lui.

Booth entrouvrit la porte. Dans l'embrasure, il pouvait voir le dos de Lincoln, assis dans sa berçante. Ses épaules sautaient. Il riait. Il semblait apprécier la pièce. Tant mieux. Il mourrait heureux…

Il disparut à l'intérieur et referma derrière lui, son arme pointée vers la nuque du président des États-Unis.

✦

Manaïl vit l'inconnu pénétrer dans la loge. Il était trop tard. La détonation allait retentir d'une seconde à l'autre. Le secret du centre serait perdu.

Désespéré, il tenta d'ouvrir la porte, mais celle-ci résista. On l'avait bloquée de l'intérieur. Il recula d'un pas, prit un élan et abattit son pied près de la serrure. Le bois céda et la porte s'ouvrit avec fracas sur une scène qui semblait se dérouler au ralenti.

Devant lui, l'inconnu appuyait le canon de son revolver contre la nuque du président. Surpris, ce dernier se raidit, mais le coup partit avant qu'il puisse se retourner. Sous la force de l'impact, la tête de Lincoln se rabattit vers l'avant, puis se renversa vers l'arrière contre le dossier de la chaise.

L'Élu s'élança vers l'assassin, mais ce dernier avait déjà enjambé la balustrade. Du bout des doigts, il saisit la manche de sa veste mais l'échappa. L'homme atterrit lourdement sur la scène, devant les comédiens stupéfaits qui se turent. Il sortit un long couteau de sa manche et le brandit dans les airs, le visage transfiguré.

– *SIC SEMPER TYRANNIS*[1] *!* s'écria-t-il d'une voix puissante et arrogante qui résonna dans le théâtre avant qu'il ne disparaisse dans les coulisses.

---

1. En latin : Ainsi finissent les tyrans !

Manaïl observait la scène, impuissant. *N'oublie pas que chaque* kan *existe sans toi. Les Nergalii ne sont pas tes seuls obstacles*, lui avait affirmé Ishtar. C'était donc ce qu'elle avait voulu lui faire comprendre. Même en l'absence des Nergalii, les événements normaux qui s'y déroulaient pouvaient lui nuire. L'assassinat du seul homme qui pouvait l'aider n'avait rien à voir avec sa quête, mais son effet était néanmoins dévastateur.

Éperdu, il se retourna vers le président agonisant, que sa femme enveloppait maintenant de ses attentions désespérées en pleurant à chaudes larmes. Il ne pouvait rien changer à ce qui venait de se dérouler. Mais il pouvait peut-être encore sauvegarder sa quête.

– Guette la porte, ordonna-t-il à Ermeline.

La gitane se posta près de l'entrée, en alerte, et empoigna un tabouret posé tout près. Manaïl se précipita vers Lincoln et se mit à fouiller ses poches, devant la première dame, scandalisée, qui se mit à hurler au meurtre. Au même moment, le gardien de la prison apparut dans l'embrasure. Son regard prit une expression livide qui fut presque aussitôt remplacée par la colère.

Voyant qu'il était arrivé trop tard, Gordon dégaina son revolver et le pointa dans la direction du garçon qui fouillait le cadavre du président.

– Les mains en l'air! ordonna-t-il.

Manaïl s'immobilisa. Au même moment, un tabouret sorti de nulle part s'abattit sur le bras de Gordon et lui fit échapper son arme. Surpris, il se retourna juste à temps pour apercevoir l'objet qui s'abattait de nouveau, cette fois sur son crâne. Il s'effondra, inconscient.

– Fais vite ! s'écria Ermeline, la tête dans l'embrasure de la porte. Il en arrive d'autres.

Partout dans le théâtre, des cris fusaient et, déjà, la foule prise de panique se bousculait vers les sorties.

Les doigts du garçon se refermèrent finalement sur du papier et il retira une enveloppe d'une des poches de la veste du grand homme. Elle portait une écriture serrée et à demi effacée par les ans. Dans le coin supérieur droit trônait un symbole familier : une équerre et un compas superposés. Le symbole des Francs-Maçons du duc de Sussex. Cela ne pouvait être que l'enveloppe promise.

– Je l'ai ! Filons avant d'être accusés de meurtre !

Il fourra l'enveloppe dans la poche de son pantalon pendant qu'Ermeline accourait près de lui. Au moment où un groupe d'hommes surgissait dans la loge, ils enjambaient d'un même élan la balustrade et se précipitaient dans le vide.

LE MESSAGE

Devant l'assistance et les comédiens médusés, l'Élu et la gitane atterrirent lourdement sur la scène, une quinzaine de pieds[1] plus bas. Simultanément, ils roulèrent sur une épaule et se remirent sur pieds, un peu sonnés. Audessus d'eux, des hommes se bousculaient sur la balustrade, cherchant à les mettre en joue avec leur revolver. Manaïl se releva d'un trait.

– Vite ! s'écria-t-il en tirant Ermeline vers le fond de la scène.

Ils traversèrent le rideau en coup de vent et aboutirent dans les coulisses où ils étaient entrés dans ce *kan*. Pour la seconde fois en un peu plus d'une journée, ils franchirent la porte et se retrouvèrent dans la ruelle. Ils allaient encore y être poursuivis, mais, cette fois, l'affaire était beaucoup plus sérieuse.

Dehors, la nuit était tombée et seule la lumière de la lune permettait d'y voir clair. Non

1. 4,5 mètres.

loin d'eux, un cheval hennit. Ils aperçurent l'assassin de Lincoln qui l'avait enfourché et qui l'éperonnait vivement. La bête se cabra et fonça.

Manaïl et Ermeline s'élancèrent à toute vitesse dans la même direction. Avec un peu de chance, se dit le garçon, ils pourraient disparaître avant qu'on se lance à leurs trousses et parviendraient à se fondre dans le décor. Ses espoirs furent aussitôt déçus.

Derrière eux, la porte claqua et des voix leur parvinrent.

– Ils sont là !

– Halte !

– Arrêtez-les !

Un coup de revolver retentit dans la nuit et un sifflement frôla l'oreille de Manaïl avant qu'un bruit sec percute le mur d'un appentis tout près.

– Cornebouc ! Ils nous tirent dessus !

– J'ai remarqué, oui...

Le garçon accéléra le rythme, tirant sa compagne derrière lui. D'autres coups de feu résonnèrent, mais aucune des balles tirées un peu au hasard ne les atteignit. La ruelle donnait sur une rue derrière le théâtre. Ils prirent à gauche et s'enfuirent à toutes jambes, longeant les demeures pour rester dans la pénombre. Ils coururent pendant de longues minutes, jusqu'à ce que leur souffle brûle leur gorge et que leurs jambes deviennent lourdes. Derrière eux, les voix faiblirent et finirent par s'éteindre tout à fait. Ils avaient semé leurs poursuivants.

Lorsqu'ils jugèrent qu'ils pouvaient enfin s'arrêter sans risque, ils furent étonnés d'apercevoir, non loin devant eux, la maison présidentielle.

– Cornebouc..., haleta la gitane, pliée en deux pour retrouver son souffle. De tous les endroits... Nous ne pouvons pas... rester ici.

– Au contraire, rétorqua Manaïl. On ne nous cherchera pas ici de sitôt. Viens... Il faut trouver un endroit tranquille.

✦

Au Ford's Theatre, assis sur le tabouret avec lequel on l'avait assommé, Ben Gordon reprenait péniblement ses esprits en tâtant la bosse qui ornait son crâne. Quelques minutes auparavant, le président agonisant avait été emporté dans une maison de l'autre côté de la rue, où il gisait maintenant, inconscient. Avant de partir, les médecins qui avaient été appelés avaient laissé savoir que la balle s'était logée derrière l'orbite de son œil droit et qu'il ne passerait pas la nuit. Aussitôt, le vice-président Andrew Johnson avait été mandé pour assurer la continuité du pouvoir.

Devant Gordon se tenait Parker, qui tentait de reconstituer les événements en essayant d'oublier qu'il n'avait pas été à son poste lorsqu'ils s'étaient produits. Les traits tirés et pâles, il faisait visiblement de grands efforts pour garder la tête froide.

– Il s'agissait des deux jeunes de la maison présidentielle ? Tu en es sûr ?

– Absolument, affirma Gordon. Je les ai libérés voilà quelques heures sur l'ordre exprès du président. Ils me semblaient louches et je les ai suivis. Mais je suis arrivé trop tard. Quand je suis entré, le garçon fouillait le corps de Lincoln. Je l'ai mis en joue, mais la fille m'a surpris. Il y avait un autre homme aussi, mais je l'ai à peine entrevu.

– Je sais. On l'a déjà identifié. John Wilkes Booth. Un comédien. C'est lui qui a tiré.

– Mais alors, les deux autres ?...

– Des complices, de toute évidence.

Rouge de colère et se maudissant d'avoir accepté de quitter temporairement le président, Parker se frappa un grand coup de poing dans la main puis se retourna vers un des policiers qui attendaient près de la porte.

– Toi ! Fais circuler tout de suite la description des assassins. Le théâtre possède certainement une photo de Booth. Réquisitionne-la. Quant aux deux autres, il s'agit d'un garçon d'environ seize ans, plus grand que moi. Il a les cheveux et les yeux noirs. Il porte un costume sombre, une chemise blanche sans cravate et des bottes de cuir brunes qui lui vont au mollet. La fille est en robe brune. Ses cheveux sont noirs. À peu près du même âge que le garçon et très jolie. Signe distinctif : un œil vert et l'autre jaune. Fais vite ! Ils ne doivent pas avoir le temps de se perdre dans la nature.

Le policier salua en claquant les talons et sortit en trombe, sa feuille de notes à la main.

– Qu'est-ce qu'on fait, maintenant ? s'enquit Gordon.

– Toi, tu attends ici. Moi, je dois sortir. Il y a plus d'une manière de faire circuler l'information, répliqua Parker d'un ton énigmatique.

Sans rien ajouter, il se précipita hors de la loge. Amer, Gordon regarda longuement la porte laissée entrouverte. Il était passé à un cheveu d'empêcher l'assassinat et de devenir un héros. Parker, lui, n'avait pas réussi à protéger la vie du président. Pourtant, alors qu'il aurait dû être contrit et défait, il était en charge comme si de rien n'était, autoritaire et sûr de lui.

Gordon secoua la tête. Il n'y pouvait rien. Il n'était qu'un subalterne.

✦

Le Babylonien et la Parisienne trouvèrent sans difficulté un parc près de la demeure présidentielle et s'assirent sous un arbre. Non loin de là, un lampadaire donnait une lumière blafarde. Encore essoufflés, ils s'appuyèrent la tête contre le tronc et attendirent que leur corps se calme.

– Tu as toujours le message ? demanda la gitane après un moment.

– Il est ici, répondit le garçon en fouillant dans sa poche.

Il en sortit l'enveloppe un peu chiffonnée et l'examina. Sous l'équerre et le compas, elle était couverte d'une écriture serrée.

– Donne, dit Ermeline.

Il la lui tendit et, plissant les yeux, elle l'inclina vers le lampadaire pour mieux la lire.

– C'est encore en français…

– Ça ne m'étonne pas. Le message de Naskaât dans le temple de Teotihuacan l'était, lui aussi.

Après un moment, Ermeline lui transmit le contenu du texte dont certaines phrases étaient soulignées.

– *À toi, mon frère, qui occupe la fonction qui fut la mienne. S'il advient que quelqu'un se présente à toi au nom d'Ishtar et te cite correctement les deuxième, quatrième et sixième phrases de ce texte, remets-lui cette enveloppe. L'Élu se lèvera, rassemblera le talisman et le détruira. Fils d'Uanna, il sera mi-homme, mi-poisson. Fils d'Ishtar, il reniera sa mère. Fils d'un homme, d'une femme et d'un Mage, il sera sans parents. Fils de la Lumière, il portera la marque des Ténèbres. Fils du Bien, il combattra le Mal par le Mal. S'il ne se présente pas durant ton mandat, confie ce devoir à ton successeur. Que le Très-Haut te garde, mon frère. George Washington, MM, 13 octobre 1792*

– Ça explique comment Lincoln connaissait la prophétie des Anciens.

La gitane introduisit son index sous le rabat de l'enveloppe et la décacheta. Elle en sortit une feuille.

– Qu'est-ce que ça dit ?

– Je… je ne sais pas. Il y a une écriture que je ne connais pas.

Elle lui montra la feuille et, à son intention, suivit l'écriture de son index en lui lisant ce qu'elle pouvait des quelques lignes qu'avait laissées le premier président des États-Unis.

Bien-aimé Frère

Suis la lumière du maître maçon

George Washington, MM

Le garçon retira nerveusement le bracelet de bronze que lui avait laissé Naska-ât et en examina l'intérieur.

– C'est le même code ! s'exclama-t-il en le tendant à Ermeline.

– Non…, fit la gitane en hochant négativement la tête après l'avoir examiné. Il est un peu différent.

– Tu en es certaine ?

– Celui de Naska-ât était composé de losanges. Celui-ci est fait d'angles droits.

– Tu pourrais le déchiffrer comme l'autre ?

– Il semble beaucoup plus complexe. Peut-être que si j'avais plusieurs heures...

– On nous court après. Je ne crois pas que nous disposions de tout ce temps.

Manaïl remit le bracelet, prit la lettre et réfléchit.

– « Suis la lumière du maître maçon... » Dans le *kan* de Londres, les Francs-Maçons conservaient le secret du Mage Mour ît trans mis par Murray de York... Tu sais ce que je pense ?

– Que la réponse se trouve à nouveau chez les Francs-Maçons ?

– Exactement. Ce Washington en faisait partie. C'est évident par son langage et par le symbole sur l'enveloppe.

– Ça explique les deux « m » à la fin de son nom... Maître maçon...

– Il connaissait sans doute le même secret que le duc de Sussex. Naska-ât en aura tiré parti pour lui confier la piste du centre afin qu'il me la fasse parvenir. C'est pour cette raison qu'il m'a dirigé vers ce *kan*.

– Mais de quelle lumière parle-t-il ? Il n'y a rien d'autre dans l'enveloppe. Tu crois qu'il nous dit quelque chose que nous n'avons pas saisi ?

L'Élu se renfrogna en fixant la lettre puis se gratta la tête.

– La lumière du maître maçon... La lumière...

Il se redressa brusquement.

– MM… Le maître maçon ! La lumière ! Attends un peu…

Il se leva, se précipita vers le lampadaire et se mit à y grimper en l'enserrant entre ses jambes croisées pendant qu'il se tirait avec ses bras. Ce geste, il l'avait fait souvent à Babylone, pour escalader des figuiers. Arrivé au sommet, il pressa la lettre contre la vitre chaude. Puis il sourit et se laissa retomber par terre.

– Regarde ça !

Ermeline s'empressa de le rejoindre et examina ce qui excitait soudain tellement son compagnon. Sous la signature de Washington, des lettres à peine visibles étaient apparues sous l'effet de la chaleur.

– Le coquin… Il a écrit quelque chose à l'encre invisible…

– Alors ? s'enquit l'Élu avec impatience.

Loge Fédérale nº 15, Washington D. C.
AHIMAN REZON, 1756

– Ça dit « Loge Fédérale nº 15, Washington, D. C. » Et encore des mots bizarres… « *Ahiman rezon*, 1756 ». Tu y comprends quelque chose ?

– On dirait que Washington me dirige vers cette loge maçonnique. Trouvons-la et nous verrons bien si ces mots signifient quelque chose.

– Et tu te proposes de la trouver comment ?

– En demandant mon chemin, tout simplement.

– Mais le président Lincoln vient d'être assassiné, bougre d'âne ! On nous cherche partout !

– Je sais. Mais il suffit que nous trouvions un guide.

Manaïl tendit la main à Ermeline, qui l'accepta. Sur leurs gardes, ils quittèrent le parc et s'engagèrent au hasard dans la rue la plus proche.

LA CLÉ PERDUE

Dans les rues, la panique se propageait à mesure que la nouvelle de l'assassinat de Lincoln se répandait. Certains semblaient sous le choc et sanglotaient sans retenue. D'autres marchaient, l'air hagard, sans rien dire, frappés par un deuil soudain. Quelques-uns encore se réjouissaient ouvertement et ne se cachaient pas pour célébrer. Ceux qui ignoraient encore tout du triste événement se faisaient de plus en plus rares à mesure que Manaïl et Ermeline marchaient.

– Cornebouc... On va nous reconnaître, geignit Ermeline. Il ne faut pas rester ici.

– Trouvons un endroit discret.

L'Élu l'entraîna vers le mur d'un édifice dont la façade était garnie d'une grande fenêtre de verre derrière laquelle étaient exposées des marchandises diverses. Devant se déployait une longue galerie surmontée d'un toit en pente. Il s'appuya contre un des poteaux, bien en retrait et loin de la lumière des lampadaires. Il expliqua ensuite à la gitane ce qu'il avait en tête.

– C'est un peu hardi, soupira-t-elle lorsqu'il eut terminé.

– Nous manquons de temps. Il faut courir le risque. Tôt ou tard, on nous jettera en prison et on nous exécutera pour l'assassinat du président…

– Soit…

Malgré leur empressement, ils passèrent de longues minutes à regarder les gens déambuler, s'assurant de rester un peu en retrait pour ne pas attirer l'attention. Ils devaient choisir leur guide avec soin. Ils risquaient de ne pas avoir de seconde chance.

De la tête, la gitane attira l'attention de Manaïl sur un homme vêtu d'un bleu de travail usé et sale qui s'approchait d'un pas traînant. Il passa devant eux, le visage rivé sur le sol. Il avait l'air d'avoir été vaincu par la vie voilà longtemps. L'Élu l'examina brièvement avant de le continuer sa route. L'homme s'éloigna sans jamais lever le regard.

– Non. Pas lui…

Quelques instants plus tard, un groupe d'hommes un peu ivres les croisa dans le sens inverse en chantant, mais ils n'y firent pas attention.

– Il faut une personne seule, chuchota le garçon.

Puis vint un homme à la barbe mal taillée dans un uniforme gris usé. Il boitait en s'appuyant sur une canne.

– Et lui ? interrogea la gitane en le désignant du menton.

– Non plus.

Ils patientèrent et bientôt, la cible idéale se présenta. L'homme était vêtu d'un costume noir élégant et immaculé. Ses chaussures étaient parfaitement vernies et il portait un chapeau haut de forme.

– Lui ! murmura Manaïl. Il fera l'affaire, j'en suis sûr. Tu es prête ?

– Oui. À ton signal…

L'Élu attendit que l'homme soit à quelques pas de lui, inspira profondément pour se calmer et sortit de l'ombre. Aux alentours, personne ne sembla le remarquer.

– Excusez-moi, monsieur…

– Oui? fit l'individu, un peu surpris par l'apparition soudaine d'un interlocuteur.

– J'ai besoin d'un renseignement.

L'homme attendit en levant le sourcil, sans rien dire, puis tira une montre de son gilet pour regarder ostensiblement l'heure.

– Savez-vous où se trouve la Loge Fédérale numéro 15 ?

L'individu parut étonné et le toisa d'un œil critique.

– La Loge Fédérale ? Oui, bien sûr, mais pourquoi voudrais-tu ?…

Au même moment, Ermeline surgit de sous le toit de la galerie, son pendentif à la main et un sourire espiègle sur les lèvres.

– Tu vois le joli médaillon ? Le questionna-t-elle de cette voix envoûtante qu'elle prenait toujours lorsqu'elle exerçait son mystérieux pouvoir. Regarde comme il oscille… Il est beau non ? Il brille… Il danse…

L'homme parut fasciné par l'objet et son visage prit une expression vide.

– Tu t'endors… Tes paupières sont lourdes… Tu fermes les yeux…

Bientôt, l'individu vacilla sur ses pieds, le menton appuyé sur la poitrine, profondément endormi.

– Lorsque je claquerai des doigts, tu nous conduiras à la Loge Fédérale, ordonna la gitane en accomplissant le plan qu'elle et l'Élu avaient mis au point. Tu ne nous adresseras pas la parole ni ne t'intéresseras à nous. Tu marcheras exactement six pas devant nous, sans te presser. Lorsque nous aurons atteint la Loge Fédérale, tu te gratteras la cuisse droite trois fois puis tu passeras ton chemin sans t'arrêter. Et tu ne te souviendras pas de nous avoir vus. Tu as compris ?

– Loge Fédérale…, marmonna l'autre d'une voix épaisse. Six pas… Gratter la cuisse… Souviendrai pas de vous…

– Fort bien. Allons-y.

Ermeline claqua des doigts. L'individu sursauta et, sans se préoccuper d'eux, se mit en marche, tel un automate, d'un pas un peu lourd, mais qui n'avait rien pour attiser les soupçons.

L'Élu et la gitane le suivirent en jetant constamment des regards nerveux autour d'eux pour s'assurer qu'ils n'étaient pas repérés. Ils quittèrent les environs de la maison présidentielle, descendirent l'avenue Pennsylvanie jusqu'à la Quatrième Avenue. Dans la nuit, les édifices hétéroclites se ressemblaient tous et les nids-de-poule de la rue menaçaient à tout moment de leur infliger une entorse. Les rares passants qu'ils croisèrent, à leur grand soulagement, ne firent pas attention à eux. Par mesure de précaution, Ermeline avait gardé son médaillon en main, prête à causer l'oubli au premier qui les reconnaîtrait.

Au coin de la rue D, l'homme se gratta la cuisse droite trois fois puis poursuivit son chemin sans se retourner.

À leur gauche se trouvait un petit bâtiment en brique tout à fait banal sinon que ses fenêtres étaient masquées par de lourdes tentures opaques. Une modeste enseigne de laiton ornée d'une équerre et d'un compas était faiblement illuminée par le lampadaire situé au coin de la rue. Elle indiquait « Loge Fédérale nº 15 ».

– C'est ici, déclara Ermeline.

Manaïl observa leur guide involontaire s'éloigner, un peu préoccupé.

– N'aie crainte, dit la gitane en suivant son regard. Il ne se souviendra de rien.

Confiant dans le pouvoir de la gitane, dont il avait souvent mesuré l'ampleur, le jeune homme gravit les marches qui menaient au porche, saisit le heurtoir en laiton qui était fixé à la porte et frappa trois coups secs. Pendant un long moment, rien ne se produisit.

– Il n'y a personne, on dirait, en conclut Ermeline, déçue.

Alors qu'ils allaient abandonner, un loquet tourna de l'autre côté et la porte s'entrouvrit. Un petit homme rondouillet au crâne chauve apparut et brandit une lampe à huile pour éclairer l'importun. Les yeux plissés derrière d'épaisses lunettes à monture de métal, une moustache grisonnante en balai qui lui couvrait la lèvre supérieure, il avait un air de bon grand-père bougon mais affectueux.

– Qu'est-ce que c'est encore ? Je n'ai pas que ça à...

Il écarquilla des yeux myopes en apercevant celui qui se tenait devant lui.

– Oh... Tu n'es pas... Qui es-tu ?

– Un frère.

Sans hésiter, Manaïl tendit la main à l'homme et pencha la tête vers son oreille. Il lui donna la poignée de main secrète et lui transmit à voix basse les mots de passe que lui avait enseignés le duc de Sussex, dans le *kan* de Londres, et qui lui avaient semblé si insignifiants en comparaison des légendes qu'il avait entendues. Visiblement étonné, l'autre les reconnut et s'écarta un peu pour le laisser entrer. Lorsque Ermeline fit mine de le suivre, le visage du petit homme se renfrogna.

– Pas toi. Les femmes ne sont pas admises.

La gitane allait exploser de colère et d'indignation, ouvrant la bouche pour laisser s'en écouler le chapelet d'invectives qui lui brûlait les lèvres, lorsque le garçon lui posa fermement la main sur l'avant-bras.

– Laisse, murmura-t-il. Nous entêter nous coûtera un temps précieux. L'important est de trouver ce que nous cherchons. D'accord ?

– Bon...

Ermeline se renfrogna et croisa les bras sur sa poitrine, mais, sachant que le garçon avait raison, parvint à se contenir. Ravalant son orgueil comme une mauvaise boisson, elle regarda la porte se fermer et s'assit sur les marches en évitant d'être trop éclairée par le lampadaire.

– Cornebouc..., grommela-t-elle. Les hommes... Ils sont tous pareils... Comme si l'huile de reins les rendait supérieurs...

✦

Une fois à l'intérieur, l'homme posa sa lampe sur un petit guéridon près de l'entrée, mais ne manifesta aucune intention d'inviter le jeune inconnu plus loin que le modeste vestibule carré où il l'avait accueilli. Manaïl sentit la méfiance qui exsudait de lui.

– Je m'appelle Mark Mills.

– Noah Brown. Je suis le secrétaire de la Loge Fédérale numéro 15. De quelle loge viens-tu ?

– De... de la Grande Loge d'Angleterre, à Londres, expliqua le garçon, à défaut d'une meilleure réponse.

– De la Grande Loge? Hmmm... Tu es bien jeune pour être maître, dit Brown, méfiant. Et tu n'as pas l'accent britannique.

– Je ne suis pas britannique.

Pour couper court à une conversation dont la direction menaçait de le trahir, Manaïl tira l'enveloppe de sa poche et la tendit au secrétaire, qui la saisit.

– J'ai besoin de ton aide.

Brown examina le document et, aussitôt, ses sourcils s'arquèrent de surprise. Il empoigna la lampe et l'approcha avec empressement du papier jauni et de l'encre pâlie par le temps pour mieux voir.

– George Washington? fit-il après un moment, d'une voix tremblante.

Il leva les yeux vers le garçon.

– Ce document est-il original?

– On dirait bien que oui.

Brown tira la note de l'enveloppe et la scruta.

– Tu connais cette écriture? demanda l'Élu.

– Je... Je l'ai déjà vue..., balbutia le secrétaire en remontant ses lunettes sur son nez. C'est le code qu'utilisaient les francs-maçons français voilà environ un siècle pour communiquer entre eux. Personne ne s'en sert plus depuis longtemps. C'est fascinant. Je n'en avais encore jamais vu un exemple original. Et rédigé de la main de Washington en personne ! Ce morceau de papier est un véritable trésor national... et maçonnique, aussi.

– Tu peux me dire ce qui est écrit ?

– Moi ? rétorqua Brown en souriant, sa méfiance effacée par l'enthousiasme. Bien sûr que non ! Il faudrait d'abord que j'en possède la clé. Elle existe certainement encore quelque part dans des bibliothèques poussiéreuses d'Europe, mais je doute fort qu'une modeste loge de Washington en détienne une. Peut-être que si tu t'adressais à la Grande Loge d'Angleterre. Tu dois bien y connaître quelques personnes, puisque tu en viens...

Découragé, Manaïl sentit ses épaules s'affaisser. Il ferma les yeux et laissa échapper un profond soupir de lassitude. Naska-ât l'avait dirigé vers ce *kan*. Vers George Washington, qui lui avait laissé un message qui s'était transmis jusqu'au président Lincoln. D'outre-tombe, Washington l'avait à son tour dirigé vers cette loge. Mais c'était en 1792. De toute évidence, les choses avaient eu le temps de changer et la voie tracée pour l'Élu s'était perdue. Qu'allait-il faire ? Le centre était caché quelque part dans cette ville, tout près de lui, et il n'avait aucune idée où. Devrait-il rester dans ce *kan* pendant des décennies sans aucune assurance de jamais le retrouver ?

Manaïl ne disposait pas d'un tel luxe. Il risquait à tout moment d'être arrêté et accusé du meurtre de Lincoln. Personne ne croirait à son innocence. Il serait pendu dans les plus brefs délais et, avec sa mort, sa quête cesserait. Il devait récupérer le centre sans délai et fuir ce *kan*.

Il tâta distraitement sa poitrine, où les fragments étaient enfouis sous la marque des Ténèbres. À quoi serviraient toutes les épreuves traversées pour les retrouver s'il échouait maintenant ? S'il ne retrouvait pas le centre, Nergal pourrait encore triompher. Il n'avait aucune certitude que tous les Nergalii avaient disparu. Qui pouvait dire s'il n'en surgirait pas de nouveaux dans les heures qui suivraient ? Peut-être même étaient-ils déjà là, à sa recherche, pour le tuer et lui reprendre les cinq fragments. Ils auraient alors tout leur temps pour retrouver le centre. Et si Nergal n'était pas éliminé, Ermeline, elle, vivrait, promise à une éternité de tourments auprès de lui.

L'Élu parvint avec peine à dominer la panique qui montait en lui. Naska-ât devait savoir ce qu'il faisait. Il ne s'était certainement pas donné toute cette peine sans quelque assurance que le message résisterait à l'épreuve du temps et se rendrait jusqu'à son destinataire. Forcément, quelque chose lui échappait. Mais quoi ? Que pouvait-il avoir négligé ? Il avait suivi les directives. Il avait retrouvé le président. Il avait récupéré le message dont il était porteur. Il s'était présenté à la Loge Fédérale numéro 15. La route ne pouvait pas bêtement s'arrêter là.

Il regretta amèrement d'avoir insisté pour que la gitane l'attende à l'extérieur. Son esprit vif et original lui avait souvent été utile dans de telles situations. Mais même elle n'avait rien saisi de plus dans le message de Washington.

Soudain, le garçon redressa le menton. Le message... La lumière du lampadaire avait révélé autre chose que Brown ne pouvait pas voir sur la lettre!

– «*Ahiman rezon,* 1756». Ça te dit quelque chose?

– *Ahiman rezon?* fit Brown en jouant distraitement avec sa moustache. *Ahiman rezon...* Hmmm... J'ai déjà entendu ça quelque part... *Ahiman rezon...* Attends...

Le secrétaire remonta ses lunettes puis écarquilla les yeux en souriant et se frappa le front d'une main.

– Mais bien sûr! *Ahiman rezon!* Suis-je bête. Suis-moi.

L'homme fit demi-tour et quitta précipitamment le vestibule, le document dans une main et la lampe dans l'autre. L'Élu le suivit dans un corridor de chaque côté duquel se trouvaient deux portes. Brown se dirigea sans hésiter vers la seconde, à droite, et pénétra dans une pièce aux murs couverts de livres du plancher jusqu'au plafond.

– C'est la bibliothèque de la loge, expliqua-t-il en bombant le torse. J'en suis le responsable. Je dois dire que j'en suis assez fier. Attends un peu...

Il posa le document sur une longue table entourée de chaises qui se trouvait au milieu de la pièce et se dirigea vers les livres méticuleusement disposés sur le mur du fond en s'éclairant de sa lampe.

– *Ahiman rezon*..., marmonna-t-il en laissant ses doigts parcourir les volumes alignés sur les tablettes, penchant la tête sur le côté pour lire un à un les titres. *Ahiman rezon*... Il doit bien être quelque part ici... Ah ! Voilà !

Le secrétaire tira un ouvrage de la tablette et le brandit victorieusement. Il était relié d'un cuir brun un peu décoloré et le lettrage doré sur la tranche était terni. Il souffla dessus, créant un nuage de poussière qui ne parut nullement l'incommoder.

– *Ahiman rezon*, publié en 1756 par Laurence Dermott, un maître maçon et un grand savant. Le titre est en hébreu. Il signifie « Aide à un frère ». Voyons voir si la clé du code s'y trouve...

Manaïl était sans voix. *Suis la lumière du maître maçon... Ahiman rezon, 1756...* Washington avait-il tout bêtement voulu lui faire comprendre que la solution se trouvait dans un livre écrit par un maître maçon conservé dans cette loge ?

Brown revint vers la table, où il posa d'abord la lampe puis le livre qu'il se mit à feuilleter. Fébrilement, il tourna les pages et en examina le contenu en marmottant. L'ouvrage était assez épais mais, en quelques minutes, il en atteignit la dernière page. Il releva la tête vers le garçon et remonta ses lunettes sur son nez, un peu déconfit.

– Non. Rien du tout… Je suis désolé. Dermott n'y traite nulle part de l'alphabet maçonnique.

Il referma le volume, le prit et fit mine de le remettre dans la bibliothèque. Il n'avait fait qu'un pas lorsqu'un bout de papier s'échappa de la reliure et virevolta jusqu'au plancher. Intrigué, Brown se pencha pour le ramasser et le déplia. Sa mine se renfrogna aussitôt et il revint vers la lampe.

– Tiens… Qu'est-ce que c'est que ça ?

Il posa le papier sur la table et le lissa soigneusement. Puis son index suivit ce qui y était écrit, ses lèvres bougeant au rythme de sa lecture. Soudain, il se raidit, étonné.

– *By God*… Est-ce possible ? lâcha-t-il.

D'un geste brusque, il empoigna la lettre de Washington d'une main tremblante et se mit à comparer les deux documents. Le manège dura de longues minutes pendant lesquelles Manaïl se fit violence pour rester silencieux.

Puis Brown leva les yeux vers le jeune homme.

– C'est la même écriture…, dit-il d'une voix émue. Ce bout de papier est de la main de George Washington… et il porte la clé du code !

LA LUMIÈRE DU MAÎTRE

Manaïl sentit l'espoir renaître en lui.

– Vraiment ? s'exclama-t-il en s'approchant de la table. Tu en es certain ?

– Aucun doute. Je connais bien les codes maçonniques. Vois toi-même.

Le secrétaire étendit les deux documents côte à côte et les lissa avec ses mains. Sur le petit bout de papier qui avait été déposé entre la couverture et la page de garde du livre, George Washington avait tracé une grille remplie de lettres et de points, et un X qui contenait quatre autres lettres.

ab·	cd·	ef·
gh·	il·	mn·
op·	qr·	st·

x

u y

z

Avec fébrilité, Brown ouvrit un des tiroirs de la table et y fouilla pour en tirer un crayon et une feuille vierge qu'il plaça à côté des deux papiers. Puis il se mit à expliquer le stratagème au garçon en y traçant des symboles.

– Avec la clé, tout devient très simple. Tu vois ? La grille est constituée de neuf cases. Chacune contient deux lettres. Prenons pour exemple le « a » et le « b » dans la case supérieure gauche. Pour représenter le « a », on dessine les lignes qui touchent aux autres cases. La forme obtenue est celle d'une équerre. Comme ceci : ┘. Pour le « b », on fait la même chose, mais en ajoutant le point pour indiquer qu'il s'agit de la seconde lettre : ·┘. Pour les cases du milieu, qui représentent les lettres « c », « d », « g », « h », « m », « n », « q » et « r », il faut dessiner toutes les lignes qui touchent à une autre case. Comme ceci : ⊔ ⊐ ⊏ ⊓. Ensuite, selon la lettre, on ajoute ou non le point. Par exemple, « c » et « d » donnent ⊔ et ⊍. Pour « i » et « l », on trace le carré entier, comme ceci : □ et ⊡. Le code remplace « j » par « i », « k » par « c », « v » et « w » par « u ». Pour les lettres situées dans le X, on procède de la même façon, sauf qu'on trace la pointe correspondante au lieu des droites, comme > pour « u » et < pour « y ». Tu comprends ?

– Euh... Oui... Je crois...

– Bien. Maintenant, voyons ce que ça dit...

La langue sortie entre les lèvres, Brown reproduisit sur sa feuille vierge chacun des symboles tracés par Washington et associa dessous les lettres correspondantes. Manaïl l'observait en silence, de peur de briser sa concentration.

Au bout d'une minute, le secrétaire eut terminé. Interloqué, il relut le résultat à plusieurs reprises puis tendit le tout au garçon.

a l o c c i d e n t d e l e t o i l e

s u r m a m o n t u r e

j e p r o t e g e l e c e n t r e

N'y voyant que des gribouillis incompréhensibles, Manaïl regarda la feuille sans rien dire.

– Tu n'y comprends rien ?

– Non, admit l'Élu, honteux.

– C'est normal. Tu ne parles pas le français. Moi si. Ça dit : « À l'occident de l'étoile, sur ma monture, je protège le centre. » Ça n'a aucun sens…

Manaïl se sentit gonflé d'espoir et de découragement à la fois. Le message confirmait sans équivoque que le centre se trouvait bel et bien quelque part dans la ville. Washington affirmait même qu'il le protégeait lui-même. Mais rien dans ces deux lignes cryptiques ne révélait son emplacement.

Noah Brown, lui, semblait fasciné par le texte.

– Hmmm…, fit-il en se tapotant les dents avec son crayon. On dirait une énigme… *Sur ma monture…* Pourquoi Washington a-t-il pris la peine de préciser ce détail ?

Il se gratta le bout du nez et fit une moue dubitative.

– Il y a bien cette vieille légende… Tiens, pourquoi pas ?

Sans prévenir, il se précipita de l'autre côté de la pièce, où des grands rouleaux de papier étaient empilés sur une tablette. Il fouilla un peu et, dans son empressement, en fit choir plusieurs sans s'en préoccuper. Lorsqu'il eut enfin trouvé celui qu'il cherchait, il le ramena sur la table, le déroula et l'étendit à plat. Manaïl constata qu'il s'agissait d'un plan. Le secrétaire y laissa courir son index et tapa du bout du doigt.

– Ha ! Là ! s'écria-t-il. Je me souvenais vaguement de cette histoire. Ceci est le plan original de la ville, dessiné en 1791. Tu vois comme les avenues Massachusetts, Road Island, Connecticut, Vermont et la rue K y forment une étoile à cinq branches ? La pointe touche très exactement la demeure présidentielle.

Manaïl se pencha sur le plan et, avec son index, Brown montra le tracé des rues. Elles formaient bel et bien une étoile avec la tête en bas. Un pentagramme inversé. La marque des Ténèbres qu'il portait dans sa chair était imbriquée dans le tissu même de la ville.

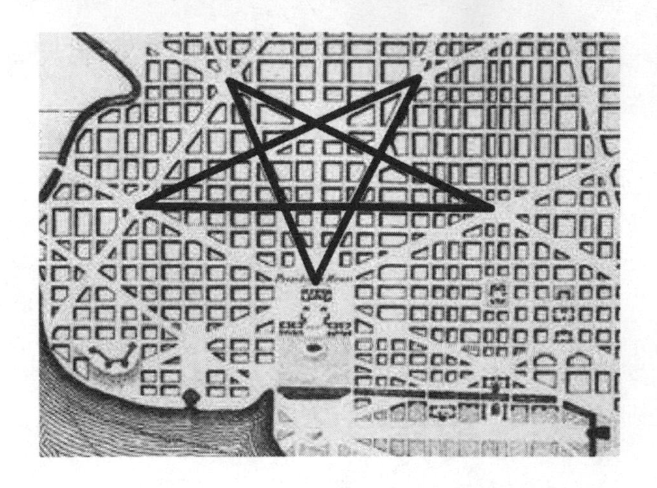

– Dans les loges maçonniques, on raconte que c'est le frère Washington lui-même qui a exigé cette configuration. Personne n'a jamais vraiment su pourquoi. Maintenant, observe cette place publique, poursuivit Brown en tapotant le pentagramme. C'est là que se trouve Washington Circle. Sur la pointe gauche. *À l'occident de l'étoile*. En 1859, on y a érigé une statue équestre de Washington. À sa mort, il avait laissé des instructions rigoureuses pour qu'elle soit installée à cet endroit précis. Il aura fallu plus d'un demi-siècle pour qu'on lui obéisse. Il devait se retourner dans sa tombe, le pauvre.

Sonné, Manaïl se redressa. Ce plan... Il était vaguement familier... Il fouilla sa mémoire jusqu'à ce que le souvenir qu'il cherchait le frappe de plein fouet.

Il retira fébrilement le bracelet de bronze de son poignet et l'approcha de la lampe pour mieux voir l'intérieur. Aucun doute. L'étrange symbole qu'il avait pris pour un gribouillis dénué de sens était maintenant tout à fait clair. Il représentait le même plan. La ville de Washington.

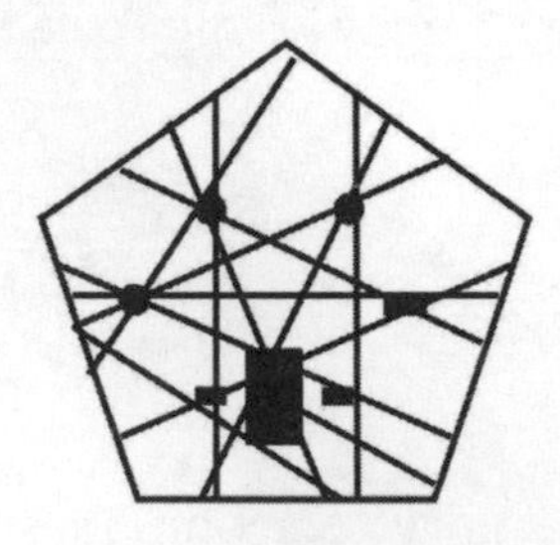

Depuis le début, Naska-ât lui avait indiqué l'emplacement du centre. L'occident de l'étoile représentait la pointe ouest du pentagramme qu'on y percevait quand on le cherchait bien, perdu parmi les droites et les formes géométriques.

Manaïl secoua la tête, émerveillé. *Sur ma monture, je protège le centre...* Enfin, tout devenait clair. Le fragment se trouvait près de cette statue qui représentait Washington. Il devait s'y rendre sans délai. Bientôt, il quitterait ce *kan* et livrerait la bataille finale. Il détruirait le talisman et sauverait Ermeline.

– Où sommes-nous sur ce plan ?

– Juste ici, répondit le secrétaire en indiquant de l'index l'intersection de la Quatrième Avenue et de la rue D.

Manaïl se concentra de toutes ses forces pour mémoriser le trajet entre la loge et l'emplacement du centre, puis leva vers Brown un regard brillant de reconnaissance.

– Merci, mon frère, dit-il d'une voix étranglée. Merci beaucoup. Tu ne peux pas savoir à quel point ton aide a été précieuse.

Il fit mine de sortir de la bibliothèque lorsque le secrétaire l'arrêta.

– Euh… Et la lettre ? demanda-t-il en brandissant le document. Si tu n'en as pas besoin, j'aimerais beaucoup la conserver dans les archives de la loge. Ce serait un fameux trésor…

– Elle est à toi. Adieu.

Sans rien ajouter, l'Élu laissa Brown derrière lui, retrouva son chemin et sortit pour rejoindre la gitane, qu'il trouva assise sur le porche, appuyée contre le mur de brique.

– Alors ? s'enquit-elle.

– Le message dit : « À l'occident de l'étoile, sur ma monture, je protège le centre. »

– Tu sais où il se trouve ?

– Je crois, oui. Allons-y avant que toute la police soit à nos trousses.

S'assurant de rester à l'écart des lampadaires, ils remontèrent la rue D en direction de l'avenue Pennsylvanie, vers Washington Circle. Vers le dernier fragment du talisman de Nergal. En chemin, Manaïl expliqua à sa compagne ce qu'il avait découvert : le contenu de la partie codée du message, le plan dont les rues formaient une étoile et la statue équestre qui protégeait le centre.

✦

Noah Brown laissa retomber la lourde draperie qui masquait la fenêtre par laquelle il avait observé le départ du jeune garçon et de sa compagne. Machinalement, il remonta ses lunettes et claqua la langue à quelques reprises.

Quelques minutes avant l'arrivée inopinée de ces deux étrangers, le frère Parker, membre de la loge, était passé, à bout de souffle, pour l'informer que le frère Lincoln venait d'être assassiné. Il lui avait remis une description écrite des suspects en lui recommandant de la faire circuler parmi les francs-maçons, avec instruction de lui faire parvenir toute information pouvant mener à leur arrestation. Lorsqu'on avait frappé à nouveau, quelques minutes après, Brown s'était retrouvé face au garçon et à la fille qu'on recherchait. Il lui avait fallu faire appel à toute sa volonté pour ne rien laisser paraître. Il espérait seulement avoir bien agi en aidant le garçon à déchiffrer le curieux message qu'il portait.

Le secrétaire mit la main dans la poche intérieure de sa veste et en tira une feuille pliée en quatre qu'il ouvrit pour en vérifier encore une fois le contenu. Un garçon d'environ seize ans, grand, aux cheveux et aux yeux noirs, portant un costume sombre, une chemise blanche sans cravate, des bottes de cuir brunes lui allant au mollet... Une fille en robe brune, aux cheveux noirs, avec un œil émeraude et l'autre jaune... Aucun doute, ce ne pouvait être qu'eux.

Il éteignit la lampe et quitta précipitamment la loge. Il devait avertir sans tarder le frère Parker qui, à cette heure, était sans doute retourné au Ford's Theatre pour poursuivre son enquête. Les assassins de Lincoln ne devaient pas s'échapper.

Et il savait exactement où ils allaient.

LE GARDIEN DU CENTRE

En s'assurant de rester blottis dans les coins les plus sombres tels des fantômes glissant contre les murs, l'Élu et la gitane contournèrent le vaste terrain de la maison présidentielle en empruntant les rues transversales. Même à distance, il était clair qu'une grande fébrilité régnait dans le majestueux édifice. Toutes les fenêtres étaient éclairées, révélant un incessant va-et-vient. Autour, des soldats armés montaient la garde, l'air tendu.

Ils finirent par reprendre l'avenue Pennsylvanie. Laissant derrière eux la résidence du président assassiné, ils aboutirent dans un quartier qu'ils ne connaissaient pas. Ils marchèrent pendant plusieurs minutes sans rien apercevoir qui pût ressembler à la statue qu'avait décrite Noah Brown.

– Tu es certain de savoir où tu vas ? questionna la gitane avec une pointe d'impatience.

– Je crois. Sur le plan, cela semblait très simple.

– Sur le plan, oui... Peut-être que ce drôle a fait erreur. Le message de Washington pourrait avoir une signification tout autre que celle qu'il en a déduit.

– Nous le saurons bientôt. Il faut que nous trouvions un parc...

Ils marchèrent encore un moment et soudain, au bout de la rue, quatre flambeaux percèrent la nuit. Au milieu d'eux, un objet massif semblait s'élever. Manaïl empoigna la main d'Ermeline pour s'approcher. Ils pénétrèrent dans le périmètre.

– C'est le bon endroit, déclara le garçon.

Ils se trouvaient face à face avec une statue à laquelle les flammes donnaient un air sinistre. Assis sur une puissante monture dont il tirait les rênes pour l'immobiliser, un homme, l'air digne et autoritaire, regardait droit devant lui, contemplant peut-être l'avenir de la nation dont il avait jeté les bases. Il était vêtu d'un uniforme militaire au col remonté et décoré d'épaulettes. De longues bottes lui atteignaient les genoux. À son côté gauche, un sabre pendait à sa ceinture. Il était coiffé d'un élégant chapeau à deux pointes orné d'une cocarde. La statue de bronze, recouverte d'une fine patine verdâtre, était installée sur un socle fait d'épais blocs de granit sur cinq épaisseurs et dominait le petit parc circulaire au milieu duquel elle était érigée.

– *Sur ma monture, je protège le centre...*, dit le garçon.

La gitane fit quelques pas et suivit des doigts une inscription sculptée sur le socle : « Washington ».

– C'est bien lui.

Une fois de plus, elle scruta nerveusement les alentours. L'endroit semblait désert, mais elle n'était pas tranquille.

– Si tu sais où se trouve ce maudit objet, je suggère que tu te mettes au travail, mon ami…

Silencieux, l'Élu observa le monument, les sourcils froncés par la concentration. Il en fit lentement le tour, cherchant en vain les traces d'une ouverture dans la base ou d'un mécanisme habilement maquillé. Il pensait grimper sur la base pour examiner la statue elle-même lorsque la voix d'Ermeline lui parvint.

– Je crois que j'ai trouvé, chuchota-t-elle.

Manaïl rebroussa chemin et la trouva accroupie, souriant fièrement dans la pénombre en lui désignant un des blocs de granit qui formait la première rangée. Il se pencha auprès d'elle. À la base du monument, quelqu'un avait gravé un pentagramme dans un cercle.

Le moment était venu de récupérer le talisman, de l'assembler et de quitter ce *kan*. Il sentit une angoisse soudaine lui serrer le ventre. La bataille ultime approchait.

Fébrile, il ferma le poing, tendit sa bague des Mages vers la marque et y encastra la pierre noire, comme il l'avait fait dans les *kan* de Jérusalem, de Paris, de Londres et de Montréal. Un bref éclair d'un bleu glacial illumina imperceptiblement le contour du joyau avant de s'éteindre. Le garçon sentit un faible déclic se transmettre à sa main.

Il allait sourire de soulagement lorsqu'un cri bref et étouffé le fit sursauter. Il se retourna vers Ermeline mais ne la vit pas. Là où elle s'était tenue l'instant d'avant, tout à côté de lui sur sa droite, se trouvait maintenant un soupirail sombre dont il était incapable d'apercevoir le fond.

– Ermeline ! s'écria-t-il, horrifié, en faisant fi de toute prudence.

Il se releva et, sans hésiter, sauta dans le vide, au secours de la gitane.

✦

L'Élu atterrit dans un escalier étroit qui menait au fond de l'ouverture et dont, dans son empressement, il n'avait pas anticipé la présence. Il maintint son équilibre de son mieux pour dévaler aussi vite qu'il en était capable la dizaine de marches en pleine noirceur. Arrivé en bas, il trébucha sur quelque chose de mou et s'étala de tout son long sur un sol dur et froid, protégeant instinctivement sa tête avec ses mains. Il eut vaguement conscience de l'odeur de renfermé et de pourriture qui remplissait l'endroit et se releva d'un trait.

– Cornebouc ! Tu pourrais faire attention !

Subjugé par le soulagement, Manaïl se mit à tâtonner à quatre pattes dans la direction d'où était venue la voix de la gitane. Sa main toucha quelque chose de chaud et il tressaillit. Au même moment, une retentissante claque le percuta.

– En voilà des manières ! gronda Ermeline. Vilain ruffian !

Habitué à la pudeur aussi spontanée qu'extrême de sa compagne, le garçon ne put réprimer un sourire qu'elle ne distingua heureusement pas.

– Tu n'as rien de cassé ? Ton bras semble en très bon état, en tout cas.

– À part un croupion un peu sensible, je me porte bien. Et ne t'avise pas de m'offrir d'y poser la marque de YHWH. Garde cette senestre pour toi, paillard !

– Je vais nous faire un peu de lumière.

À l'aveuglette, il retrouva l'escalier. Il allait s'y engager lorsque la douleur désormais familière déchira sa poitrine, les fragments tressaillant sous sa peau. Il serra les dents, appliqua la marque de YHWH et monta. Arrivé au sommet, il passa la tête à l'extérieur. Après s'être assuré que la voie était libre et que personne ne les avait vus s'enfoncer sous le monument, il sortit. Dehors, les élancements étaient moins intenses. Il franchit en courant la distance qui le séparait du flambeau sur sa droite et constata qu'il était en métal. La tête en était creuse et la flamme semblait être alimentée par un liquide contenu dans un réservoir à l'intérieur du manche. Les flammes dégageaient une curieuse odeur. Il comprit que cet objet avait été conçu davantage pour décorer que pour éclairer, mais il ferait l'affaire. Il réussit à le déloger du socle dans lequel il était fiché, espérant qu'on supposerait qu'il s'était simplement éteint et que personne ne remarquerait son absence.

Il s'assura d'appliquer la marque sur sa poitrine puis, le flambeau tendu devant lui, s'engagea à nouveau dans l'escalier. Il observa au passage le mécanisme qui avait causé la chute de la gitane. Une dalle actionnée par sa bague avait basculé vers l'intérieur et la gitane, qui se tenait dessus, était tombée dans le vide.

Il rejoignit Ermeline et la trouva assise. Aussitôt que la lumière se fit autour d'elle, elle se pétrifia. Il suivit la direction de son regard et son sang se glaça dans ses veines. Ils se trouvaient dans un caveau à peine plus grand qu'une cellule de moine. Les murs de moellon étaient luisants d'humidité et l'eau qui avait suinté entre les pierres au fil des décennies en avait détaché le plâtre par endroits. Le centre était occupé par une plate-forme de roc surélevée sur laquelle gisait un cadavre.

Les jambes raides, le cœur battant, les élancements tout juste maîtrisés, Manaïl s'approcha de la dépouille. Le flambeau lui paraissait soudain aussi lourd qu'un bloc de pierre et la main qui la tenait tremblait. L'homme avait été placé sur le dos, les mains sur la poitrine, les doigts entrecroisés. Il était vêtu d'une longue robe pourpre à demi pourrie qui laissait dépasser des orteils brunâtres et racornis auxquels étaient encore accrochés des morceaux de sandales de cuir. La chair de son visage avait l'apparence du cuir et était tendue sur les os. Ses lèvres desséchées étaient retroussées en un rictus qui rappelait vaguement un sourire. Des cheveux blancs s'accrochaient encore à sa tête, révélant un front à demi chauve, et une barbe encore fournie couvrait son menton et ses joues.

– Cornebouc..., laissa échapper Ermeline. Encore une momie. Ça devient une manie.

Manaïl ne répondit pas. Cet homme, il l'avait vu dans ses rêves et, malgré l'état dans lequel il se trouvait, il le reconnut sans peine. Il se tenait devant la dépouille de celui qui avait initié les cinq Mages d'Ishtar et qui, de ses propres mains, avait démantelé le talisman de Nergal après qu'Ashurat s'en fut courageusement emparé sous le nez des Nergalii. C'était dans ce *kan* qu'il était mort.

Emporté par une profonde émotion, le garçon se laissa tomber sur un genou, le flambeau toujours dans une main, pencha la tête et offrit une prière à Ishtar pour qu'elle veille sur l'âme de cet homme. Respectueusement, Ermeline s'approcha de lui et lui posa la main sur l'épaule.

– Qui est-ce ?

– Maître Naska-ât. Pendant tout ce temps, c'est lui qui a conservé le centre sans jamais mentionner son existence à quiconque, répondit l'Élu d'une voix étouffée. Il n'y a pas eu cinq Mages, mais bien six... Il a choisi ce *kan* pour y mourir, sans doute après avoir guidé Washington pour qu'il fasse tracer un pentagramme inversé dans les rues de la capitale et qu'il organise secrètement la construction de ce mausolée avant que la statue soit érigée pardessus. *Le président te guidera vers le centre...*

Manaïl se remit debout. Près de la dépouille, à la hauteur de la tête, se trouvait un petit guéridon en acajou. Sur le plateau, une mince plaque de marbre ronde portait une forme encavée. Un pentagramme inversé dont chaque pointe avait la dimension exacte des fragments que l'Élu portait en lui. Au-dessus, on avait gravé une inscription.

Le garçon se tourna vers Ermeline, qui comprit aussitôt ce qu'il désirait et se pencha dessus pour la lui déchiffrer.

– *LUX E TENEBRIS*, annonça-t-elle après un moment. C'est du latin. « Des ténèbres vient la lumière. » Naska-ât était dans les ténèbres jusqu'à ce que nous entrions. Tu crois que c'est ce qu'il voulait dire ?

– Peut-être…, répondit distraitement l'Élu.

Sur le marbre reposait une petite dague en or au tranchant effilé dont le manche était orné d'un pentagramme bénéfique délicatement gravé.

Manaïl se pencha sur la carcasse à la peau cuivrée et l'observa un moment. Puis il se retourna vers Ermeline et lui tendit le flambeau.

– Tiens ceci.

Il retira sa main de sa poitrine et la douleur le frappa aussitôt de plein fouet.

– Tu as mal ? demanda la gitane, qui avait remarqué sa grimace.

– Ça ira.

Solennellement, il retira le bracelet de bronze de son poignet droit et le posa avec délicatesse près du maître.

– Que fais-tu ?

– Je lui remets son bien. Il ne nous est plus utile. Nous avons retrouvé le centre. Et lui pourrait en avoir besoin dans le Royaume d'En-Bas.

Surmontant sa répugnance, il examina les mains croisées du maître. Entre les doigts, il entrevit un petit objet sombre.

– Le centre. *Des ténèbres vient la lumière...*

L'Élu saisit un doigt du mort et tenta de le déplier. Le membre sec et racorni n'offrit aucune résistance. Il émit un bruit semblable à celui du papier qu'on déchire et lui resta dans la main.

– Ughhhh, fit la gitane, une grimace de révulsion sur le visage. C'est dégoûtant. Te voilà à effeuiller un macchabée !

L'Élu ne l'écoutait pas. Dès que le doigt s'était détaché, révélant l'objet qu'il recouvrait, la douleur encore plus aiguë l'avait frappé comme un coup de masse. Elle était pire que toutes celles qu'il avait endurées jusque-là. Sous sa peau, il sentit les cinq fragments s'agiter dans tous les sens et étirer sa cicatrice jusqu'au point de rupture, déchirant une à une les fibres de sa chair. Jamais le pouvoir maléfique qui était enfoui en lui ne s'était manifesté avec une telle fureur. Grimaçant, des coulisses de sueurs froides sur le visage et dans le dos, il s'appuya contre la plateforme mortuaire pour ne pas s'affaisser. Réalisant qu'il risquait de perdre conscience, il se fit violence et, l'obscurité gagnant ses yeux, accéléra sa macabre tâche en détachant les doigts un à un. La lumière de la torche faiblit distinctement à mesure qu'il progressait. Bientôt, tous les doigts furent déposés près du corps.

Dans le nid formé par les pouces et les moignons gisait un pentagone du même métal noir et mat que les fragments. Le centre. La dernière pièce du talisman de Nergal.

Entre deux élancements, il le saisit de sa main gauche et, tremblant comme une feuille, ferma le poing avec tout ce qui lui restait de force. La marque de YHWH prit du temps à exercer son effet sur l'objet, comme si son mystérieux pouvoir ne suffisait pas à absorber l'énergie maléfique qui s'en dégageait. Peu à peu, la douleur diminua pour atteindre la limite du supportable. L'Élu avait l'impression qu'on le drainait de ses forces, que sa vie était aspirée à petit feu par tous les pores de sa peau.

De sa main droite, il déboutonna sa veste, tira sur l'échancrure de sa chemise, arrachant les boutons et dévoilant sa poitrine. Sous sa peau, les fragments s'agitaient comme autant de repoussants insectes grouillants. Déjà, l'un d'eux avait causé une déchirure sanglante et menaçait de s'échapper.

– Vite…, haleta-t-il en levant des yeux hagards vers la gitane. La… dague…

Saisissant où l'Élu voulait en venir, Ermeline chercha autour d'elle un endroit où elle pourrait planter le flambeau. Aucun des murs ne disposait d'un socle et il était hors de question de le poser sur le côté, de peur d'en faire fuir le carburant et de se retrouver dans le noir. En désespoir de cause, elle fit la seule chose qui lui vint à l'esprit.

– Oh, les choses que je dois faire…, gémit-elle en levant les yeux au ciel.

Elle leva le flambeau et le planta en plein cœur du cadavre, où il resta fiché à la verticale. Réprimant un frisson de répulsion, elle empoigna le petit instrument sur le guéridon.

– Retire… les fragments…, plaida Manaïl en s'adossant à la plate-forme.

– Tu… Tu es certain ?

– Vite !!! Par… Ishtar ! Sinon… ils vont… sortir… d'eux-mêmes.

Horrifiée, Ermeline inspira plusieurs fois pour que sa main cesse de trembler. Puis elle plaça deux doigts sur une des pointes de la marque des Ténèbres, afin d'éviter le plus possible les mouvements écœurants du triangle de métal qui se trouvait dessous. Elle tendit la peau, y plaça la lame et la fendit d'un coup sec. Un sang vermeil et chaud jaillit de la plaie et lui couvrit la main.

– Cornebouc…, maugréa-t-elle d'une voix catastrophée. Tu saignes comme un goret à la boucherie.

Elle plongea les doigts dans la blessure fraîche, en retira le fragment et le posa sur le guéridon.

– Continue…

Dégoûtée, Ermeline répéta l'opération pour chacune des pointes du pentagramme inversé. Bientôt, la poitrine de son compagnon fut maculée de sang et les rebords de sa veste, comme la taille de son pantalon, en furent imbibés. À mesure qu'elle l'ouvrait, elle retirait les fragments. Lorsqu'elle eut terminé, Manaïl s'effondra sur le sol, le front appuyé sur le rebord de la plate-forme où reposait le premier des Mages d'Ishtar. Au prix d'un effort surhumain, il s'y accrocha et réussit à se relever.

Il avisa les cinq fragments ensanglantés sur le guéridon. Tout en gardant sa main gauche fermée sur le centre, il déplia l'index et les fit glisser un à un vers le pentagramme concave sculpté dans le marbre blanc. Ils s'y encastrèrent parfaitement. Il ne lui restait qu'un geste à faire. La gitane vint se tenir à ses côtés et lui enlaça la taille, autant pour le soutenir que pour lui montrer sa solidarité.

– *L'Élu se lèvera, rassemblera le talisman et le détruira*, récita-t-elle d'une voix pleine d'émotion en tenant toujours la lame visqueuse qui dégouttait sur la pierre du sol.

Manaïl approcha la main gauche au-dessus du guéridon. Le centre allait faire se rejoindre les fragments. Après tant d'efforts, tant de souffrances, de déceptions et de trahisons, le talisman de Nergal serait reconstitué. Et avec lui, le Mal se manifesterait dans toute sa plénitude. L'étape ultime de la quête commencerait.

Il allait ouvrir les doigts pour laisser tomber le pentagone de métal noir sur le marbre lorsqu'un crissement de souliers les fit sursauter. L'Élu interrompit son geste. Avant qu'il n'ait pu se retourner, une voix retentit.

– Haut les mains ! Vous êtes en état d'arrestation pour le meurtre du président des États-Unis d'Amérique !

L'ARRESTATION

Encore appesanti par l'effet des fragments qui venaient d'être extraits de sa poitrine et du centre dans sa main, Manaïl était à demi conscient. Il avait l'impression qu'une charge de cavalerie lui était passée sur le corps. Il lui semblait de se mouvoir avec une extrême lenteur et le monde autour de lui paraissait tourner au ralenti. Les voix lui parvenaient de loin, filtrées par un bourdonnement assourdissant qui emplissait sa tête. Il pivota sur lui-même en chancelant. Seul le soutien d'Ermeline l'empêchait de tomber.

Devant la porte du caveau secret se tenait l'homme qui l'avait empêché d'approcher le président. Solide sur ses jambes, l'air autoritaire, les yeux rivés sur eux, il les tenait en joue, la gitane et lui, avec un revolver au long canon.

– Ainsi, les informations du frère Brown étaient exactes, dit-il. Mais je croyais vous trouver près de la statue de Washington, pas *dessous*.

Avec professionnalisme, John F. Parker survola la scène du regard. Ses yeux s'écarquillèrent lorsqu'il vit la poitrine couverte de plaies et maculée de sang du garçon qui était d'une pâleur extrême et qui avait peine à se tenir debout. Puis il aperçut le flambeau fiché de manière obscène dans la poitrine du cadavre, les doigts arrachés et posés sur la plate-forme, le sang qui tachait la blouse de la fille et qui couvrait le sol. Toute la scène n'était qu'un vaste sacrilège.

– Dieu tout-puissant... Mais qui êtes-vous donc ? Qu'est-ce qui s'est passé ici ?...

Pendant un instant, le policier sembla dépassé par les événements, mais il se reprit rapidement, s'agrippant à son revolver.

– Lâchez vos armes ! ordonna-t-il d'un ton qui n'autorisait aucune discussion. Et ne vous avisez pas de bouger !

Ermeline leva les mains en l'air. Dans l'état de confusion où il se trouvait, Manaïl ne comprit pas à quoi le policier voulait en venir. Lâcher son arme ? Il n'en avait aucune. Il n'avait que le centre. Son poing fermé semblait-il menaçant à l'homme ? Mais celui-ci ne pouvait pas comprendre... Le talisman devait être assemblé. C'était la seule manière de le détruire. *L'Élu se lèvera, rassemblera le talisman et le détruira...* S'il ne le faisait pas très bientôt, il serait tout à fait vidé de ses forces et il serait trop tard. La quête prendrait fin dans ce sinistre caveau et le talisman pourrait toujours tomber entre les mains de quelqu'un d'autre.

L'esprit embrouillé, Manaïl ouvrit la main, observa le pentagone noir, considéra Parker et fit demi-tour, comme en transe, pour se remettre à la tâche. Rien d'autre n'importait. Une détonation éclata, répercutée de manière assourdissante par les murs de pierre de l'espace restreint. Une brûlure atroce traversa la main gauche du garçon qui s'écrasa par terre.

– Martin ! hurla la gitane, horrifiée, en faisant mine de se diriger vers lui.

– J'ai dit de ne pas bouger ! lui cria Parker.

Ermeline s'arrêta net et se blottit contre le mur, consciente que le policier n'hésiterait pas à l'abattre. Elle posa ses yeux vairons sur lui, guettant sa chance. L'homme était de toute évidence venu seul. Sinon, on serait déjà accouru au premier coup de feu. Elle devrait en profiter et agir vite.

À bout de sang et de vitalité, l'Élu était prostré, immobile. Seul un faible gémissement montrait qu'il était encore en vie. La balle lui avait traversé la main de part en part, mais il sentait à peine la douleur du trou béant qu'elle y avait laissé. Il ne ressentait plus rien. Il était vide. Les yeux mi-clos, il vit le centre sur le sol, tout près de lui, mais n'avait pas la force d'étendre le bras pour le récupérer.

Parker avisa Ermeline en agitant son arme de façon menaçante.

– Tiens-toi là, dans le coin ! Au moindre mouvement, je t'abats ! Compris ? Allez !

La gitane se déplaça de côté et longea le mur jusqu'au coin qui lui avait été indiqué. En la gardant bien en joue, Parker s'approcha de Manaïl, s'accroupit et posa deux doigts sur sa carotide.

– Il est vivant, déclara-t-il, visiblement soulagé. Tant mieux. J'aurais été déçu qu'il échappe à la pendaison qui l'attend.

Il se releva, fouilla dans sa poche de veste de sa main libre et en sortit deux drôles de bracelets de métal reliés par une courte chaîne.

– Approche, intima-t-il à la jeune fille. Lentement. Au moindre geste...

Ermeline obéit. Lorsqu'elle fut devant le policier, elle tendit la main gauche et son poignet fut habilement emprisonné dans les menottes trop serrées qui lui écrasèrent la chair et la firent aussitôt souffrir.

– L'autre main, maintenant

Au lieu de tendre la main droite, la gitane laissa retomber dans sa paume la petite dague que les vieux réflexes de survie acquis à Paris lui avaient fait dissimuler dans la manche de sa robe dès que Parker était apparu. Vive comme un chat, elle abattit la lame vers le bas et lacéra profondément le poignet du policier. Parker écarquilla les yeux, étonné, puis regarda le sang qui, déjà, s'échappait par pulsations abondantes de sa blessure.

– Petite salope..., gronda-t-il.

Il cligna des yeux à quelques reprises et secoua la tête. Son arme lui échappa et rebondit sur le sol. Il pressa la coupure béante avec son autre main, mais des jets de sang continuèrent à fuir entre ses doigts. Il tomba à genoux, haletant.

Ermeline ramassa le revolver et lui en asséna un solide coup sur la nuque. Fort comme un bœuf, Parker résista un instant avant de s'affaisser comme un pantin désarticulé, inconscient. Sa joue n'avait pas encore touché le sol que la gitane se précipitait vers Manaïl. Elle s'accroupit à ses côtés et le saisit par l'épaule pour le retourner sur le dos. Son cœur se serra. Le visage de son compagnon avait pris une teinte grisâtre et ses lèvres étaient exsangues. Une fois de plus, il était aux portes de la mort. Avait-elle conclu son immonde pacte avec Nergal pour voir la quête de l'Élu avorter si près du but ? Allait-elle subir une éternité de souffrances pour se remémorer un échec aussi amer ?

Désespérée, elle gifla le visage de Manaïl à quelques reprises de toutes ses forces.

– Cornebouc ! Tu ne trépasseras pas de cette façon ! Tu m'entends, tête de mule ? Tu as un talisman à détruire ! Alors réveille-toi ! Tu auras le reste de ta vie pour paresser !

Après ce qui parut une éternité à la gitane, les paupières du garçon frémirent et il ouvrit les yeux. Il la regarda un moment, égaré, et sembla reprendre un peu ses esprits.

– Le... centre..., souffla-t-il d'une voix chétive en tournant la tête vers le guéridon.

Puis ses yeux se révulsèrent et il sombra de nouveau dans l'inconscience. Luttant contre la panique, Ermeline prit la main gauche de son compagnon et l'examina. Elle était trouée et affreusement mutilée. La balle avait traversé la marque de YHWH. Mais la blessure ne saignait plus et il lui sembla que la chair s'y reformait. Craignant que la magie du vieux Juif soit quelque peu épuisée après avoir été tant sollicitée, elle replia le bras de Manaïl et déposa la marque sur la poitrine qu'elle avait elle-même écorchée. Puis elle se pencha pour lui poser un baiser sur le front, espérant que ce ne soit pas le dernier, lui caressa les cheveux et le laissa à lui-même. S'il le fallait, elle tenterait de terminer elle-même la quête.

Avec une détermination renouvelée, elle repéra le pentagone de métal dans une flaque de sang non loin de là. À genoux, elle franchit les trois pas qui l'en séparaient et, sans se soucier des conséquences, le saisit. Aussitôt, elle eut l'impression qu'on la vidait de ses forces. La tête lui tourna et l'air lui manqua. Elle tenta de se relever, mais retomba à quatre pattes, la tête pendant mollement vers le sol, ses cheveux noirs drapant les côtés de son visage. Le monde s'assombrit autour d'elle.

– Cor... ne... bouc! Tu vas... te relever... espèce... d'engourdie, s'invectiva-t-elle elle-même, les dents serrées.

Bandant ses muscles, elle inspira profondément à quelques reprises, telle une bête de somme, et, au prix d'un effort immense, réussit à se remettre debout. Avec l'énergie du désespoir, elle s'agrippa au guéridon qui oscilla dangereusement et y laissa tomber le centre. Du bout du revolver, elle guida le pentagone de métal vers l'endroit qui lui était réservé sur la plaque de marbre. Puis elle se laissa choir sur le derrière, haletante, appuya sa tête et son dos contre le mur, et s'accorda un moment de repos en fermant les yeux.

Elle était si épuisée qu'elle sursauta à peine lorsqu'une nouvelle voix retentit dans le caveau silencieux.

– On ne bouge plus !

L'AMBITIEUX

Manaïl et Ermeline étaient à demi conscients lorsque la voix leur fit ouvrir les yeux. Ils aperçurent un homme maigrichon qui se tenait à l'endroit même où Parker était apparu quelques instants plus tôt. Il pointait lui aussi un revolver dans leur direction.

– Cornebouc..., maugréa la gitane. Ça devient un carnaval...

Étendu sur le sol, l'Élu se sentait toujours terriblement faible. La vie, même insufflée par Nergal, revenait bien en lui, mais avec une lenteur désespérante. Une fois encore, la marque de YHWH avait repoussé la mort, mais elle semblait plus que jamais peiner pour y arriver, un peu comme si la magie de Hanokh atteignait sa limite.

Les yeux mi-clos, il toisa l'intrus et le reconnut aussitôt : Ben Gordon, le gardien de prison à qui Lincoln avait ordonné de les relâcher, Ermeline et lui. Que faisait-il là ? Avait-il accompagné le protecteur du président ? Mais alors, pourquoi n'était-il pas intervenu lorsque le coup de feu avait retenti ? Et pourquoi ne se précipitait-il pas à l'aide de l'autre homme, en sang sur le sol ? Quelque chose clochait.

Gordon avisa le garçon affalé par terre puis sa compagne, adossée dans le coin. Ni l'un ni l'autre ne semblait présenter de danger immédiat, mais la fille était armée.

– Toi ! lui cria-t-il d'une voix nerveuse.

Ermeline se raidit, cherchant à déterminer comment elle pourrait surprendre le nouveau venu. Mais elle n'avait jamais utilisé un revolver et l'arme braquée sur elle modéra ses ardeurs.

– Pousse ton revolver vers moi. Doucement.

Impuissante, la gitane obéit. Sans la quitter des yeux, le gardien de prison s'avança et se pencha pour ramasser l'arme qu'elle avait fait glisser à contrecœur jusqu'à ses pieds. Il la passa à la ceinture de son pantalon. Les cris et le bruit de métal sur la pierre avaient paru ranimer Parker qui releva la tête.

– Gordon..., gémit-il avec difficulté, sa main crispée tendue vers son subalterne. Dieu merci... Tu es là.

Impassible, Gordon pointa son arme en direction du policier qui le toisa, perplexe. La détonation emplit le caveau. La balle frappa sa cible en plein front et fit exploser l'arrière de sa tête en ressortant pour aller s'enfoncer dans le plancher. Sous la force du choc, Parker fut projeté vers l'arrière et retomba sur le dos comme un pantin désarticulé.

– Tu as eu ta chance et tu as échoué, cracha le gardien au mort avec un dédain longtemps refoulé. C'est Ben Gordon qui passera à l'histoire pour avoir appréhendé les assassins du président Lincoln. Tes frères francs-maçons devraient apprendre à parler moins fort quand ils transmettent des informations.

Il reporta son attention sur les deux jeunes étrangers.

– Maintenant, vous deux, levez-vous, ordonna-t-il en agitant son arme de façon menaçante. Nous allons faire une petite promenade jusqu'au poste de police le plus près.

Manaïl ne bougea pas. Il ne s'en sentait pas la force.

– Lève-toi, j'ai dit ! vociféra Gordon. Sinon, j'abats la fille ! C'est toi qu'on a vu agresser le président. Ta copine n'est qu'un accessoire. Je peux très bien m'en passer tant que je te ramène.

Le garçon grimaça. Il refusait de causer la mort de sa compagne. Pas s'il était capable de l'empêcher. Faisant appel au peu de force que lui avait rendu la marque de YHWH, il appuya ses mains à plat sur le plancher, s'arc-bouta, poussa et réussit à s'asseoir.

– Je… n'ai pas tué… Lincoln, balbutia-t-il. Il y avait… un autre… homme.

– John Wilkes Booth. Je sais. Quelqu'un d'autre le retrouvera. Allez ! insista le gardien de prison en pointant son arme sur la gitane. Debout !

Réalisant que rien ne ferait entendre raison à cet homme obsédé par la gloire, Manaïl inspira profondément et, s'agrippant de son mieux au mur humide et glissant, commanda à ses jambes flageolantes de soulever son poids. Au prix d'un grand effort de volonté, il y parvint. Adossé contre la pierre froide, le visage flasque et couvert de sueur, le regard vague, il attendit que le sol ait cessé de tanguer sous ses pieds.

– Allons-y, intima Gordon en s'adressant à Ermeline. Toi d'abord.

La gitane se leva à son tour et sembla jauger le policier. Elle s'avança d'un pas lascif, en roulant des hanches et en battant des paupières.

– Tu sais, j'ai vu la façon dont tu me zieutais à la prison, mon beau paillard..., dit-elle d'une voix pleine de sous-entendus. Si je suis très, très gentille avec toi, tu me laisseras partir, dis ?

Elle remonta la main vers le col étroit de sa robe et défit deux boutons d'un geste évocateur. Gordon ravala bruyamment en dévorant des yeux la poitrine de la gitane. Sans qu'il s'en aperçoive, son arme commençait à s'abaisser vers le sol.

Subrepticement, la gitane saisit le cordon de cuir de son médaillon. Le geste alerta le gardien, qui sursauta et sortit de sa transe.

– Garde tes mains tranquilles ! hurla-t-il en agitant anxieusement son arme. Sinon, je tire !

Ermeline ferma les yeux, dépitée, puis rabaissa le bras.

– Allez ! Avance.

La gitane traversa le caveau jusqu'à la porte et se retrouva avec le canon du revolver sur la nuque.

– Toi, suis-la. Et pas de bêtises, sinon...

Manaïl tituba vers son amie, ses jambes le supportant à peine. Lorsqu'il eut atteint la porte, il s'appuya contre le chambranle et ferma les yeux, haletant.

Gordon fit quelques pas de côté et, grimaçant de dégoût, arracha le flambeau de la poitrine desséchée de la dépouille.

– Montez. Lentement.

Ermeline s'engagea dans l'escalier, l'Élu à sa suite et Gordon fermant la marche, un peu en retrait. Elle émergea du soupirail et se retourna, espérant pouvoir surprendre leur ravisseur. Mais celui veillait et la tenait en joue tout en éclairant le passage. Elle soupira, frustrée, les poings fermés contre ses cuisses. Impuissante, elle regarda son compagnon sortir à son tour en s'accrochant au rebord pour se hisser avec peine à l'extérieur.

Tout se déroula ensuite très vite. Pendant que Gordon gravissait les dernières marches, le flambeau éclairant l'entrée du caveau, Manaïl se laissa tomber sur sa droite et atterrit lourdement sur le ventre au pied du socle de la statue. Avant que l'autre ne puisse réagir, il ferma le poing et enfonça sa bague dans le symbole gravé qui avait actionné le soupirail. Aussitôt, la dalle gronda et remonta vivement en sens inverse. Gordon eut tout juste le temps de se retourner pour la voir venir avant qu'elle se referme avec fracas. Sa tête, sectionnée net, roula sur le côté, une expression d'incrédulité figée sur le visage pour l'éternité.

Ermeline émit un bruit de dégoût. Le garçon, pour sa part, s'écroula sur le sol, à bout de forces.

– Comment... Comment as-tu su ? s'enquit Ermeline en s'accroupissant près de lui sans être capable de détacher son regard horrifié de la tête coupée.

– Il a bien fallu que quelqu'un referme derrière Naska-ât. J'ai parié que le mécanisme fonctionnait dans les deux sens.

– En tout cas, tu l'as raccourci de belle façon ! Cornebouc ! Tu es rusé comme un renard !

Elle lui sourit dans la pénombre.

– Tu te sens mieux ?

– Un peu... Mais la marque de YHWH arrive à son terme. Je le sens.

– Alors retournons chercher ce maudit objet et partons d'ici.

Elle lui tendit la main et l'aida à se relever.

– Écarte-toi si tu ne veux pas culbuter comme moi.

La gitane se pencha et tâta le monument. Lorsqu'elle eut repéré le pentagramme, elle y enfonça sa propre bague. La trappe se rouvrit sans faire le moindre bruit, laissant filtrer la lumière du flambeau qui brûlait encore au pied de l'escalier. L'un derrière l'autre, ils s'engagèrent en sens inverse dans les marches qu'ils venaient à peine de gravir. Sur le sol gisait ce qu'il restait de Ben Gordon.

Manaïl enjamba le corps et se dirigea vers le guéridon. Ermeline avisa Parker et fouilla ses poches. Lorsqu'elle eut trouvé la clé, elle se libéra des menottes qui entravaient toujours son poignet gauche et les laissa tomber par terre en rejoignant son compagnon.

Devant le guéridon, l'Élu essuya la sueur sur son visage et, sidéré, observa les fragments ensanglantés sur la plaque de marbre blanc. D'eux-mêmes, ils s'étaient joints au centre et formaient maintenant un seul objet. Un pentagramme noir aux proportions parfaites, duquel émanait une indéfinissable malfaisance qui semblait épaissir l'air.

Le talisman de Nergal était entier. Manaïl tendit une main tremblante, le saisit par une pointe et l'observa. Pris d'une soudaine colère, il ferma le poing sur l'objet avec une force telle que ses jointures en blanchirent. Puis il releva vers sa compagne un regard courroucé et déterminé.

– Il est temps d'en finir.

– Tu te sens capable de voyager ?

– Il le faut bien.

– Attends un peu.

Ermeline se rendit auprès du corps de Gordon et, un sourire diabolique sur les lèvres, ramassa les deux revolvers avant de revenir vers Manaïl. Elle en garda un, qu'elle glissa dans son bottillon, et mit l'autre à la ceinture de son compagnon.

– On ne sait jamais..., dit-elle d'une petite voix. Nous pourrions en avoir besoin.

Sachant exactement à quel besoin elle faisait référence, l'Élu ne trouva rien à répondre. Il se contenta de prendre la main de sa compagne et de se concentrer, le talisman de Nergal serré dans son poing gauche. Les filaments multicolores lui apparurent pour la dernière fois et, utilisant le talisman enfin assemblé comme ancrage, il repéra celui qu'il cherchait. Avant de se lancer dans le vide, il adressa une supplique désespérée à Ishtar, espérant qu'elle puisse l'entendre malgré le Mal qui était en lui. Il l'implora de lui donner la force de détruire le talisman et de sauver l'âme d'Ermeline.

LE SPECTRE

Éridou, en l'an 3612 avant notre ère

Le temps et l'espace cessèrent d'être pour ne former qu'une seule et même réalité au sein de laquelle les essences de l'Élu et de la gitane existaient, pures et désincarnées, dépouillées de toute attache corporelle. Ils restèrent ainsi pendant un instant ou une vie, puis sentirent que les dimensions rétablissaient leur emprise. Le temple de Nergal se matérialisa graduellement autour d'eux et le pur esprit redevint matière. La première chose que l'Élu sentit fut la main de la gitane sur son bras.

– Ça ira ? demanda-t-elle en murmurant.

Alerte, Manaïl cligna des yeux, mais ne vit rien. Il semblait n'être nulle part. Pendant un moment, il sentit la panique monter en lui. Il maîtrisait encore si mal les Pouvoirs Interdits. Malgré l'ancrage du talisman complet, avait-il fait une erreur ? Ermeline et lui s'étaient-ils matérialisés hors de l'espace ? Puis il comprit : le temple était plongé dans le noir.

– Oui, répondit-il en se tâtant le torse et les bras de sa main libre. Je... Je me sens bien. Le voyage n'a eu presque aucun effet.

– Tu crois que c'est à cause du talisman ?

– Sans doute. Après tout, il permet de contrôler le temps. Il facilite certainement les déplacements.

Puis il entendit la gitane soupirer d'impatience.

– Nous aurions été bien avisés d'apporter un de ces flambeaux, dit-elle. Il fait noir comme en enfer.

L'odeur qui empuantissait la pièce était atroce et les prenait à la gorge.

– Et j'avais oublié cette puanteur ! Ces charognes pourrissent bien !

Le haut-le-cœur que Manaïl ravalait fut interrompu par une soudaine sensation de chaleur qui se manifestait dans sa main gauche. Intrigué, il porta son attention sur le talisman et écarquilla les yeux de surprise. Une lumière diffuse en émanait, à peine assez puissante pour lui révéler ses doigts refermés sur les pointes.

La lueur augmenta notablement et enveloppa bientôt sa main tout entière. La chaleur s'intensifia et, malgré sa faiblesse, la marque de YHWH en absorba la plus grande partie. Le métal noir et mat du talisman prit une apparence translucide et se mit à scintiller d'un éclat puissant. Ermeline et lui purent ainsi distinguer les alentours.

Le temple était dans l'état où ils l'avaient laissé. À l'extrémité, la statue de Nergal, inerte et pourtant étrangement menaçante, les observait de son regard de fauve. De l'autre côté, au pied de l'autel couvert d'or et serti de pierres précieuses que l'éclat du talisman faisait chatoyer, traînaient les cadavres entremêlés que l'Élu, dans un accès de colère, avait envoyés du *kan* de Montréal, porteurs d'un message vengeur à Mathupolazzar. La putréfaction les avait entrepris et des asticots blancs leur parcouraient allégrement le visage et les bras. Au milieu du temple, Tandurah, le faux prêtre musicien d'Inanna qui les avait menés au piège tendu par le grand prêtre de Nergal, gisait dans une mare de sang séché, la gorge ouverte d'une oreille à l'autre, la peau livide, la langue pendant mollement au coin de la bouche. Tout près de lui se trouvait l'autre Nergali, dans un état semblable.

– Cornebouc..., éructa soudain la gitane en le montrant du doigt.

Manaïl suivit le regard de sa compagne et comprit pourquoi la pièce était maintenant si claire. Le cercle de pierre qui saillait du mur derrière l'autel avait changé. À l'intérieur, le marbre du mur avait disparu, remplacé par une étrange brume luminescente dont les volutes tourbillonnaient lentement et semblaient posséder une profondeur tangible. Le phénomène avait une qualité hypnotique et il était terriblement difficile d'en détacher le regard. Toutes les fibres du corps de l'Élu paraissaient être attirées par lui.

Il secoua la tête, attrapa le bras d'Ermeline et la força à reculer de quelques pas.

– Ne regarde pas..., dit-il.

– Tu crois que... que c'est le portail ?

– Je ne le crois pas, répondit sombrement l'Élu. Je le sais... Je le sens.

– Il va en sortir ? demanda la gitane sans oser nommer celui auquel elle songeait.

Manaïl n'ajouta rien. Dans sa main, le talisman brûlait et il ignorait toujours comment le détruire. Chacun de son côté, l'Élu et la gitane furent saisis d'angoisse. Tout avait débuté ici et s'y terminerait. Le cercle de pierre qui brillait si fort et qui s'ouvrait devant leurs yeux ébahis était le portail qui avait été construit pour accueillir Nergal. Par les Nergalii ? Par les Mages Noirs eux-mêmes ? Le garçon n'aurait pu le dire. Mais il était activé.

Le moment de la rétribution approchait. Sous peu, l'Élu allait faire face à sa destinée. Après tant d'épreuves, un instant, un seul, déterminerait le succès ou l'échec de la quête qu'Ishtar lui avait imposée. Et il était aussi dépourvu qu'au premier jour, lorsque la déesse lui était apparue à Babylone, pendant la fête de la fertilité, pour lui révéler une identité qu'il n'avait acceptée qu'à contrecœur. Il ne s'était jamais senti à la hauteur de cette tâche et le fait qu'il soit dans cette situation prouvait qu'il ne l'était toujours pas.

Il songea avec amertume à la prophétie des Anciens. *L'Élu se lèvera, rassemblera le talisman et le détruira*, disait-elle. Mais par quel moyen ? La chose était-elle même possible ? Le talisman était assemblé et actif, prêt à exercer son pouvoir sur les *kan*, et il ignorait toujours tout de sa nature. Il avait cru que la révélation lui en serait donnée en temps et lieu. Il s'était follement accroché à cet espoir. Mais voilà que le portail s'ouvrait devant ses yeux sans qu'il ait la moindre idée de ce qu'on attendait de lui. Pire encore : Ishtar elle-même l'ignorait. Elle le lui avait affirmé à maintes reprises. Il était livré à lui-même. Il sentit une boule lui monter dans la gorge et se retint pour ne pas pleurer.

En plus de devoir détruire le talisman, il voulait à tout prix sauver Ermeline. Il se remémora une nouvelle fois sa conversation avec Ishtar pendant qu'il avait cessé de vivre. Il avait cru, alors, entrevoir une troisième voie qu'il osait à peine envisager… *C'est la plus risquée. J'ai peur que tu soies trop ambitieux, mon fils*, l'avait averti la déesse. Alors que l'affrontement ultime se dessinait, il se sentait si faible. Tuer Nergal… Comment avait-il pu avoir cette folle prétention ?

Et s'il n'y parvenait pas ? S'il perdait la bataille ? S'il n'arrivait pas à détruire le talisman, comme tout l'indiquait ? Pour arracher Ermeline des griffes de Nergal, il n'aurait d'autre choix que de la tuer de ses propres mains. *Si jamais tu échoues, promets-moi que tu me tueras. Je ne veux pas passer l'éternité avec Nergal*, avait-elle insisté. Et il avait promis... Mais en serait-il capable ? Saurait-il accomplir un acte si terrible ? Sa main tremblerait-elle trop pour frapper ?

✦

Perdue en elle-même, à la fois près de son compagnon, mais infiniment loin de lui, Ermeline frissonna et refusa obstinément de laisser couler les larmes qui envahissaient ses yeux si particuliers. Le temps de verser le tribut promis approchait, inexorable. L'éternité auprès de Nergal serait un enfer, mais le sacrifice était amplement justifié. Elle le ferait avec le courage que sa pauvre mère avait montré devant les flammes du bûcher. Nergal lui infligerait peut-être des tourments toujours renouvelés, mais elle se jura que jamais il n'aurait la satisfaction de la voir pleurer. Jamais. Elle endurerait pour Manaïl.

Elle se redressa avec toute la dignité dont elle était capable, mais, maintenant que le moment ultime était proche, elle ne pouvait s'empêcher de ressentir une peur si intense, si froide qu'elle en était pétrifiée. Elle s'aperçut que ses mains tremblaient et fit un effort pour se dominer. Elle inspira profondément et releva le menton avec arrogance. Elle était prête.

Nergal pouvait venir réclamer son dû. Elle ne lui résisterait pas.

✦

Devant eux, l'étrange tourbillon de lumière dans le cercle de pierre s'intensifia et prit une texture vaguement menaçante. Les volutes y décrivaient un ballet gracieux dont la vitesse augmentait petit à petit, émettant une lumière toujours plus éclatante mais nullement aveuglante. Du phénomène émanait une indéfinissable malveillance qui les pénétrait jusqu'à l'âme et menaçait à tout instant de les priver de leur volonté. Revenu à la vie grâce au Mal, l'Élu se sentait irrésistiblement attiré vers le portail d'où émanait un pouvoir qui affectait tout son être. Dans ces arabesques résidait une puissance dont il portait en lui une parcelle. Dans sa main, le talisman scintillait furieusement et dégageait maintenant une chaleur à laquelle la marque de YHWH résistait avec de plus en plus de peine.

Ne sachant que faire d'autre, Manaïl dégaina le revolver qu'Ermeline lui avait confié et, d'une main peu sûre, le pointa vers le cercle sans se faire d'illusions. Une telle arme ne viendrait pas à bout d'un dieu. Mais Nergal était-il véritablement un dieu ? *Ils finirent par l'adorer comme leur dieu*, lui avait jadis affirmé Ashurat. Jamais le maître n'avait dit qu'il était l'égal d'Ishtar, d'Uanna, de Mardouk et de An... N'était-il qu'une créature de chair et de sang ? Était-ce là la solution ? S'agissait-il simplement de rassembler les fragments pour que s'ouvre le portail puis d'abattre Nergal ? C'était beaucoup trop simple et, même si Nergal mourait, le talisman n'en serait pas détruit pour autant. Non… Il y avait forcément autre chose. Quelque chose qui lui échappait ou qui ne lui avait pas encore été révélé. Mais quoi ? Le temps de la recherche était échu.

Soudain, un hurlement dément brisa le silence derrière eux. Le Babylonien et la gitane sursautèrent et s'arrachèrent à la fascination qui les avait envahis. Ils se retournèrent en catastrophe. Une apparition terrifiante surgit de la pièce où ils avaient trouvé le disque de pierre qui les avait conduits dans le *kan* de Tenochtitlán.

– Attention ! s'écria Ermeline.

Son revolver pointé, Manaïl observa la créature, révulsé. Elle n'avait presque rien d'humain. Sa peau nécrosée et noircie se détachait par endroits et semblait avoir été suspendue à son squelette sans que la moindre musculature ne la soutienne. Le visage et le crâne n'étaient qu'une vaste plaie purulente de laquelle émergeaient quelques mèches de cheveux éparses et encroûtées. La chose semblait plus morte que vivante. Le garçon ne comprenait pas qu'elle puisse même tenir debout. Et pourtant… Le regard fou, elle brandissait à deux mains au-dessus de sa tête une dague de bronze. Elle s'arrêta net et vrilla ses yeux déments dans ceux de l'Élu, ses lèvres relevées sur ses dents en une grimace immonde. Figé, Manaïl l'observa, incapable de tirer. Au cœur de la terrible décrépitude se trouvait pourtant quelque chose de familier. Ce corps maigre et nerveux...

Il visa la tête et appuya sur la gâchette. Cependant, la force de recul du revolver le surprit et le repoussa de quelques pas, lui faisant presque perdre l'équilibre. Frappée en pleine poitrine, la créature fut projetée vers l'arrière par le choc et retomba sur le dos, grouillante et gémissante. Stupéfait, le garçon s'approcha. Du sang coulait abondamment de la blessure béante et de sa bouche. Malgré cela, la chose, portée par une furie plus puissante que la douleur et l'agonie, travaillait déjà à se relever. Son regard animal ne quittait pas les yeux de l'Élu, qui pouvait y lire une haine sauvage.

Tout à coup, Manaïl remarqua la main droite qu'elle avait appuyée sur le sol pour réussir à s'asseoir. Il y manquait quatre doigts... Mathupolazzar. Était-ce possible ? Ce lâche avait-il fui à temps le pouvoir du Mal, abandonnant ses fidèles à la mort ? Avait-il réussi à revenir dans son *kan* malgré l'état dans lequel il était ? L'Élu se maudit intérieurement d'avoir été assez naïf pour croire que le grand prêtre de Nergal avait péri. Il aurait dû fouiller les cadavres et s'en assurer. Mais il avait été si préoccupé par Ermeline...

– Maudit sois-tu, Élu d'Ishtar ! hurla le grand prêtre de Nergal. Maudit sois-tu !!!!

Mathupolazzar parvint à se remettre debout et avança vers Manaïl, le pas chancelant, la dague brandie de façon menaçante.

L'Élu pointa son revolver et serra les dents.

– Ton règne est terminé, fils de chienne ! Va retrouver les tiens en enfer.

Une grimace méprisante sur les lèvres, il visa le front, et appuya sur la gâchette. Le recul de l'arme le déjoua de nouveau. Cette fois, le projectile frôla l'oreille du prêtre et se logea dans le mur avec un claquement sec. Mathupolazzar avança plus vite vers l'Élu, bien décidé à utiliser ses dernières forces pour lui ouvrir la gorge.

Pressé, Manaïl visa encore, mais l'autre fut plus rapide que lui. La pointe de la dague atteignit presque son torse et il la fit dévier au dernier instant. Il sentir la chair de son épaule se fendre et le sang couler. Il parvint à faire feu à bout portant. Cette fois, la balle pénétra l'œil gauche de Mathupolazzar et traversa son crâne pour émerger de l'autre côté et ricocher dans le temple. Incroyablement, le prêtre ne tomba pas. Il vacilla un instant puis recula de quelques pas incertains, résistant à la mort. Son seul œil valide était encore rivé sur l'Élu, l'autre n'étant plus qu'un trou béant. Ses lèvres se contractèrent en une ultime grimace malicieuse et découvrirent ses dents.

– Gloire… à… Nergal, bredouilla-t-il. Que… vienne… le… Nouvel… Ordre…

Sidéré, Manaïl n'avait pas abaissé l'arme. Le bras tremblant comme une feuille, il tira une autre fois, réduisant en bouillie la bouche du grand prêtre. Son ennemi juré s'écroula sur le sol comme une poupée de chiffon. Manaïl se tint devant le cadavre, haletant. Après tant d'affrontements, il avait vaincu. Mathupolazzar était mort. Il aurait voulu s'en réjouir, mais son triomphe n'avait aucune valeur. Tout était encore à faire.

– Il est bien occis, cette fois, le monstre, finit par articuler Ermeline d'une voix chancelante.

L'Élu ne répondit pas. Il se rappelait avec une douce perversion l'odieuse promesse qu'il avait faite au prêtre de Nergal. Il entendait bien la respecter, maintenant, même s'il s'agissait du testament qu'il laissait au terme de sa quête achoppée. Il fourra son revolver dans la taille de son pantalon, s'approcha du corps et ramassa la dague qui traînait près de lui. Sans lâcher le talisman, il empoigna ce qu'il restait de cheveux sur le crâne et tira pour tendre la peau de la gorge. Puis il trancha, trancha et trancha encore.

Lorsque la tête fut enfin détachée des épaules, il la brandit à bout de bras et fixa ses yeux dans ceux du mort. Puis il lui montra le talisman.

– Vois, fils de hyène, cracha-t-il, les dents serrées. En dépit de toi et de tous tes semblables, de tout ce que tu m'as coûté et de tout ce que tu m'as fait subir, je l'ai assemblé. Tu as perdu, Mathupolazzar.

De lents applaudissements résonnèrent dans le temple. Avant même de se retourner, Manaïl sut qui se trouvait derrière lui.

– Je crains que tu n'aies perdu, toi aussi, Élu d'Ishtar, fit une voix profonde et sonore.

Tenant toujours la tête de Mathupolazzar par les cheveux, Manaïl pivota lentement sur lui-même, transi de frayeur.

LE DIEU DES ENFERS

Le dieu des Enfers, de la Destruction, de la Maladie et de la Guerre se tenait avec désinvolture devant le cercle de pierre. L'air royal, il était d'une grandeur telle que même Pylus, le terrible Nergali devenu général des armées perses, eût paru chétif à ses côtés. Sa robe, d'un blanc immaculé, lui descendait jusque sur les pieds et son échancrure laissait entrevoir une poitrine puissante. Une ceinture ceignait sa taille et une dague d'un métal sombre rappelant celui des fragments y était glissée. Ses longs cheveux, d'un noir plus profond que celui d'une nuit sans lune, étaient soigneusement lissés vers l'arrière et retenus sur la nuque, dégageant un front haut. Son teint foncé tranchait avec la blancheur de son vêtement et conférait au personnage une élégance presque séduisante. Ses pupilles verticales séparaient en deux ses iris d'un jaune saisissant. Ses pommettes hautes et saillantes donnaient à son regard une qualité fauve. Les parfums suaves qu'il dégageait masquaient mal l'odeur cuivrée du sang et de la mort.

Nergal sourit, dévoilant ses canines pointues. Par réflexe, Manaïl se plaça aussitôt entre lui et la gitane pétrifiée d'effroi. Dans sa main, la tête du grand prêtre achevait de se vider de son sang, qui s'accumulait en une flaque sombre à leurs pieds sans qu'il ne songe à la laisser tomber.

– Nous nous rencontrons enfin, Élu d'Ishtar, dit Nergal d'une voix chaude. Toi et ta compagne m'avez causé bien des soucis.

– Cornebouc..., murmura Ermeline d'une voix étouffée. C'est... C'est le diable en personne...

Le dieu des Enfers d'Éridou sourit de plus belle et son visage prit un air carnassier. L'expression à la fois espiègle et cruelle qui traversa son visage fit frémir l'Élu.

– Tes qualités sont plus grandes encore que ce que j'avais espéré, Manaïl de Babylone. Tu es vraiment le digne héritier des Anciens. Grâce à toi, le talisman est complet pour la seconde fois et le Nouvel Ordre pourra enfin prendre forme.

L'Élu fronça les sourcils. Où Nergal voulait-il en venir ? Le talisman avait été assemblé pour être détruit, rien d'autre. Mais il semblait si sûr de lui ; amusé, même.

– Quoi ? reprit le dieu des Enfers avec une feinte commisération. Tu n'as donc rien compris ?

Interloqué, Manaïl n'osait répondre. Sous le regard magnétique de Nergal, il se sentait tout à coup terriblement vulnérable.

– Depuis le début de ta quête, tu as cru voir la main des Anciens derrière tout ce qui t'arrivait. Tu avais le sentiment que, de leur *kan* reculé, ils avaient ordonné les événements et te guidaient vers les fragments. Tu croyais que ta quête était soumise à une fatalité déterminée par eux. N'est-ce pas ?

– C'est exactement ce qu'ils ont fait ! protesta le garçon en brandissant le talisman. C'est grâce à eux si j'ai réussi ! Malgré tes Nergalii, j'ai rassemblé ton maudit talisman !

Nergal écarta les bras et haussa les épaules.

– Quelle touchante naïveté... Mais réfléchis un peu, Élu. Les choses ne sont pas ce que tu crois. Lorsque les Anciens se sont emparés du talisman et l'ont caché, voilà si longtemps, ils m'ont causé un problème, c'est vrai. Mais t'imagines-tu vraiment que j'étais impuissant ? Pourquoi n'aurais-je pas eu recours à l'emprise que les Mages Noirs avaient sur le temps pour corriger cette situation ? Allons, Manaïl de Babylone... Tu as prouvé que tu es plus intelligent que cela. Dès le départ, je savais qu'un jour, dans un autre *kan*, le talisman referait surface et que les Nergalii tenteraient de rouvrir le portail. Je savais qu'il serait brisé par Naska-ât, puis que tu viendrais et que tu l'assemblerais à nouveau. Il suffisait de laisser croire aux Anciens qu'ils dirigeaient les choses à leur guise et qu'ils guidaient ta quête. Ils étaient si sûrs d'eux-mêmes et de leur bon droit... Pourquoi m'en serais-je mêlé ? Aussi bien les laisser penser qu'ils étaient en charge et attendre tranquillement que tu reconstitues le talisman pour moi, non ? Et j'ai eu raison. Tu as magnifiquement réussi.

Manaïl était sidéré. Le scénario présenté était si cruel, si machiavélique, qu'il refusait de l'envisager. Incapable de réagir, il écoutait le roucoulement hypnotique de Nergal, qui s'avança de quelques pas et lui adressa un sourire étrange.

– À ton expression, je comprends que tu n'avais songé à rien de tout cela. Et pourtant... Les pistes laissées par les Anciens, je les connaissais toutes depuis le premier jour. Chaque geste que tu as fait en croyant qu'ils te guidaient depuis la nuit des temps servait *ma* cause. Depuis le début de ta quête, ce n'est pas l'œuvre d'Ishtar et de ses Mages que tu accomplis ni même celle des Anciens. C'est *la mienne*. Tu rassemblais le talisman auquel je n'avais plus accès de l'autre côté du portail refermé. Il me suffisait de patienter et d'attendre ta réussite. Ironique, non ? Et maintenant, enfin, tout est accompli. Grâce à toi, le Nouvel Ordre est imminent.

– Mais... La prophétie..., bredouilla Manaïl d'une voix tremblante.

Nergal gloussa de satisfaction.

– Ah oui... La prophétie des Anciens... *L'Élu se lèvera, rassemblera le talisman et le détruira.*

Fils d'Uanna, il sera mi-homme, mi-poisson. Fils d'Ishtar, il reniera sa mère. Fils d'un homme, d'une femme et d'un Mage, il sera sans parents. Fils de la Lumière, il portera la marque des Ténèbres. Fils du Bien, il combattra le Mal par le Mal, récita-t-il d'un ton rempli de sarcasme. De bien belles paroles…

– Si ce que tu dis est vrai… pourquoi les Nergalii ont-ils tant cherché à m'empêcher de regrouper les fragments ? geignit malgré lui le garçon. Pourquoi s'opposer à moi au lieu de me laisser agir ?

– Eux ? Oh, ils n'étaient que des accessoires sans grande importance. Une police d'assurance, en quelque sorte. Ils ont rendu ta quête plausible à tes yeux. Malgré tout, je dois admettre qu'ils m'ont étonné. Ils ont presque réussi à rouvrir le portail. Si Ashurat ne leur avait pas volé le talisman, le Nouvel Ordre aurait été instauré bien avant. Et plus tard, s'ils avaient réussi à t'éliminer, ils m'auraient tout simplement remis le talisman assemblé. Dans un cas comme dans l'autre, je ne pouvais pas perdre. Mais je n'ai jamais vraiment cru en leur succès. J'ai toujours su que tu triompherais. Que tu le veuilles ou non, depuis le début, tu as été au service de Nergal.

– Pas si je détruis le talisman ! se défendit Manaïl.

Nergal s'esclaffa.

– Le détruire… Oui, bien sûr. Et, dis-moi, tu sais comment ?

Manaïl pencha la tête pour cacher son visage rempli de honte. Il sentit la frustration, la colère et le désespoir le gagner. Non. Il ne savait pas. Depuis le début de sa quête, il n'avait *jamais* su… Et la raison en était désormais claire : depuis le premier jour, le talisman ne devait *pas* être détruit. Cet objet maléfique qu'il tenait dans sa main, il avait traversé mer et monde pour le retrouver. Maintenant qu'il était à un pas du succès, il réalisait toute la futilité de ses sacrifices et de ses efforts. Nergal le narguait et il avait raison.

– N'étais-tu pas surpris de constater que cette pauvre Ishtar Elle-même ne savait pas comment le détruire ? poursuivit le dieu des Enfers comme s'il lisait dans les pensées de l'Élu. Une déesse si puissante ? C'est que, comme toi, comme ses Mages, en accomplissant l'œuvre des Anciens, elle faisait la mienne.

L'Élu était sonné. Défait. La tête lui tournait et une bile acide lui remontait dans la gorge. Tout, dans ce qu'il venait d'entendre, se tenait. Il avait beau chercher, il n'y trouvait aucune faille. C'était donc vrai… Depuis le premier jour, il n'avait été qu'un jouet insignifiant entre les mains d'un dieu dont le regard avait porté infiniment plus loin que le sien. Un pion dans un jeu beaucoup trop vaste pour lui. Ce qu'il avait subi, ses souffrances, ses déceptions, les trahisons, les morts, les injustices… Tout cela avait été inutile. Sans le savoir, il avait servi le Mal… Sa vie n'avait jamais eu de sens. On l'avait trompé. Une fois de plus, on s'était joué du « poisson » de Babylone.

Il tourna les yeux vers Nergal et, d'un geste rempli de furie, il fit décrire un arc de cercle à la tête de Mathupolazzar. Le sinistre projectile virevolta dans les airs et allait atteindre le dieu des Enfers en plein visage lorsque celui-ci leva calmement la main et l'écarta avec aisance, l'envoyant rouler un peu plus loin.

Il fit quelques pas de plus et se trouva tout près de l'Élu et de la gitane. Le sourire narquois quitta son visage sombre, qui prit un air menaçant. Les pupilles verticales s'amincirent jusqu'à ne plus former qu'une mince ligne noire sur les iris jaunes. Incapable de soutenir ce regard plein de malice, Manaïl baissa la tête, humilié. Vaincu.

Nergal tendit une main aux ongles longs et acérés.

– Bon. Cessons les enfantillages et finissons-en. Donne-moi le talisman, ordonna-t-il. Ensuite, tu pourras repartir où tu voudras. Je n'ai plus besoin de toi. De toute façon, sous peu, tu n'auras jamais existé.

Nergal tourna la tête vers Ermeline et lui fit un sourire qui lui glaça le sang dans les veines.

– Quant à toi, beauté farouche, ne va pas croire que j'ai oublié notre pacte, ajouta-t-il d'une voix doucereuse. J'ai vaincu. Maintenant, je réclame ce qui m'est dû. Tu seras heureuse avec moi, je te le promets…

D'une main hésitante, elle tenta de tirer son pendentif de son corsage tout en sachant qu'il était puéril de tenter d'envoûter un dieu. Du revers de la main, Nergal la gifla si fort qu'elle s'écrasa sur le dos, sonnée. Voyant Ermeline ainsi malmenée, l'Élu prit une décision et releva la tête. Non. Il ne baisserait pas les bras sans combattre. S'il échouait, ce serait en expirant son dernier souffle. Pas avant.

Il dégaina son revolver et le pointa en direction de son ultime ennemi, qui se contenta de relever un sourcil avec dérision sans trahir la moindre crainte. Il déchargea son arme à bout portant, continuant à appuyer frénétiquement sur la gâchette bien après que les balles qui restaient dans le barillet furent épuisées. Elles frappèrent toutes la poitrine de Nergal et s'y enfoncèrent sans qu'il ne sourcille. Pas la moindre goutte de sang ne souilla sa robe. Il semblait avoir absorbé les projectiles sans effort.

D'un geste vif, Nergal dégaina la dague enfouie dans sa ceinture. La lame siffla à l'horizontale et Manaïl sentit la chair de sa poitrine s'ouvrir et le pentagramme qui y avait été tracé se fendre en deux. Puis, le dieu des Enfers lui saisit le poignet gauche et le tordit sans effort apparent. Les os se brisèrent et l'avant-bras se plia dans un angle obscène.

Manaïl émit un cri de bête blessée. Le talisman scintillant tomba de sa main et rebondit à quelques reprises sur le sol avant de s'immobiliser. Malgré la douleur aveuglante, il s'élança pour le reprendre, mais fut arrêté dans son mouvement par une main qui lui enserrait la gorge. Il se sentit soulevé de terre et son visage se retrouva face à celui de Nergal. Les narines dilatées par la colère, le souffle court, celui-ci posait ses yeux jaunes dans ceux de l'Élu.

Lorsque la lame de sa dague s'enfonça jusqu'à la garde dans le ventre de Manaïl, Nergal émit un grognement de satisfaction. Puis il sourit en faisant tourner la lame pour lui écorcher les entrailles. Satisfait, il le laissa tomber sur le sol comme une ordure.

– L'Élu d'Ishtar..., ricana-t-il avec dédain. Voilà donc ce qu'il reste du héros de la prophétie des Anciens.

Manaïl aurait voulu se relever. Il aurait voulu résister encore. Mais, le ventre ouvert, les viscères s'échappant de la blessure pour emplir sa chemise, le poignet réduit en miettes, la poitrine lacérée, il ne le pouvait plus. Il avait déjà vu la mort de près. Il la connaissait bien. Tout était fini. Il ne put que poser sur Ermeline un regard désespéré. Haletant, le visage contre la pierre froide, baignant dans son sang, il aurait voulu lui dire qu'il l'aimait, qu'il l'avait toujours aimée. Mais il avait honte. Il allait mourir en sachant qu'il avait failli, qu'il avait abandonné à une éternité de souffrance la seule personne qui comptât pour lui. Qu'à cause de lui, les *kan* ne seraient pas.

La voix d'Ishtar perça la brume qui envahissait déjà son esprit. *Tu es le seul talisman qui soit plus puissant que celui de Nergal*, lui avait-elle dit, jadis, pour justifier le fait qu'elle enfouissait les fragments dans sa poitrine. Malgré sa confusion, l'Élu réalisa que, s'il en avait porté les parties, jamais encore il n'avait eu en lui le talisman assemblé.

Les poings sur les hanches, l'air satisfait, Nergal admira un moment son œuvre puis saisit une poignée des cheveux de la gitane et la força à se remettre debout. Elle se débattit comme une furie, mais la force du dieu des Enfers était terrifiante.

Sans relâcher son emprise, ce dernier se pencha pour ramasser le talisman qui gisait tout près. Au même moment, les yeux de Manaïl et d'Ermeline se croisèrent. À demi conscient, l'Élu constata qu'elle l'implorait de toute son âme.

La gitane profita de l'inattention passagère de son tortionnaire pour relever sa robe et tirer de son bottillon le revolver qu'elle avait rapporté du *kan* de Washington, puis le lança vers Manaïl. L'arme atterrit devant le visage du garçon qui la toisa, perplexe. Alors il comprit. Le moment était venu de respecter la parole donnée. *Si jamais tu échoues, promets-moi que tu me tueras...*

De sa main encore valide, il saisit la crosse du revolver, qui lui parut aussi lourd que toutes les pierres de la ziggourat de Babylone, et parvint à le soulever. La vision embrumée par les larmes, il supplia Ishtar de guider le geste qu'il s'apprêtait à faire et de bénir ses intentions.

Puis il appuya sur la gâchette.

LE CONDAMNÉ

La balle percuta Ermeline en pleine poitrine. Son sternum se brisa sous le choc et elle sentit le projectile se loger dans son cœur. Les jambes lui manquèrent et elle se serait écroulée aussitôt si Nergal, surpris, n'avait eu le réflexe de la retenir par les cheveux. Un sang vermeil s'échappa de sa bouche et couvrit son menton. Elle jeta à Manaïl un regard rempli de terreur.

Profitant de l'étonnement passager du dieu des Enfers, l'Élu abandonna son revolver dès que le coup fut parti. Il ne devait surtout pas s'arrêter au sort de sa compagne. Il ne lui restait que quelques secondes de vie pour accomplir le plan désespéré qu'il avait échafaudé.

Avec ses dernières forces, il franchit en rampant les quelques pas qui le séparaient du talisman, laissant sur son passage une trace sanglante. Égaré dans une pénombre épaisse qui l'envahissait, il tâtonna, le repéra à l'aveuglette et l'empoigna de sa main droite. Puis il se retourna sur le dos, haletant.

Tout lui semblait tout à coup si clair. Ainsi donc, telle était la cruelle fatalité de sa quête. Il était le descendant des Anciens. Sa main palmée était l'héritage qu'ils lui avaient laissé. Ce qu'il restait de leur emprise sur le temps survivait en lui. Seule sa chair avait pu endiguer la puissance des fragments.

Tu es le seul talisman qui soit plus puissant que celui de Nergal, avait affirmé Ishtar. La déesse n'était pas aussi impuissante que Nergal voulait le croire. Elle savait l'essentiel et avait essayé de le faire comprendre à celui qu'elle avait choisi. *Fils du Bien, il combattra le Mal par le Mal.* Nergal avait eu tort. La prophétie des Anciens était juste. L'Élu d'Ishtar *était* le moyen de détruire le talisman. Son sacrifice était le seul aboutissement possible de sa quête. Depuis toujours, il était écrit que la mort serait son ultime victoire. Ramené à la vie par Nergal lui-même, Manaïl portait à jamais le Mal en lui. Le talisman et lui procédaient du même pouvoir. Ils étaient irrémédiablement liés.

Les yeux fermés, la respiration faible et sifflante, luttant contre la mort imminente, il écarta les lambeaux de sa chemise et, d'une main tremblante, fourra l'objet maudit, toujours brillant, dans la plaie qui coupait en deux la marque des Ténèbres. Puis il souleva sa main gauche, inerte et mutilée, l'ouvrit avec la droite et l'appliqua sur sa poitrine ensanglantée en priant Ishtar pour qu'il y reste encore un peu de la magie de Hanokh. Cette fois, il ne souhaitait pas guérir. Il devait seulement enfermer le talisman assez longtemps pour que la fatalité fasse son œuvre.

Réalisant ce qui se produisait, Nergal émergea de sa surprise et lança un terrible cri de colère.

– Non!!!!! Donne-moi ça!

Il laissa tomber Ermeline sans cérémonie et se lança avec fureur sur l'Élu.

Tout se déroula en un clin d'œil. Manaïl sentit une chaleur intense jaillir du talisman. Elle envahit sa poitrine, puis son corps, lui causant une douleur à nulle autre pareille qui enveloppa tout son être. Aveuglante, la lumière traversa sa peau et filtra entre ses doigts, comme si le Mal avait été décuplé par l'écrin dans lequel il se trouvait. Il sentit ses entrailles se consumer.

Empoignant la main gauche de Manaïl, Nergal tenta d'arracher la marque de YHWH qui scellait en lui le talisman, mais malgré sa force surnaturelle, il n'y parvint pas. Les chairs qui se carbonisaient s'étaient fusionnées. Tel un fauve enragé, il se mit à les déchirer de ses ongles acérés, les arrachant par lambeaux

– Non… Non… Non…, psalmodiait-il, les lèvres crispées, le désespoir perçant sa voix. Tu n'as pas le droit… Le talisman est rassemblé. Il est à moi…

Soudain, l'Élu arqua le dos. La lumière qui l'emplissait traversa ses paupières closes et émergea de sa bouche lorsqu'il émit un hurlement silencieux. Puis, à mesure que les dernières parcelles de vie quittaient son corps, elle vacilla et faiblit. Simultanément, dans le cercle de pierre, à l'extrémité du temple, les volutes lumineuses ralentirent et leur brillance s'atténua.

Manaïl retomba sur le dos, flasque, une fumée acre montant de son corps mutilé.

Frénétique, Nergal parvint enfin à arracher la main gauche collée à la poitrine de l'Élu, emportant avec elle la marque des Ténèbres calcinée. Il enfouit ses doigts dans ce qu'il restait de chair et en extirpa le talisman. L'objet était brûlant et fumant, mais il n'en avait cure. Il sourit, soulagé. Il l'avait sauvé juste à temps. L'Élu était plus puissant qu'il l'avait cru. Il l'avait presque déjoué.

Le jeune homme vrilla son regard agonisant dans les yeux jaunes du dieu des Enfers et força un sourire arrogant.

– *L'Élu... se lèvera,* haleta-t-il d'un filet de voix, *rassemblera... le... talisman et... le... détruira. Fils... du... Bien, il... combattra... le Mal... par... le... Mal.*

Avant que ses yeux se ferment pour toujours, Manaïl tourna la tête vers Ermeline et entrevit une dernière fois le doux sourire qui s'y était figé dans la mort. Puis son cœur cessa de battre.

Entre les doigts de Nergal, le talisman s'effrita et, sous ses yeux horrifiés, sa fine poussière tomba doucement sur le sol. Aux abois, il se releva et courut en direction du cercle de pierre. Il s'arrêta devant le mur de marbre. Le portail avait été refermé.

Le dieu des Enfers, de la Destruction, de la Maladie et de la Guerre tomba lourdement à genoux, sonné.

– Non..., murmura-t-il, déconcerté. C'est impossible...

✦

Debout au centre du temple qui portait son nom, entre les corps sans vie de l'Élu d'Ishtar et de sa compagne, Nergal était hagard.

Quelle amère ironie. Il avait cru manipuler les Anciens et faire sienne la quête de l'Élu. Mais il avait été déjoué comme le dernier des naïfs. Les Anciens avaient été plus rusés que lui. Dans leur omnipotence, ils avaient fait de Nergal lui-même l'instrument de la destruction de son talisman. Ils avaient compté sur son arrogance et son orgueil. Ils avaient gagné. En acceptant stupidement le pacte proposé par la gitane, il avait lui-même fourni à l'Élu le moyen de vaincre... Il lui avait donné le Mal. Et lorsque le maudit garçon avait eu à choisir entre l'échec et la mort, sans hésiter, il avait opté pour la seconde. Le trépas avait été son ultime triomphe. Tout était terminé. Le Nouvel Ordre ne serait jamais.

Saisi, Nergal faisait tourner entre ses doigts la dague qui portait encore le sang de l'Élu d'Ishtar. Son *kan* lui était désormais inaccessible. Les siens l'attendraient en vain. Dépité, il hocha la tête. D'un geste sec, il enfonça le poignard dans son abdomen et tomba à genoux, puis face contre terre. Il expira en songeant qu'au moins, pour longtemps encore, on l'adorerait comme un dieu.

LE REPOS DE L'ÉLU

Autour de Manaïl, tout était noir et silencieux. Il avait le sentiment de flotter dans l'infini et se sentait merveilleusement serein.. Il se trouvait là où il devait être. Il savoura cet état de parfait bonheur. Était-ce le Royaume d'En-Bas ? La mort n'était-elle qu'un séjour éternel dans une infinie béatitude, baignant dans une rassurante absence de tout ? Après tant de souffrances, il pourrait s'accommoder de cet état. Il avait vaincu. Le talisman de Nergal n'était plus. Il avait mérité le repos.

Il n'aurait pu dire pendant combien de temps il était resté ainsi, dans un non-être bienfaisant. Il y était, tout simplement, sans douleur, délivré du fardeau de la chair. Soudain, un bruit léger perça le silence, première manifestation d'autre chose que lui. Il ouvrit les yeux et constata avec étonnement que la matière avait pris forme autour de lui. Il était assis sur quelque chose de dur et d'inconfortable. Il avait à nouveau un corps.

Devant lui, une porte s'ouvrit et il fut baigné d'une faible lumière. Un homme entra. Il tenait entre ses doigts une mèche allumée qui faisait luire son crâne rasé. Il portait un pagne d'un blanc immaculé et de fines sandales de cuir dont les lanières lui encerclaient les chevilles et les mollets. Son visage était parfaitement serein et dénué d'expression. Son torse était nu. Il semblait sans âge. Une fois entré à l'intérieur, le nouveau venu se retourna pour faire face au mur sur sa droite et approcha la mèche d'une lampe en or posée dans une alcôve. L'huile prit aussitôt feu et une flamme brillante s'éleva dans son bec. L'homme passa à la lampe suivante et l'alluma. Il fit ainsi le tour de la pièce, sans jamais adresser la parole à Manaïl ni lui jeter le moindre regard.

Lorsqu'il eut terminé, l'homme sortit en silence et referma la porte, laissant le garçon seul dans la pièce désormais bien éclairée. L'huile des lampes dégageait une enivrante odeur d'épices et de parfums exotiques. Manaïl inspira profondément, étonné de pouvoir encore respirer, et observa l'endroit. De toute évidence, il s'agissait d'un temple. Les murs blancs étaient ornés de magnifiques fresques peintes de couleurs vives représentant des dieux inconnus et couvertes d'une écriture étrange, faite de dessins et de lettres. Au centre trônait un bloc de pierre massif et rectangulaire dont la surface avait été légèrement creusée pour former un bassin peu profond. Il examina son siège et constata sans surprise qu'il s'agissait d'un trône en or orné de magnifiques bas-reliefs sculptés.

La porte s'ouvrit encore. Dix hommes vêtus comme le précédent entrèrent sans faire de bruit. Quatre d'entre eux portaient un vase d'or et cinq autres des urnes de terre cuite. Le dernier tenait un plateau rempli de rouleaux de bandelettes de coton blanc. Tous posèrent leur fardeau au pied du bassin. Ils se retirèrent sans refermer la porte.

Manaïl attendit. Quatre autres hommes entrèrent. Dans leurs bras, ils portaient une forme humaine qu'ils déposèrent respectueusement sur le bloc de pierre, la tête en direction de la porte, les pieds face au garçon. L'Élu reconnut sans surprise la dépouille de maître Ashurat, qu'il avait lui-même transportée dans ses bras jusque dans le temple du Temps. Le vieux potier arborait toujours un visage serein, les yeux clos en un sommeil éternel.

Les quatre hommes se retirèrent. Bientôt, trois créatures entrèrent à la file indienne et, pendant un instant, Manaïl craignit d'être prisonnier d'un cauchemar. La première était un homme dont la peau était d'un vert profond qui rappelait la forêt luxuriante du kan *de Ville-Marie. Il portait avec grande dignité une robe très étroite qui raccourcissait ses pas. Elle était si blanche qu'elle semblait étinceler dans la pénombre. Sur sa tête trônait une coiffe conique de même couleur garnie de plumes multicolores. Son menton était orné d'une barbe étroite superbement tressée et huilée. Il tenait dans ses mains une crosse et un sceptre croisés sur sa poitrine.*

Derrière l'homme à la peau verte marchaient deux créatures d'apparence terrifiante. L'une, à corps d'homme et à tête de faucon, portait un sceptre. L'autre avait un corps d'homme surmonté d'une tête de chacal et tenait dans une main une croix à l'extrémité supérieure en forme de cercle. Les deux étaient vêtus d'un simple pagne et marchaient pieds nus.

Sans hésiter, les trois êtres contournèrent la surface sur laquelle reposait le corps d'Ashurat et se dirigèrent vers Manaïl. L'homme à la peau verte s'inclina devant lui et les deux autres créatures l'imitèrent.

– Je suis Osiris, frère et époux d'Isis, dieu de la Résurrection et de la Fertilité de la terre d'Égypte, dit l'homme à la peau verte. Gloire te soit rendue, Élu.

– Je suis Horus, fils d'Isis et d'Osiris, dieu des Vivants et protecteur du royaume d'Égypte, dit la créature à tête de faucon. Gloire te soit rendue, Élu.

– Je suis Anubis, dieu de la Momification des morts d'Égypte, dit la créature à tête de chacal. Gloire te soit rendue, Élu.

Les trois dieux se redressèrent, marchèrent à reculons vers le bloc de pierre et formèrent une haie d'honneur devant la porte. Puis ils attendirent, dans une attitude de recueillement.

Bientôt, l'embrasure fut remplie par une silhouette féminine. Avec une grâce et une dignité infinies, la femme s'avança à pas lents, dépassant la dépouille étendue. Derrière elle, un serviteur referma la porte du temple. La nouvelle venue portait une magnifique robe bleu pâle et sa chevelure d'un noir d'ébène était encadrée par deux cornes de vache au milieu desquelles brillait un disque d'or.

– Gloire à Isis! s'exclamèrent à l'unisson les trois dieux en inclinant respectueusement la tête.

La femme s'approcha de Manaïl, mais ne s'inclina pas. Elle sourit plutôt et le garçon fut rempli de bonheur en la reconnaissant. Ishtar.

– Déesse...

– Élu..., répondit Ishtar en inclinant légèrement la tête.

– Vous êtes si belle...

– Dans cette incarnation, on m'appelle Isis. Je suis la déesse mère des terres d'Égypte, dispensatrice de la vie, protectrice des enfants, des défunts et des pharaons. C'est de ce kan *que j'ai guidé tes pas de mon mieux.*

Ishtar s'approcha du trône et lui caressa la joue.

– Tu as bien fait, mon enfant. Tu as vaincu. Le prix à payer était le plus élevé qui soit, mais tu n'as jamais hésité. Tu as la reconnaissance éternelle d'Ishtar.

Elle rejoignit les trois dieux près du corps d'Ashurat et s'installa à sa tête.

– Le temps est venu de rendre aux Mages défunts l'hommage qui leur revient.

La déesse et les trois dieux dévêtirent la dépouille avec respect puis puisèrent un liquide dans les vases de terre cuite et lavèrent le corps avec du vin de palme dont l'excédent s'écoula par une petite ouverture pratiquée au bout du bassin de pierre. Anubis prit ensuite un couteau et ouvrit le côté droit du torse d'Ashurat. Il plongea les mains à l'intérieur et en retira en séquence les poumons, le foie, l'estomac et les intestins, n'y laissant que le cœur, puis les remit à Osiris. Ce dernier les lava avant de les déposer cérémonieusement dans les urnes apportées plus tôt par les serviteurs et de sceller les couvercles avec de la cire d'abeille. Anubis inséra ensuite un long crochet de métal dans une des narines du cadavre et en sortit le cerveau, qu'Horus traita de la même manière. Lorsque le corps fut complètement éviscéré, les dieux le remplirent de natron et l'enduisirent d'huiles odoriférantes.

Les divinités reprirent leur position autour du bassin et fermèrent les yeux. Le temps s'accélérera. En quelques minutes, quarante jours s'écoulèrent. Sous les yeux étonnés de Manaïl, le corps de maître Ashurat se dessécha et sa peau sembla prendre l'apparence du cuir. Lorsque tout fut terminé, le temps reprit son cours.

Les trois dieux soulevèrent légèrement le corps désormais rigide. Isis prit un rouleau de bandelettes et enveloppa avec affection la tête d'Ashurat, puis ses doigts et ses orteils. Avec l'aide des autres dieux, elle traita de la même manière ses membres et, enfin, son torse. À la hauteur de sa poitrine, elle déposa sur les bandelettes des amulettes puis continua jusqu'à ce que la dépouille soit enrubannée par des dizaines de couches de bandelettes.

Anubis s'approcha et enduisit le corps ainsi préservé d'une couche de résine qui durcit en quelques secondes pour former un cocon solide sur lequel il peignit, avec des couleurs vives, des portraits des dieux. Puis Horus empoigna la momie et la souleva afin qu'Osiris le drape dans une grande pièce de tissu que l'on maintint en place par de nouvelles bandelettes.

La déesse fit un petit geste de la main et un massif sarcophage de pierre se matérialisa debout contre un mur. Les dieux soulevèrent la momie d'Ashurat et l'y déposèrent avec soin et respect avant d'y poser le couvercle et de le sceller à jamais.

Sous les yeux de l'Élu, les dieux préparèrent ensuite les dépouilles des autres Mages. Celle de Nosh-kem, le pauvre mage devenu fou dans le kan *de Londres, de Mour-ît, que l'Élu n'avait jamais connu, et d'Abidda, dont il avait aimé la descendante, furent momifiées de la même manière et allèrent rejoindre Ashurat dans des sarcophages. Puis vinrent les cendres d'Hiram, dont il avait lui-même brûlé le corps sous les ruines du temple du roi Salomon, qui furent déposées dans une urne près des autres dépouilles. Lorsque les cinq Mages furent traités, on apporta le corps de Naska-ât, qui fut honoré de la même manière, mais le sarcophage qu'on lui réservait était fait d'or pur. À l'image du maître des Mages.*

Lorsque tout fut achevé, les trois dieux se placèrent en rang devant les défunts, ouvrirent les bras et levèrent les yeux au ciel.

– Que Râ veille à jamais sur la dépouille de ces Mages valeureux ! s'écrièrent-ils à l'unisson.

Les trois dieux se retirèrent ensuite en silence. Ishtar admira le résultat un moment de plus et sourit, satisfaite. Puis elle porta son regard vers Manaïl.

– Voilà. Les Mages reposent désormais dans la paix et la dignité au Royaume d'En-Bas.

Elle continua à fixer son Élu avec une infinie douceur.

– Et toi ?

– Moi ?

– Que désires-tu ? Tu as trouvé la troisième voie. Tu mérites le repos éternel, mais te rendre la vie est aussi en mon pouvoir. Après tous les sacrifices que tu as consenti pour moi, je te le dois.

Débordant de bonheur, l'Élu n'eut pas à réfléchir longtemps.

– La vie, déesse. Mais à une condition... Si j'ai bien compris ce que maître Ashurat m'avait expliqué à propos des kan, *toutes les*

variantes de chaque événement existent en même temps…

Il confia alors à la déesse son plus cher désir et elle ne parut nullement surprise. Elle s'approcha de lui et posa un baiser maternel sur sa joue avant de lui caresser les cheveux.

– Sois heureux, mon enfant, dit-elle d'une voix étouffée par l'émotion.

Puis, tout disparut.

LA TROISIÈME VOIE

Paris, en l'an de Dieu 1348

Manaïl ouvrit les yeux et sourit en reconnaissant les alentours. Malgré la vague puanteur qui alourdissait l'air, il était heureux de revoir le *kan* de Paris. Le soleil brillait et caressait son visage. Il s'examina et constata qu'il était vêtu d'un pourpoint et d'une culotte.

Il se tenait sur le parvis de l'église Saint-Séverin. Pendant un instant, il craignit que ce qu'il espérait ne se produise pas et fut saisi par l'anxiété. Puis il entendit la voix tant attendue.

– Pour un écu, je te révélerai ta destinée.

Le cœur de l'Élu tressaillit. Il tourna la tête et la chercha du regard.

Elle était là où elle devait, assise par terre, sa jupe usée et rapiécée drapée sur ses jambes, les épaules couvertes d'un châle de laine. Elle avait peut-être seize ans et était belle comme le jour. Le teint basané, les lèvres vermeilles, les pommettes hautes et saillantes, les cheveux noirs, les yeux vairons à la lueur espiègle, le port fier, le sourire taquin... Manaïl eut l'impression que son cœur allait sortir de sa poitrine et remercia intérieurement Ishtar. Débordant de joie, il sourit.

Elle se leva.

– Je m'appelle Ermeline. Je suis diseuse de bonne aventure. Alors, tu veux connaître ton avenir ou pas ? Cornebouc ! Quelle tête tu fais ! Tu as l'air d'un amoureux transi !

Puis elle se mit à rire. Aux oreilles de l'Élu, le son se transforma en musique.

Manaïl franchit la distance qui le séparait de la gitane et lui tendit sa main gauche, ouverte. Ses doigts n'étaient plus unis par les membranes qu'il avait dû porter sa vie durant. À l'intérieur, la marque de YHWH avait disparu.

– Je m'appelle Martin Deville, dit-il. Mon avenir, je le connais déjà, Ermeline. Et il me plaît beaucoup.

TABLE DES MATIÈRES

LE TALISMAN DE NERGAL

TOME 1
L'ÉLU DE BABYLONE

TOME 2
LE TRÉSOR DE SALOMON

TOME 3
LE SECRET DE LA VIERGE

TOME 4
LA CLÉ DE SATAN

TOME 5
LA CITÉ D'ISHTAR

TOME 6
LA RÉVÉLATION DU CENTRE

Imprimé en octobre 2009
sur les presses de Transcontinental-Gagné,
Louiseville, Québec.